# MIROIR DE NOS PEINES

PIERRE LEMAITRE

# MIROIR
# DE NOS PEINES

roman

ALBIN MICHEL

*Pour Pascaline,*

*À Catherine et Albert,*
*avec ma reconnaissance*
*et mon affection*

« Pour tout ce qui arrivait, quelqu'un d'autre était coupable. »

William McIlvanney, *Laidlaw*

« L'homme, partout où il va, porte avec lui son roman. »

Benito Pérez Galdós, *Fortunata et Jacinta*

« Pour émouvoir puissamment il faut de grands déplaisirs, des blessures et des morts en spectacle. »

Corneille, « Examen d'Horace »

# 6 avril 1940

# 1

Ceux qui pensaient que la guerre commencerait bientôt s'étaient lassés depuis longtemps, M. Jules le premier. Plus de six mois après la mobilisation générale, le patron de La Petite Bohème, découragé, avait cessé d'y croire. À longueur de service, Louise l'avait même entendu professer qu'en réalité « cette guerre, personne n'y avait jamais vraiment cru ». Selon lui, ce conflit n'était rien d'autre qu'une immense tractation diplomatique à l'échelle de l'Europe, avec des discours patriotiques spectaculaires, des annonces tonitruantes, une gigantesque partie d'échecs dans laquelle la mobilisation générale n'avait été qu'un effet de manches supplémentaire. Il y avait bien eu quelques morts ici et là – « Davantage, sans doute, qu'on ne nous le dit ! » –, cette agitation dans la Sarre, en septembre, qui avait coûté la vie à deux ou trois cents bonshommes, mais enfin, « c'est pas ça, une guerre ! » disait-il en passant la tête par la porte de la cuisine. Les masques à gaz reçus à l'automne, qu'on oubliait aujourd'hui sur le coin du buffet, étaient devenus des sujets de dérision dans les dessins humoristiques. On descendait aux abris avec fatalisme, comme pour satisfaire à un rituel assez stérile, c'étaient des alertes sans avions, une guerre sans combats qui traînait en longueur. La seule chose tangible était l'ennemi, toujours le même, celui avec qui on se promettait de s'étriper pour la troisième fois en un demi-siècle, mais qui ne semblait pas disposé, lui non plus, à se jeter à corps perdu dans la bagarre. Au point que l'état-major, au printemps, avait permis aux soldats du front... (là, M. Jules passait son torchon dans l'autre main et pointait son index vers le ciel pour souligner l'énormité de la situation)... de cultiver des jardins potagers ! «Je te jure...», soupirait-il.

Aussi, l'ouverture effective des hostilités, bien qu'elle eût lieu dans le nord de l'Europe, trop loin à son goût, lui avait-elle redonné du cœur à l'ouvrage. Il clamait à qui voulait l'entendre, «avec la pile que les Alliés sont en train de mettre à Hitler du côté de Narvik, ça ne va pas durer longtemps», et comme il estimait que cette affaire était close, il pouvait se concentrer de nouveau sur ses sujets favoris de mécontentement : l'inflation, la censure des quotidiens, les jours sans apéritif, la planque des affectés spéciaux, l'autoritarisme des chefs d'îlot (et principalement de cette baderne de Froberville), les horaires du couvre-feu, le prix du charbon, rien ne trouvait grâce à ses yeux, à l'exception de la stratégie du général Gamelin qu'il jugeait imparable.

– S'ils viennent, ce sera par la Belgique, c'est prévu. Et là, je peux vous dire qu'on les attend !

Louise, qui portait des assiettes de poireaux vinaigrette et de pieds paquets, aperçut la moue dubitative d'un consommateur qui murmurait :

– Prévu, prévu...

– M'enfin ! hurla M. Jules en revenant vers le zinc. Par où tu veux qu'ils arrivent ?

D'une main, il rassembla les présentoirs d'œufs durs.

14

– Là, t'as les Ardennes : infranchissables !

Avec son torchon humide, il traça un grand arc de cercle.

– Là, t'as la ligne Maginot : infranchissable ! Alors, d'où tu veux qu'ils viennent ? Reste que la Belgique !

Sa démonstration achevée, il se replia vers la cuisine en bougonnant.

– Pas nécessaire d'être général pour comprendre ça, merde alors...

Louise n'écouta pas la suite de la conversation parce que son souci, ça n'était pas les gesticulations stratégiques de M. Jules, mais le docteur.

On l'appelait ainsi, on disait « le docteur » depuis vingt ans qu'il venait s'asseoir chaque samedi à la même table, près de la vitrine. Il n'avait jamais échangé avec Louise plus de quelques mots, toujours très polis, bonjour, bonsoir. Il arrivait vers midi, s'installait avec son journal. S'il ne choisissait jamais autre chose que le dessert du jour, Louise mettait un point d'honneur à prendre sa commande qu'il passait d'une voix égale et douce, « le clafoutis, oui, disait-il, c'est parfait ».

Il lisait les nouvelles, regardait dans la rue, mangeait, vidait sa carafe et, vers quatorze heures, au moment où Louise comptait sa caisse, il se levait, pliait son *Paris-Soir* qu'il abandonnait sur le coin de la table, posait son pourboire dans la soucoupe, saluait et quittait le restaurant. Même en septembre dernier, quand le café-restaurant avait été tout agité par la mobilisation générale (M. Jules était très en forme ce jour-là, on avait vraiment envie de lui confier la direction de l'état-major), le docteur n'avait pas modifié son rituel d'un iota.

Et soudain, quatre semaines plus tôt, alors que Louise lui

apportait la crème brûlée à l'anis, il lui avait souri, s'était penché vers elle et avait fait sa demande.

Il lui aurait proposé la botte, Louise aurait posé l'assiette, l'aurait giflé et aurait tranquillement repris son service, M. Jules en aurait été quitte pour perdre son plus ancien habitué. Mais ça n'était pas ça. C'était sexuel, oui, bien sûr, mais c'était… Comment dire…

« Vous voir nue, avait-il dit calmement. Juste une fois. Seulement vous regarder, rien d'autre. »

Louise, soufflée, n'avait pas su quoi répondre ; elle avait rougi comme si elle était en faute, avait ouvert la bouche, mais rien n'était venu. Le docteur était déjà retourné à son journal, Louise s'était demandé si elle n'avait pas rêvé.

Pendant tout le service, elle n'avait pensé qu'à cette étrange proposition, passant de l'incompréhension à la colère, mais sentant confusément que c'était un peu tard, qu'elle aurait dû immédiatement se camper devant la table, les poings sur les hanches, et élever la voix, prendre les clients à témoin, lui faire honte… La fureur montait en elle. Quand une assiette lui avait échappé et s'était brisée sur le carrelage, ç'avait été le déclic. Elle s'était ruée dans la salle.

Le docteur était parti.

Son journal était plié sur le bord de la table.

Elle le ramassa rageusement et le jeta dans la poubelle. « Bah, Louise, qu'est-ce qui te prend ? », s'offusqua M. Jules qui considérait le *Paris-Soir* du docteur et les parapluies oubliés comme des dépouilles opimes.

Il exhuma le journal et le lissa du plat de la main en posant sur Louise un regard perplexe.

Louise était adolescente lorsqu'elle avait commencé à faire le service le samedi à La Petite Bohème, dont M. Jules était le propriétaire et le cuisinier. C'était un homme fort, aux gestes lents, avec un gros nez, une jungle de poils aux oreilles, un menton un peu fuyant et une moustache poivre et sel en tablier de sapeur. Il portait en permanence des charentaises hors d'âge et un béret noir, rond, qui enveloppait son crâne, personne ne pouvait se vanter de l'avoir vu nu-tête. Il faisait la cuisine pour une trentaine de couverts. « Cuisine parisienne ! » disait-il en dressant l'index, il y tenait beaucoup. Et plat unique, « comme à la maison, s'ils veulent du choix, les clients n'ont qu'à traverser la rue ». Son activité était auréolée d'un certain mystère. Personne ne comprenait comment cet homme lourd et lent, que l'on avait l'impression de voir en permanence derrière son zinc, parvenait à préparer autant de repas d'une telle qualité. Le restaurant n'avait jamais désempli, il aurait pu servir le soir et le dimanche et même s'agrandir, à quoi M. Jules s'était toujours refusé. « Quand on ouvre trop grand la porte, on ne sait jamais qui va entrer », disait-il, en ajoutant : « J'en sais quelque chose… », phrase énigmatique qui restait suspendue dans l'air comme une prophétie.

C'est lui qui avait autrefois proposé à Louise de l'aider pour la salle l'année où sa femme, dont plus personne ne se souvenait, était partie avec le fils du bougnat de la rue Marcadet. Ce qui n'avait été qu'un service de voisinage s'était poursuivi lorsque Louise avait fait ses études à l'École normale d'institutrices. Ensuite, comme elle avait été nommée là, tout près, à l'école communale de la rue Damrémont, elle n'avait rien changé à ses habitudes. M. Jules la payait de la main à la main, arrondissant généralement la somme à la dizaine supérieure, il faisait cela d'un air bougon, comme si elle le lui avait réclamé et qu'il s'exécutait à contrecœur.

Le docteur, il lui semblait qu'elle l'avait toujours connu.

Aussi, c'était moins qu'il veuille la voir nue qui lui paraissait immoral, que le fait de l'avoir vue grandir. Elle trouvait à sa demande quelque chose d'incestueux. À quoi s'ajoutait qu'elle venait de perdre sa mère. Propose-t-on une chose pareille à une orpheline ? En réalité, le décès de Mme Belmont remontait à sept mois et il y en avait bien six que Louise ne portait plus le deuil. Elle fit la grimace devant la pauvreté de l'argument.

Elle se demanda ce qu'un vieil homme comme lui pouvait s'imaginer pour avoir envie de la voir nue. Elle se déshabilla et se planta devant la glace en pied de sa chambre. Elle avait trente ans, un ventre plat, un delta tendre châtain clair. Elle se tourna de biais. Elle n'avait jamais aimé ses seins, qu'elle trouvait trop petits, mais elle aimait bien son cul. Elle avait le visage triangulaire de sa mère, des pommettes hautes, des yeux d'un bleu lumineux et une jolie bouche légèrement proéminente. Paradoxalement, ces lèvres charnues, c'est la première chose qu'on voyait alors qu'elle n'était pas souriante, ni bavarde, elle ne l'avait jamais été, même enfant. Dans le quartier, on avait toujours attribué sa gravité aux épreuves qu'elle avait connues, un père mort en 1916, un oncle un an plus tard et une mère dépressive qui avait passé l'essentiel de son temps derrière sa fenêtre, à fixer la cour. Le premier homme qui avait posé sur Louise un beau regard avait été un ancien combattant de la Grande Guerre dont la moitié du visage avait été arrachée par un éclat d'obus, vous parlez d'une enfance.

Louise était une jolie fille, mais jamais prête à l'admettre. « Il y en a des dizaines bien plus jolies que moi », se répétait-elle. Elle avait eu du succès auprès des garçons, mais « toutes les filles ont du succès, ça ne veut rien dire ». Institutrice, elle

18

ne cessait de repousser les avances des collègues et des directeurs (quand ce n'était pas des pères d'élèves) qui tentaient de lui mettre la main aux fesses dans les couloirs, ça n'avait rien d'inhabituel, c'était comme ça partout. Elle n'avait jamais manqué de soupirants. Parmi eux, Armand. Cinq ans. Dûment fiancés, attention ! Louise n'était pas du genre à jeter sa réputation en pâture aux voisins. Ces fiançailles avaient été une sacrée histoire. Mme Belmont avait sagement laissé la mère d'Armand à la manœuvre, la réception, le vin d'honneur, la bénédiction, plus de soixante personnes invitées et M. Jules, dans son frac (Louise apprit plus tard qu'il l'avait loué dans un magasin de décors et costumes de théâtre, il était trop juste de partout, sauf le pantalon qu'il ne cessait de remonter comme au sortir de sa cuisine) et chaussé d'escarpins vernis qui lui faisaient des petits pieds de Chinoise, M. Jules donc, qui jouait les propriétaires au prétexte qu'il avait fermé son restaurant pour offrir sa salle. Louise s'en fichait, elle avait hâte d'aller au lit avec Armand dont elle voulait un bébé. Qui n'était jamais venu.

L'histoire traîna en longueur. Dans le quartier, on ne comprenait pas. On finit par regarder les fiancés d'un œil torve, suspicieux, reste-t-on trois ans ensemble sans se marier, ça n'existe pas. Armand avait demandé le mariage, avait insisté, Louise attendait que ses règles s'arrêtent pour dire oui, et repoussait tous les mois. La plupart des filles priaient le ciel de n'être pas enceintes avant le mariage, Louise, c'était l'inverse, pas de bébé, pas de mariage. Mais ça ne venait pas.

Louise fit une dernière tentative, désespérée. Puisqu'ils ne pouvaient pas avoir d'enfants, on irait en chercher un à l'orphelinat, ça ne manquait pas, les malheureux. Armand y vit une insulte à sa virilité. « Pourquoi pas recueillir le chien qui fait les poubelles, lui aussi, il est dans le besoin ! » dit-il. La conversation partit en vrille, c'était récurrent, ils se disputaient comme un couple marié. Le jour où il fut question de l'adoption, Armand, furieux, rentra chez lui et ne revint pas.

Louise en fut soulagée parce qu'elle pensait que c'était sa faute à lui. Cette rupture, quelle histoire dans le quartier ! « Et alors, hurlait M. Jules, si ça ne lui plaît pas, à la petite ! Vous voulez donc la marier contre son gré ? » Mais il prenait Louise à part : « Ça te fait quel âge, Louise ? Il est bien, ton Armand, qu'est-ce que tu veux de plus ? », mais il disait tout cela d'une voix feutrée, presque hésitante, et ajoutait : « Un bébé, un bébé, mais ça va venir ! Ces choses-là demandent du temps ! » et il retournait à sa cuisine, « manquerait plus que je rate ma béchamel… ».

D'Armand, ce qu'elle regrettait le plus, c'était le bébé qu'il ne lui avait pas donné. Ce qui n'avait été jusque-là qu'un désir inassouvi devint une obsession. Elle se mit à vouloir un bébé à tout prix, n'importe lequel, même s'il devait faire son malheur. La vue d'un nourrisson dans un landau lui serrait le cœur. Elle se maudissait, se détestait, se réveillait en sursaut en pleine nuit, certaine d'avoir entendu un enfant hurler, quittait son lit en hâte, se cognait aux meubles, courait dans le couloir, ouvrait la porte, sa mère disait, « C'est un rêve, Louise », et elle la prenait dans ses bras, la raccompagnait jusqu'à son lit comme si elle était encore une petite fille.

La maison était triste comme un cimetière. Elle avait d'abord fermé à clé la porte de la chambre qu'elle pensait aménager pour ce bébé. Puis elle était allée y dormir, couchée sur le sol avec juste une couverture, en cachette de sa mère qui n'était pas dupe.

Mme Belmont, que la fièvre de sa fille désolait, la prenait souvent contre elle, lui caressait les cheveux, disait qu'elle comprenait, qu'il y avait d'autres manières de réussir sa vie que faire des enfants, c'était facile pour elle qui en avait eu.

« C'est très injuste, reconnaissait Jeanne Belmont, mais… peut-être que la nature veut d'abord que tu lui trouves un papa, à cet enfant. »

La formulation était naïve, Mère Nature, tout ce fatras qui lui avait cassé les pieds à l'école…

« Oui, je sais, ça t'énerve. Ce que je veux dire… C'est souvent mieux de faire les choses dans le bon ordre, voilà. Trouver un homme et puis…

— J'en avais un !

— Sans doute que ça n'était pas le bon. »

Alors Louise prit des amants. En cachette. Elle coucha ici et là avec des hommes éloignés de son quartier, de son école. Si un jeune homme lui faisait de l'œil dans l'autobus, elle répondait aussi discrètement que la morale le permettait. Deux jours plus tard, elle fermait les yeux, concentrée sur les fissures du plafond, poussait des petits cris et, dès le lendemain, commençait à attendre ses prochaines règles. Pensant à cet enfant, « il pourra tout me faire », se répétait-elle comme si la promesse d'un calvaire allait faciliter sa venue. C'était une maladie chronique qui l'avait saisie, elle s'en rendait compte, ça la hantait.

Elle était retournée à l'église allumer des cierges, avait confessé des fautes inexistantes pour mériter la rédemption, elle rêvait qu'elle donnait le sein. Quand un de ses amants prenait un de ses mamelons entre ses lèvres, elle se mettait à pleurer, elle les aurait giflés, tous. Elle recueillit un chaton et se félicita qu'il n'ait jamais été propre ; elle passait son temps à essuyer, récurer, aérer, c'était une bête égoïste, tout de suite grasse, exigeante, exactement ce qu'il lui fallait pour payer la faute imaginaire qu'elle pensait avoir commise en étant stérile. Jeanne Belmont disait que ce chat était une calamité, mais ne fit rien contre sa présence.

Épuisée par cette course en avant, Louise se résolut à consulter. Le verdict tomba, ça ne serait pas possible, un problème de trompes, conséquence de salpingites à répétition, on ne pouvait rien y faire. Comme par hasard, le chat se fit écraser le soir même devant La Petite Bohème, bon débarras, dit M. Jules.

Louise abandonna le commerce des hommes et devint irascible. La nuit, elle se cognait la tête contre les murs, elle commença à se détester. Dans la glace, elle voyait poindre sur son visage d'imperceptibles tics, cet air pincé, nerveux, irritable et tendu des femmes chez qui sourd la frustration de n'avoir pas eu d'enfants. D'autres autour d'elle, comme Edmonde, sa collègue, ou Mme Croizet, qui tenait le bureau de tabac, se moquaient de n'être pas mères. Louise, elle, se sentait humiliée.

Sa colère rentrée faisait peur aux hommes. Même les clients du restaurant, qui auparavant ne se gênaient pas, n'osaient plus la frôler entre les tables. Elle se montrait froide, distante. À l'école, dans son dos, on l'appelait « la Joconde », et ça n'était pas aimable. Elle se fit couper les cheveux très court pour punir sa féminité, être inaccessible. Le paradoxe se creusa encore parce que cette coiffure l'avait rendue plus jolie que jamais. Parfois, elle avait peur de prendre les enfants en grippe, de finir comme Mme Guénot, cette folle qui faisait venir au tableau les garçons récalcitrants et les déculottait et, pendant les récréations, mettait au piquet les filles désobéissantes jusqu'à ce qu'elles fassent pipi dans leur culotte.

Nue, face au miroir, Louise remuait toutes ces pensées. Peut-être parce que ses relations avec les hommes étaient désormais inexistantes, elle prit soudain conscience que, pour immorale qu'elle fût, la proposition du docteur l'avait flattée.

Le samedi suivant, elle fut tout de même soulagée. Il avait sans doute compris, lui aussi, l'incongruité de la situation et ne renouvela pas sa demande. Il avait aimablement souri, remercié pour le service, pour la carafe, et s'était plongé dans son *Paris-Soir* comme à l'accoutumée. Louise, qui ne l'avait jamais vraiment regardé, en profita pour le détailler. Si, la semaine précédente, elle n'avait pas aussitôt réagi, c'est qu'il n'avait rien de louche ni d'inquiétant. Un visage marqué, long et fatigué. Elle lui donnait soixante-dix ans, mais elle n'avait jamais été très douée pour cet exercice, elle se trompait souvent. Longtemps après, elle se souviendrait qu'elle lui avait trouvé quelque chose d'étrusque. Le mot l'avait frappée, il ne lui était pas habituel. Elle voulait dire « romain », à cause de son nez fort et un peu busqué.

M. Jules, excité par la rumeur selon laquelle la propagande communiste pourrait être bientôt passible de la peine de mort, proposait d'élargir le débat (« Moi, même leurs avocats, je les passerais à la guillotine… Enfin, c'est vrai, quoi ! »). Louise desservait une table voisine quand le docteur se leva pour partir.

— Je vous donnerai de l'argent, bien sûr, vous me direz

combien vous voulez. Et encore une fois, c'est uniquement pour vous regarder, rien d'autre, n'ayez aucune crainte.

Il ferma le dernier bouton de son pardessus, mit son chapeau, sourit et sortit calmement après avoir adressé un petit signe de la main à M. Jules, qui en était à la fuite de Maurice Thorez («Doit être à Moscou, cet animal! Le peloton, moi je dis, le peloton!»). Prise au dépourvu par cette relance à laquelle elle ne croyait plus, Louise faillit lâcher son plateau. M. Jules leva les yeux.

– Ça va pas, Louise?

Toute la semaine qui suivit, sa colère remonta, elle allait lui dire ce qu'elle pensait, à ce vieux schnock. Elle attendit le samedi avec une impatience rageuse, mais quand elle le vit entrer dans le restaurant, elle le trouva si âgé, si faible... Pendant tout son service, elle chercha le mot juste, la raison pour laquelle sa fureur était ainsi redescendue. C'est qu'il était sûr de lui. Si elle avait été troublée par la proposition, lui paraissait n'avoir jamais douté. Il sourit, commanda le plat du jour, lut son journal, mangea, paya et, à l'instant de partir :

– Vous avez réfléchi? demanda-t-il d'une voix douce. Combien voulez-vous?

Louise regarda M. Jules et ressentit de la honte à s'entretenir ainsi à voix basse avec le vieux docteur près de la porte d'entrée.

– Dix mille francs, jeta-t-elle comme une insulte.

Elle rougit. C'était énorme, inacceptable.

Il hocha la tête avec l'air de dire, je comprends. Il ferma son pardessus, mit son chapeau.

– C'est d'accord.

Puis il sortit.

M. Jules demanda :
– Tu n'as pas de problème avec le docteur, au moins ?
– Non, pourquoi ?
Geste vague. Non, pour rien.

L'importance de la somme lui fit peur. En terminant son service, elle tenta de dresser la liste de ce qu'elle pourrait s'offrir avec dix mille francs. Elle réalisa qu'elle allait accepter qu'un homme la paye pour se déshabiller. Elle était une putain. Ce constat lui fit du bien. Il était en phase avec l'idée qu'elle avait d'elle-même. À d'autres moments, voulant se rassurer, elle se disait que se montrer nue, ça n'était pas pire que chez le médecin. Une de ses collègues posait dans une académie de peinture, il paraît que c'était seulement ennuyeux, qu'elle avait surtout peur de prendre froid.

Et dix mille francs… Non, c'était impossible, ça ne pouvait pas être juste pour se déshabiller. Il voudrait autre chose. Pour ce prix-là, il pouvait avoir… Mais Louise n'avait aucune idée de ce qu'un homme pouvait exiger pour une pareille somme.

Peut-être le docteur s'était-il fait la même réflexion parce qu'il n'en parla plus. Un samedi passa. Puis un autre. Un troisième. Louise s'interrogea, n'avait-elle pas demandé trop d'argent, était-il allé chercher une autre fille, plus accommodante ? Elle en fut vexée. Elle se surprit à poser son assiette d'un geste un peu brutal, à émettre un petit bruit de gorge lorsqu'il s'adressait à elle, bref, à devenir le genre de serveuse qu'elle aurait détesté si elle avait été cliente.

Elle achevait son service et passait un coup d'éponge sur la table. De là, on voyait la façade de son pavillon, dans l'impasse Pers. Au coin de la rue, elle aperçut le médecin qui, à l'angle de la rue, fumait une cigarette avec l'air de quelqu'un qui attend sans impatience.

Elle traîna le plus possible, mais, quel que soit le temps que l'on prenne, une tâche a toujours une fin. Elle enfila son manteau, sortit. Elle espérait vaguement que le docteur s'était lassé, mais savait qu'il n'en serait rien.

Elle alla jusqu'à lui. Il lui sourit gentiment. Il lui sembla plus petit que dans le restaurant.

– Où voulez-vous que ça se passe, Louise ? Chez vous ? Chez moi ?

Chez lui, certainement pas, trop risqué.

Chez elle non plus d'ailleurs, de quoi aurait-elle l'air ? Les voisins... Elle n'en avait quasiment pas, mais c'était une question de principe. Alors, non.

Il proposa l'hôtel. Ça faisait maison de passe, elle accepta.

Il devait avoir prévu sa réponse parce qu'il lui tendit une page de carnet.

– Vendredi, voulez-vous ? Vers dix-huit heures ? Je réserverai au nom de Thirion, c'est écrit sur le papier.

Il remit ses mains dans ses poches.

– Merci d'accepter, ajouta-t-il.

Louise resta un instant avec le papier, le fourra dans son sac et rentra chez elle.


Sa semaine fut un calvaire.

Irait-elle, n'irait-elle pas, elle changeait d'avis dix fois par jour, vingt fois par nuit. Et si, malgré tout, les choses se passaient mal ? L'adresse était celle d'un établissement du XIVe arrondissement, l'Hôtel d'Aragon, elle s'y rendit le jeudi, pour voir. Elle était juste devant lorsque les sirènes se mirent à hurler. Une alerte. Elle chercha du regard où se réfugier.

– Venez…

Les clients sortaient de l'hôtel en file indienne, d'un pas pesant et contrarié, une vieille femme la prit par le bras, c'est ici, la porte à côté. Un escalier descendait aux caves, on alluma des bougies. Personne ne s'étonna qu'elle ne porte pas son masque à gaz en bandoulière, un occupant sur deux n'en avait pas. Ce devait être un hôtel à demi-pension, les gens se connaissaient. On dévisagea Louise au début, mais bientôt un homme dont le ventre débordait du pantalon tira un jeu de cartes, un jeune couple sortit un damier, plus personne ne s'intéressa à elle. Seule l'hôtelière, une femme hors d'âge à tête d'oiseau, aux cheveux d'un noir suspect comme ceux d'une perruque, à l'œil dur, gris acier, enveloppée dans une mantille, frêle et maigre – quand elle s'était assise, Louise avait deviné ses genoux pointus sous le tissu de sa robe –, seule l'hôtelière l'avait regardée avec insistance, on ne devait pas voir souvent de nouveaux visages par ici. L'alerte ne dura pas, on remonta. «Les dames d'abord», dit le gros homme, on sentait qu'il prononçait la même phrase à chaque fois, qu'ainsi il avait l'impression d'être un gentleman. Personne n'avait adressé la parole à Louise. Elle remercia l'hôtelière qui la regarda s'éloigner, Louise sentit son regard, mais quand elle se retourna, la rue était vide.

Le lendemain, les heures tournèrent à une vitesse folle. Elle avait décidé qu'elle n'irait pas, mais, en rentrant de l'école, elle s'était habillée. Et à dix-sept heures trente, elle quitta son domicile, la peur au ventre.

À l'instant de sortir, elle revint sur ses pas, ouvrit le tiroir de la cuisine, saisit un couteau à viande et le glissa dans son sac à main.

À la réception de l'hôtel, la propriétaire la reconnut et manifesta sa surprise.

– Thirion, dit simplement Louise.

La vieille femme lui tendit une clé et lui indiqua l'escalier.

– 311. Au troisième.

Louise avait envie de vomir.

Tout était calme, silencieux. Elle n'était jamais entrée dans un hôtel, ça n'était pas le genre d'endroit où l'on allait, chez les Belmont, c'était un lieu pour les riches, enfin, pour les autres, pour ceux qui prenaient des vacances ou qui vivaient de l'air du temps. «Hôtel» était un mot exotique, synonyme de palace ou, si on le prononçait d'une certaine manière, synonyme de bordel, deux endroits dans lesquels aucun Belmont ne se serait rendu. Et Louise justement y était. La carpette du couloir était usagée, mais propre. Essoufflée par la montée, elle resta un long moment devant la porte, cherchant le courage de frapper. Il se fit du bruit quelque part, elle prit peur, saisit la poignée, la tourna, entra.

Le docteur était en pardessus, assis sur le lit, comme dans une salle d'attente. Il était calme, Louise le trouva terriblement vieux et fut certaine qu'elle n'aurait pas à se servir du couteau.

– Bonsoir, Louise.

Sa voix douce. Elle ne put répondre, la gorge nouée.

La chambre, c'était un lit, une petite table, une chaise et une commode sur laquelle elle vit une enveloppe épaisse. Le docteur se contenta de laisser flotter sur ses lèvres un sourire bienveillant, il pencha légèrement la tête, comme pour la rassurer, mais elle n'avait plus peur.

Pendant le trajet, elle avait pris des résolutions. D'abord, elle lui dirait qu'elle ferait seulement ce qui était convenu, pas question qu'il la touche, si c'était pour ça, elle repartirait tout de suite. Ensuite, elle compterait l'argent, elle ne voulait pas se faire avoir… Mais maintenant, dans cette pièce trop petite, elle comprit que le scénario qu'elle avait imaginé était inapplicable, que tout allait se dérouler simplement, calmement.

Elle dansait d'un pied sur l'autre, et comme il ne se passait rien, elle jeta un œil sur l'enveloppe pour y chercher un encouragement, recula d'un pas, accrocha son manteau à la patère fixée à la porte, ôta ses chaussures et, après une légère hésitation, retira sa robe en croisant les bras au-dessus de sa tête.

Elle aurait aimé qu'il l'aide, qu'il lui dise quoi faire. Il régnait dans la chambre un silence opaque, bourdonnant. Un moment, elle pensa défaillir. Si elle se trouvait mal, allait-il en profiter ?

Elle était debout et lui assis, mais cette position ne lui procurait aucun avantage. Sa force, à lui, c'était son inertie.

Il se contentait de la regarder, il attendait.

Alors qu'elle était en sous-vêtements, c'est lui, les mains dans les poches de son pardessus, qui semblait avoir froid.

Pour se rassurer, elle chercha les traits familiers du client qu'elle connaissait, mais n'y parvint pas.

Après une ou deux longues minutes d'embarras et parce qu'il fallait bien faire quelque chose, elle croisa les mains dans son dos et retira son soutien-gorge.

Le regard de l'homme monta à sa poitrine, comme attiré

par une lumière et, bien qu'aucun de ses traits ne bougeât, elle crut discerner sur son visage une sorte d'émotion. Elle-même regarda ses seins, leurs aréoles roses, ce fut vaguement douloureux.

Elle eut envie d'en finir. Alors elle se décida, ôta son slip qu'elle lâcha sur le sol. Ne sachant pas quoi faire de ses mains, elle les remit dans son dos.

Les yeux du vieil homme descendirent lentement en une caresse très tendre et s'arrêtèrent en bas de son ventre. Il se passa quelques longues secondes. Il était impossible de deviner ce qu'il ressentait. Flottait seulement sur son visage et sur toute sa personne quelque chose d'indéfinissable et d'infiniment triste.

Elle comprit intuitivement qu'elle devait se retourner. Peut-être voulut-elle échapper à la situation qui avait quelque chose de déchirant.

Elle pivota sur son pied gauche, fixa un instant la gravure de marine légèrement de travers qui ornait le mur au-dessus de la commode. Elle crut sentir son regard sur ses fesses.

Un ultime scrupule lui fit craindre qu'il tende la main, tente de la toucher, elle se tourna vers lui.

Il venait de sortir un pistolet de sa poche et se tira une balle dans la tête.

On retrouva Louise nue, accroupie, prostrée, saisie de tremblements spasmodiques, alors que sur le lit le vieil homme, couché sur le côté, semblait s'être abandonné à un court sommeil, les pieds à quelques centimètres du sol. À ceci près que la surprise de voir Louise se tourner vers lui l'avait sans doute troublé, il avait baissé son arme à l'instant de tirer. Il avait la moitié du visage arrachée et une tache de sang s'agrandissait sur le couvre-lit.

On appela la police. Un client, surgi d'une chambre voisine, se précipita. La jeune femme qu'il trouva étant nue comme un ver, il ne savait par où l'attraper. Sous les bras ? Par les jambes ? Il régnait dans la petite pièce une forte odeur de poudre brûlée, mais ce qui l'impressionnait, c'était tout ce sang, elle en était couverte.

Tâchant de ne pas regarder vers le lit, il s'accroupit près de Louise, posa la main sur son épaule, la trouva glacée, on aurait dit qu'elle était en pierre, mais elle tremblait par brusques soubresauts, comme un linge en plein vent.

Il la saisit du mieux qu'il put, sous les aisselles, parvint à la mettre debout, mobilisant toute sa force pour qu'elle ne s'effondre pas.

– Allez, disait-il, ça va aller...

Elle baissa les yeux vers le vieillard allongé sur le lit.

Il respirait encore. Ses paupières s'ouvraient et se fermaient, il fixait le plafond comme s'il avait entendu un bruit étrange et s'interrogeait sur sa provenance.

Louise, à cet instant, devint folle. Elle poussa un hurlement effrayant, se débattit comme une sorcière qu'on aurait enfermée dans un sac avec un chat enragé. Elle sortit de la chambre et dévala l'escalier.

Au rez-de-chaussée, c'était l'attroupement. Les clients, les voisins alertés par le coup de feu virent surgir Louise nue, qui bouscula tout le monde en criant.

Et passa la porte de l'hôtel.

En quelques pas, elle déboucha sur le boulevard Montparnasse et se mit à courir.

Ce n'est pas une fille nue que découvrirent les passants,

c'est une apparition, le corps ensanglanté, le regard affolé, elle zigzaguait, chancelait, on se demandait si elle n'allait pas soudain traverser la rue, se jeter sous vos roues, les voitures ralentissaient, les autobus freinaient, un homme depuis la plateforme siffla, les klaxons se déclenchèrent, elle n'entendait rien, marchait à pas pressés, pieds nus, les passants qui la croisaient en restaient sidérés. Elle ne cessait d'agiter les bras comme pour chasser des nuées d'insectes imaginaires, suivit sur le trottoir une trajectoire sinueuse, longea ici une vitrine, plus loin contourna un arrêt d'autobus, elle trébucha, partout on s'écartait, personne ne savait quoi faire.

Le boulevard tout entier était en émoi. Qui c'est, demanda l'un, une folle, elle a dû s'échapper de quelque part, il faudrait l'arrêter... Mais Louise était déjà passée et se dirigeait vers le carrefour Montparnasse. Il faisait encore très froid, des cercles bleus commencèrent à apparaître çà et là sur son corps. Elle avait un visage de démente, on aurait dit que les yeux allaient lui sortir de la tête.

Sur le trottoir, une femme vieille et maigre qui portait un turban, comme une concierge, la vit arriver, pensa aussitôt à sa petite-nièce qui devait avoir le même âge.

– Elle s'est arrêtée d'un coup, comme si elle cherchait sa route. Ni une ni deux, j'ai retiré mon manteau et je lui ai jeté sur les épaules. Elle m'a regardée, et elle est tombée, là, devant moi, comme un paquet, je ne savais pas comment la retenir, heureusement, il y avait des gens pour m'aider. Elle était gelée, cette petite...

L'attroupement avait attiré la police, un gardien de la paix abandonna son vélo sur le trottoir et se fraya à coups de coude un chemin dans la petite foule qui grouillait et commentait.

Il découvrit, accroupie sur le sol, une jeune femme qu'on devinait nue sous le manteau, qui s'essuyait le visage d'un revers de bras maculé de sang et qui haletait comme si elle accouchait.

Louise leva les yeux, vit d'abord le képi, puis l'uniforme.

Elle était une criminelle, on venait l'arrêter.

Effarée, elle regarda autour d'elle.

Un éclair la traversa, elle entendit de nouveau le coup de feu, sentit l'odeur de poudre. Un rideau de sang descendit du ciel et l'isola du reste du monde.

Elle tendit les bras, hurla.

Et s'évanouit.

# 2

Les filtres, alignés par rangées de vingt, se présentaient comme de gros fûts en acier inoxydable. Leur allure débonnaire d'énormes pots à lait était loin de rassurer Gabriel. Il ne voyait dans ces filtres censés protéger d'une attaque aux gaz de combat que des sentinelles inquiètes et pétrifiées. Vue de près, la ligne Maginot, composée de centaines de forts et de blockhaus destinés à s'opposer à une éventuelle invasion allemande, semblait terriblement vulnérable. Le Mayenberg lui-même, l'un des plus importants ouvrages de cette ligne de défense, avait des faiblesses de vieillard : à l'abri des balles et des obus, sa population militaire pouvait périr tout entière asphyxiée.

— Ah, vous voilà, chef ? demanda le soldat de garde, goguenard.

Gabriel s'essuya les paumes sur son pantalon. Il avait trente ans, des cheveux bruns et des yeux ronds qui lui donnaient un visage perpétuellement étonné.

— Je passais…

— Bien sûr, dit le soldat en s'éloignant.

À chacun de ses quarts, il voyait « passer » le jeune sergent-chef.

Gabriel ne pouvait s'empêcher de venir regarder ces filtres, vérifier qu'ils étaient toujours là. Le caporal-chef Landrade lui avait expliqué combien le système permettant de détecter l'oxyde de carbone et l'hydrogène arsénié était rudimentaire et simpliste.

« En réalité, tout reposera sur l'odorat des sentinelles. Faut espérer qu'elles soient pas enrhumées, c'est tout. »

Soldat du génie, Raoul Landrade était technicien en électricité. Il annonçait les mauvaises nouvelles et colportait les rumeurs délétères avec une précision empreinte de fatalisme. Sachant combien le risque d'une attaque chimique perturbait Gabriel, il ne manquait jamais une occasion de l'informer de tout ce qu'il apprenait. À croire qu'il le faisait exprès. Tenez, la veille encore :

« Ils ont prévu que les filtres saturés soient rechargés au fur et à mesure, mais moi, je peux te dire une chose : on ne les rechargera jamais assez vite pour protéger tout le fort... Garanti. »

C'était un drôle de particulier, celui-là, avec cette mèche qui traversait son front comme une virgule blonde, presque rousse, sa bouche aux commissures tombantes, ses lèvres minces comme un fil de rasoir, il faisait un peu peur à Gabriel. Camarade de chambrée depuis près de quatre mois, il était parvenu à incarner l'appréhension que, dès son arrivée, le Mayenberg avait inspirée à Gabriel. Ce gigantesque fort souterrain lui était apparu comme une sorte de monstre menaçant, gueule ouverte, prêt à engloutir tout ce que l'état-major lui enverrait en sacrifice.

Plus de neuf cents soldats vivaient là, parcourant sans cesse les kilomètres de galeries enfouies sous des milliers de mètres cubes de béton, dans le bruit incessant de groupes électrogènes, de plaques de fer qui résonnaient comme des hurlements de damnés et d'odeurs de gas-oil mêlées à une humidité endémique. Quand vous entriez au Mayenberg, la lumière du jour s'estompait quelques mètres devant vous, laissant deviner le long couloir ténébreux où circulait, dans un vacarme épouvantable, le train conduisant aux blocs de combat prêts à balancer des obus de 145 mm à vingt-cinq kilomètres alentour, lorsque l'ennemi héréditaire daignerait se manifester. En attendant, on avait trié les caisses de munitions, on les avait empilées, ouvertes, classées, déplacées, vérifiées, on ne savait plus quoi faire. Ce train, qu'on appelait le métro, n'était plus guère utilisé que pour acheminer les marmites norvégiennes dans lesquelles chauffait la soupe. On se souvenait des ordres qui invitaient la troupe à « résister sur place sans aucune pensée de repli, même encerclée, même entièrement isolée sans espoir de secours prochain, jusqu'à épuisement de ses munitions », mais depuis le temps, plus personne n'imaginait quelle circonstance pourrait contraindre les soldats à une telle extrémité. En attendant de mourir pour la patrie, on s'emmerdait.

Gabriel n'avait pas peur de la guerre – ici, personne d'ailleurs ne la craignait, la ligne Maginot était réputée imprenable – mais il supportait difficilement cette atmosphère étroite et confinée qui, avec ses quarts de veille, ses tables pliantes le long des couloirs, ses chambrées exiguës et ses réserves d'eau potable, ressemblait à celle d'un sous-marin.

La lumière lui manquait. Il n'y avait droit, comme tous les autres hommes, que trois heures par jour, c'étaient les instructions. Dehors, ils coulaient du béton parce que l'ouvrage n'était pas achevé, ou déroulaient des kilomètres de barbelés pour ralentir l'approche de chars ennemis, sauf dans les zones où ils auraient gêné les paysans ou empiété sur les vergers (on imaginait peut-être que le respect pour les activités agricoles ou le goût des fruits et légumes amèneraient l'ennemi à contourner ces zones). On leur faisait aussi planter verticalement des traverses de chemin de fer dans le sol. Lorsque l'unique pelleteuse était affectée ailleurs ou que la machine-à-enfoncer-les-rails tombait une nouvelle fois en panne, on recourait aux pelles-bêches conçues pour le sable, quand on avait planté deux rails au cours de sa vacation, c'était le bout du monde.

S'il restait du temps, on élevait des poules et des lapins. Un petit élevage de cochons avait même eu les honneurs d'une page dans le journal régional.

Pour Gabriel, c'étaient surtout les retours qui étaient éprouvants : retrouver les entrailles du fort lui provoquait des palpitations.

La menace d'une attaque chimique le hantait. Capable de traverser les vêtements et les masques, l'ypérite causait des brûlures aux yeux, à l'épiderme, aux muqueuses. Il s'était ouvert de cette inquiétude persistante au médecin-major, un homme fatigué, blanc comme un lavabo, sinistre comme un fossoyeur, qui trouvait tout normal parce que rien ici ne ressemblait à rien, ni l'attente interminable d'on ne savait quoi, ni la vie dans un endroit pareil, personne ne va bien, professait-il avec lassitude, il distribuait de l'aspirine, revenez me voir, disait-il, il aimait la compagnie. Deux ou trois fois par semaine, Gabriel l'écrasait aux échecs, ce qui le laissait indifférent, il aimait perdre. Le sergent-chef avait pris l'habitude de jouer avec le docteur l'été précédent où, sans être malade, il souffrait des conditions de vie et venait chercher à l'infirmerie un peu de réconfort. L'humidité, à cette époque, avait avoisiné les cent pour cent, Gabriel évoluait en perpétuel état de suffocation. La température dans le fort était insoutenable, on n'arrivait pas à transpirer, les corps étaient moites en permanence, les draps de lit mouillés et froids, les vêtements vous pesaient, impossible de faire sécher le linge, les placards individuels sentaient le moisi. La condensation dans les chambrées frisait la saturation. À cela s'ajoutait, amplifié par les gaines de ventilation, le ronronnement continu de la soufflerie qui reprenait du service à quatre heures chaque matin. Pour Gabriel, qui avait toujours eu le sommeil fragile, ce fort était un enfer.

On se morfondait, on se traînait aux corvées, on tenait mollement à l'œil les portes destinées à amortir le souffle des bombes adverses quand il y en aurait, et comme la discipline s'était considérablement relâchée, entre deux quarts de surveillance, on passait le temps au Foyer (les officiers, qui n'étaient pas les derniers, fermaient les yeux sur sa porte ouverte jour et nuit). On y venait de loin. Il n'était pas rare que les hommes des bataillons anglais ou écossais éloignés de plusieurs dizaines de kilomètres y débarquent à la nuit tombée, on appelait les ambulances pour les ramener lorsqu'ils étaient trop ivres.

C'est là que le caporal-chef Raoul Landrade avait commencé à officier. Gabriel n'avait jamais su comment il était dans le civil, mais ici, au Mayenberg, il s'était rapidement imposé comme le principal trafiquant, la plaque tournante de tous les magouillages. C'était dans son caractère. La vie était pour lui un vivier inépuisable de combines et de fricotages.

Il avait entamé sa carrière au Mayenberg comme joueur

de bonneteau. Il n'avait besoin que d'une caisse retournée et de deux gobelets pour faire apparaître et disparaître une noix, une bille, un caillou, tout lui allait. Il avait un tel talent pour déclencher chez vous une certitude qu'il était très difficile de résister à l'envie de désigner la carte ou le verre gagnant. L'ennui et l'inaction avaient attiré à lui une quantité toujours plus grande d'amateurs. Sa réputation s'était même étendue aux unités extérieures, qui pourtant détestaient les soldats du Mayenberg qu'ils considéraient comme des privilégiés. Tous faisaient un accueil enthousiaste au caporal-chef dont la prestation étincelante fascinait du haut en bas de la hiérarchie. Son habileté au bonneteau se doublait d'une autre, extrêmement convaincante : il ne faisait jouer que des sommes dérisoires. On risquait un franc ou deux, on perdait avec le sourire et, à ce rythme, il n'était pas rare que Raoul gagne trois cents francs dans la journée. Le reste du temps, il magouillait avec les brasseries environnantes, quelques sous-officiers de l'intendance, les serveurs du Foyer. Et courait les filles. Certains disaient qu'il avait une bonne amie en ville, les autres prétendaient qu'il allait tout bêtement au bordel. Quoi qu'il en soit, lorsqu'il disparaissait, il revenait toujours avec un large sourire, dont on ne savait jamais à quoi il le devait.

Il parvenait souvent à revendre ses tours de garde à la centrale électrique à des camarades dans le besoin, la hiérarchie fermait les yeux. Il dégageait ainsi des loisirs qu'il consacrait à trafiquer sur l'approvisionnement du Foyer, où il avait mis au point un système sophistiqué et opaque de ristourne lors de la livraison des fûts, de reversement de commissions, de pourboires partagés sur les ventes et les achats, moyennant quoi, à raison d'une consommation au Mayenberg de quatre cent cinquante litres de bière par jour, il faisait sa pelote. Mais tous les autres secteurs l'intéressaient. Il avait ainsi discrètement investi les cuisines dont il tirait aussi bénéfice, se flattant de pouvoir fournir à peu près tout ce dont l'intendance était dépourvue, ce qui était vrai. Il procurait aux officiers des produits rares et aux soldats lassés de manger du bœuf deux fois par jour de quoi améliorer leur ordinaire. À mesure que l'armée s'installait dans la routine et les troupes dans l'ennui, il livra des hamacs, des caisses, de la vaisselle, des matelas, des couvertures, des magazines, des appareils photo, vous aviez besoin de quelque chose, Raoul Landrade vous le trouvait. L'hiver précédent il avait fourni une quantité industrielle de chauffages d'appoint et de couteaux à scie (tout était gelé, le vin se débitait par tranches solides). Il avait ensuite proposé des appareils anti-humidité dont l'efficacité était proche de zéro, mais qui s'étaient vendus comme des petits pains. Confiseries, chocolat, pâte d'amandes, bonbons acidulés, sucreries, etc. marchaient très bien aussi, surtout auprès des sous-officiers. L'administration allouait à chaque homme de troupe une ration d'eau-de-vie au petit déjeuner et un large quart de vin à chaque repas. Le pinard et l'alcool entraient au fort en quantités phénoménales, les stocks se renouvelaient à une cadence folle. Landrade procédait, grâce à un système discret de siphonnage, à de généreux prélèvements qu'il revendait à bas prix aux cafés et restaurants avoisinants, aux agriculteurs et aux journaliers étrangers. Si la guerre durait encore un an, le caporal-chef Landrade pourrait racheter le Mayenberg.

Gabriel passa vérifier que la relève s'était bien effectuée. Professeur de mathématiques dans le civil, affecté aux Transmissions, il réceptionnait et ventilait les appels venant de l'extérieur. La guerre, ici, se résumait à quelques instructions sur les travaux extérieurs et à l'établissement des permissions, dont la fréquence avait atteint un niveau stupéfiant. Gabriel avait calculé que plus de la moitié des officiers avaient été absents aux mêmes dates. Si les Allemands avaient choisi ce moment-là pour attaquer, ils auraient sauté le Mayenberg en deux jours et seraient arrivés à Paris en trois semaines...

Gabriel regagna la chambrée composée de quatre lits superposés. Le sien, à l'étage, était situé en face de celui du caporal-chef Landrade. En bas dormait Ambresac, un type avec de gros sourcils broussailleux et querelleurs, de grosses mains de cultivateur, râleur comme personne. En face se trouvait Chabrier, dont le physique fluet et mouvant, le visage pointu faisaient penser à une belette. Lorsque vous lui parliez, il vous fixait comme s'il attendait votre réaction à une plaisanterie qu'il aurait faite. Cette fixité mettait si mal à l'aise que la plupart des gens finissaient par émettre un petit rire gêné. Chabrier s'était ainsi acquis la réputation d'un gars drôlement marrant sans en avoir jamais apporté la preuve. Ambresac et Chabrier étaient les acolytes de Raoul Landrade. Cette chambrée était le QG du caporal-chef. Comme Gabriel n'avait jamais voulu tremper dans les combines qui se tramaient là, généralement, lorsqu'il entrait, on se taisait, c'était assez pénible. Cette ambiance délétère était tantôt la cause, tantôt la conséquence de ces petits faits divers dont est tissée la vie de caserne. Quelques semaines plus tôt, un soldat de l'unité s'était plaint du vol de sa chevalière qui portait ses initiales. Tout le monde avait ri parce qu'il se nommait Paul

Delestre, mais chacun ressentait confusément combien la promiscuité poussait à la dispute, à l'énervement, au vice, il n'y avait pas tant de vols que cela, mais une chevalière en or, tout de même, se disait-on, ça vaut quelque chose, sans compter les sentiments.

Lorsque Gabriel entra, Raoul était assis sur sa couchette et alignait des chiffres.

– Tu tombes bien, dit-il. C'est un calcul de débit d'air et de volume, j'y arrive pas...

Il tentait de déterminer le rendement d'une série de machines. Gabriel se saisit du crayon. Le résultat donnait 0,13.

– Merde alors ! lâcha Raoul.

Il était sidéré.

– Qu'est-ce que c'est ?

– Bah, j'ai eu un doute sur les groupes électrogènes qui vont servir à filtrer l'air. Si on était attaqués avec des gaz de combat, tu vois ?

Devant le silence inquiet de Gabriel, il reprit :

– Ils ont choisi des moteurs deux-temps, ces cons-là. Du coup, comme ils seront insuffisants, il faudra les suralimenter. Et ça donnera ça...

Gabriel se sentit blêmir.

Il refit fiévreusement les calculs. 0,13 toujours. En cas d'attaque, l'air filtré par la centrale électrique serait à peine suffisant pour purifier... la centrale elle-même. Le reste du fort serait submergé.

Raoul plia son papier d'un geste fataliste.

– Bon, on n'y est pas, mais quand même...

Gabriel savait qu'il n'était plus envisageable de changer les équipements. Quoi qu'il arrive, on ferait la guerre avec des compresseurs deux-temps.

– Nous, on se mettra à l'abri dans l'Usine, reprit Raoul, mais vous, aux Transmissions…

L'Usine, c'était la centrale électrique. Gabriel se sentit la gorge sèche. C'était irrationnel. Si la guerre avait lieu, rien ne prouvait que les Allemands attaqueraient aux gaz. Il n'empêche, Gabriel ressentait cette perspective comme certaine.

– Tu pourrais nous rejoindre, en cas de pépin…

Gabriel releva la tête.

– On a un code entre nous, pour frapper à la porte sud de l'Usine. Si tu as le code, on t'ouvre.

– Et c'est quoi, le code ?

Raoul prit un peu de recul.

– C'est donnant-donnant, mon vieux.

Gabriel ne voyait pas très bien ce qu'il avait à offrir.

– Des informations. Aux Transmissions, vous êtes au courant de tous les mouvements de l'Intendance, ce qui sort et ce qui rentre aux magasins, tout ce que le Mayenberg achète et fait venir de l'extérieur. Si on savait ces choses-là, on pourrait mieux se débrouiller, comprends-tu… On pourrait préparer.

Raoul proposait clairement à Gabriel de prendre une part dans les combines qu'il avait mises au point en échange d'un billet pour la porte sud de l'Usine en cas d'attaque.

– Je ne peux pas, c'est… confidentiel. C'est secret.

Il chercha le mot.

– Ce serait de la trahison.

C'était ridicule. Raoul éclata de rire.

– La livraison du bœuf en conserve, c'est du Secret Défense ? Eh ben, il est beau, l'état-major...

Il déplia le papier sur lequel Gabriel avait fait ses calculs et le lui colla au creux de la main.

– Tiens... Quand t'arriveras à la porte sud de l'Usine, ça te fera de la lecture...

Il sortit, abandonnant Gabriel à son inquiétude. Landrade était toujours suivi d'une sorte de vibration trouble, comme certaines plantes laissent flotter derrière elles un parfum inquiétant.


Cette conversation avait mis Gabriel mal à l'aise.

Trois semaines plus tard, dans les douches, il entendit une conversation entre Ambresac et Chabrier, qui s'entretenaient d'un « essai au lance-flammes » effectué sur les prises d'air des blocs de combat.

– Catastrophique..., assurait le premier.

– Je sais, enchérissait le second. Il paraît que les filtres ont été bouchés par la suie ! Le bloc a été envahi en moins de deux.

Gabriel ne put s'empêcher de sourire. Les deux lascars étaient des comédiens exécrables, leur échange, faussement spontané, était uniquement destiné à renforcer sa peur. Ce qui eut l'effet exactement contraire.

Sauf qu'il joua aux échecs le soir même avec le médecin-major, qui lui confirma ces essais. La respiration de Gabriel se fit plus courte, son rythme cardiaque s'accéléra.

– Comment ça, des essais ?

Le toubib fixait le jeu et parlait comme pour lui-même. Il avança prudemment le cavalier en bougonnant :

– Ils n'ont pas été très concluants, c'est vrai. Du coup, il est question d'un exercice. Grandeur nature, cette fois. Ça va foirer dans les grandes largeurs, mais ils jureront que tout va bien, que le système est au point. Après ça, m'étonnerait pas qu'ils organisent une messe supplémentaire, ils en auront bien besoin. Et nous aussi.

Gabriel, les yeux dans le vague, avança sa dame.

– Mat…, annonça-t-il dans un souffle.

Le docteur replia le jeu, content du résultat.

Gabriel rentra à la chambrée, légèrement vacillant.


Les jours passèrent. Le caporal-chef Landrade arpentait les coursives, occupé comme jamais.

« Tu ferais bien de réfléchir », lâchait-il parfois au passage.

Gabriel attendit que le commandant donne l'ordre de procéder à l'exercice, rien ne se passait, puis brusquement, le 27 avril à cinq heures trente, les sirènes se mirent à hurler.

S'agissait-il de l'exercice qui prenait la troupe par surprise ou d'une véritable offensive allemande ?

Gabriel sortit de son lit, tendu comme un arc.

Déjà, les couloirs résonnaient du bruit amplifié des centaines de soldats qui couraient vers leur poste de combat, les ordres fusaient. Raoul Landrade et ses acolytes sortirent de la chambrée en achevant de serrer leur ceinturon, Gabriel boutonnait son uniforme en leur emboîtant le pas. Les soldats qui passaient en tous sens, l'irruption soudaine du train qui le faisait se coller aux murs du souterrain les mains plaquées contre la pierre, le bruit des sirènes et des caisses de munitions que l'on chargeait, les cris, tout cela lui brouillait les sens, il ne se détachait pas de l'idée que peut-être il s'agissait réellement d'une offensive allemande.

Gabriel courait derrière ses voisins de chambrée qui l'avaient distancé, son souffle se faisait plus court, ses jambes tremblaient, il n'était toujours pas arrivé à boutonner sa veste et se tortillait pour y parvenir. Il vit, une quinzaine de mètres plus loin, le caporal-chef Landrade prendre sur sa gauche, il pressa le pas, tourna à son tour, mais se trouva aussitôt face à une foule qui refluait en hurlant, Landrade en tête, tous suivis d'un nuage opaque qui avançait comme une vague et d'où surgissaient des soldats affolés et titubants.

Gabriel resta un instant pétrifié.

Les gaz allemands étaient réputés invisibles. D'un recoin obscur de son cerveau montait l'idée que ce nuage blanc était autre chose. Un gaz qu'on ne connaissait pas encore ? Le temps d'y penser, il en était enveloppé, l'odeur de la fumée venait lui racler les poumons. Il toussa, désorienté, tourna plusieurs fois sur lui-même, les soldats qui passaient n'étaient plus que de vagues silhouettes, tout le monde criait. Par ici ! Vers la sortie ! Non, le couloir nord !

Dans le brouillard épais qui lui piquait les yeux, Gabriel avançait en titubant, bousculé, percuté. La fumée était d'autant plus dense qu'à cet endroit le couloir devenait plus étroit, à peine assez large pour deux hommes. Au carrefour de deux tunnels, un courant d'air dissipa soudain la fumée, tout était de nouveau clair, même si les larmes embuaient encore sa vision.

Était-il sauvé ?

Il se retourna et vit là, à côté de lui, campé près du mur, le caporal-chef Landrade qui désignait, creusée dans la paroi, une alvéole comme il y en avait tous les trente mètres. C'étaient pour la plupart des refuges permettant de se garer lors du passage du train, mais certaines abritaient de petites salles qui servaient de réserves de matériel. C'était le cas de celle-ci, qui disposait d'une porte en fer restée entrouverte. Était-on près de l'usine électrique ? Gabriel pensait se trouver à l'opposé… Le caporal-chef Landrade, l'avant-bras sur le nez, les yeux noyés de larmes, faisait signe au sergent-chef d'entrer. Gabriel se retourna, le nuage de fumée blanche avait repris son avancée et, comme poussé par un vent soudain, envahi le tunnel à grande vitesse. En émergeaient par grappes des soldats larmoyants, toussant, criant, courbés, cherchant une issue.

– Par là ! hurla Landrade.

Il désigna la porte de fer entrebâillée. Sans réfléchir, Gabriel fit deux pas, entra, c'était assez sombre. Seule une lampe au plafond éclairait le minuscule entrepôt d'outils. La lourde porte de fer claqua derrière lui.

Raoul ne l'avait pas suivi, il l'avait enfermé.

Gabriel se rua sur la porte, tenta de l'ouvrir, mais la poignée tournait dans le vide, il tambourina, soudain s'arrêta. Par la fente du dessous, par les gonds de côté, la fumée blanche commençait à pénétrer, comme aspirée à l'intérieur de la pièce.

Gabriel hurla, frappa sur la porte à coups de poing.

La nappe de brouillard épais et âcre entrait à une vitesse folle, comme l'eau d'une inondation. L'air vint à manquer.

Secoué d'une toux qui lui retourna le ventre, le souleva de terre puis le plia en deux, Gabriel tomba à genoux.

Sa poitrine était prête à exploser, la fumée l'asphyxiait, il lui sembla que ses yeux allaient sortir de leurs orbites.

Il ne voyait plus qu'à quelques centimètres. Entre deux spasmes, il regarda ses mains larges ouvertes devant lui. Pleines de sang.

Il crachait du sang.

# 3

– Belmont, c'est ça ? demanda le juge Le Poittevin.

Dans ce lit d'hôpital, Louise semblait menue comme une adolescente.

– Et vous dites que ce n'est pas une prostituée...

Toute la journée, il essuyait ses lunettes avec une petite peau de chamois. Ce geste était, pour ses collègues, ses collaborateurs, pour les huissiers, les avocats, un véritable langage. À cet instant précis, la main qui massait les verres disait clairement son doute à ce sujet.

– En tout cas, elle n'est pas fichée, répondit le policier.

– Une occasionnelle..., murmura le magistrat en chaussant ses lunettes.

Il avait exigé une chaise droite, il était très sourcilleux sur la question des chaises. Il se pencha vers le corps endormi. Jolie. Cheveux courts, mais jolie quand même. Le juge s'y connaissait en jeunes femmes, il en voyait défiler pas mal dans son bureau du Palais de Justice, sans compter celles qu'il allait tripoter au bordel de la rue Sainte-Victoire. Une infirmière faisait du rangement dans la chambre. Importuné par le bruit, il se tourna vivement vers elle et la fusilla du regard. Elle se contenta de le toiser et poursuivit comme s'il n'existait pas. Le juge poussa un soupir de lassitude, ah, les bonnes femmes ! Il revint vers Louise, hésita, tendit la main et lui toucha l'épaule. Son pouce glissa légèrement sur l'épiderme. Chaud. Peau douce. La fille n'était vraiment pas mal. De là à se tirer une balle dans la tête… Son pouce suivait d'un mouvement lent et répétitif l'épaule de Louise.

– Vous avez terminé ?

Le magistrat retira sa main comme s'il venait de se brûler. L'infirmière, un bassin entre les bras comme un bébé, surplombait le petit juge qui pâlit.

Oui, il en avait terminé. Il referma son dossier.

Au cours des jours qui suivirent, les médecins firent barrage à un interrogatoire approfondi. L'audition ne put reprendre que la semaine suivante.

Cette fois, Louise était réveillée. Si on peut dire. Comme il était hors de question de commencer tant que le policier ne lui aurait pas avancé sa chaise droite, le juge se contenta d'astiquer ses verres de lunettes en fixant Louise qui, maintenant assise dans son lit, les bras frileusement croisés sur la poitrine, regardait dans le vide. Elle ne s'était quasiment pas alimentée.

La chaise arriva enfin, le juge l'inspecta, consentit à s'installer, ouvrit son dossier sur ses genoux et, bien qu'il fût incommodé par cette infirmière toujours campée là comme un cerbère, se lança dans un historique de la situation. Le policier alla s'adosser au mur face au lit de Louise.

– Vous vous appelez Suzanne, Adrienne, Louise Belmont. Vous êtes née le…

Il levait parfois les yeux vers elle, qui ne bougeait pas d'un cil, comme si la circonstance ne la concernait pas. Le juge s'arrêta soudain, passa sa main devant le visage de Louise qui resta sans réaction. Il se retourna.

– Vous êtes certaine qu'elle comprend ce qu'on lui dit ?

L'infirmière lui chuchota dans l'oreille :

– Jusqu'ici, elle n'a dit que quelques mots, assez incohérents. Le médecin a parlé de confusion mentale, il faudra sûrement faire venir un spécialiste.

– Si en plus elle est folle, on n'est pas sortis de l'auberge, soupira le juge en replongeant dans son dossier.

– Il est mort ?

Le magistrat, surpris, regarda Louise qui le fixait droit dans les yeux, il en fut impressionné.

– Le docteur… Thirion… euh… n'a survécu qu'une journée.

Il hésita et ajouta « mademoiselle ».

Vexé de cette concession vis-à-vis d'une fille comme celle-ci, il poursuivit d'un ton rageur :

– Et c'est tant mieux pour lui, je vous assure ! Dans l'état où il était…

Louise regarda le policier, puis l'infirmière, et annonça, comme si elle n'en revenait toujours pas :

– Il m'a proposé de l'argent pour me voir toute nue.

– C'est de la prostitution ! s'exclama triomphalement le magistrat.

Il pouvait qualifier le fait, il était content. Il écrivit dans son dossier d'une petite calligraphie serrée, conforme à son caractère, et reprit sa lecture. Louise dut ensuite expliquer de quelle manière elle avait rencontré le docteur Thirion.

– Je ne le connaissais pas vraiment…

Le juge éclata d'un rire sec.

– Ah bon ! Alors vous vous déshabillez devant le premier venu ?

Il se tourna vers le policier en claquant la main sur sa cuisse, c'est extraordinaire, vous avez entendu ça ?

Louise parla du restaurant, du service des samedis et dimanches, des habitudes du docteur.

– Nous vérifierons tout cela avec le propriétaire.

Il se pencha vers son dossier et marmonna :

– Nous verrons si cet établissement abrite d'autres occasionnelles…

Comme il n'y avait pas grand-chose à gratter de ce côté, le juge Le Poittevin aborda la séquence qui l'intéressait vraiment :

– Bon, alors, une fois dans cette chambre, que faites-vous ?

La vérité apparut à Louise si simple, si nette, qu'elle ne trouva pas les mots. Elle s'était déshabillée, voilà tout.

– Vous avez demandé votre argent ?

– Non. Il était là, sur la commode…

– Donc, vous avez compté ! On ne se déshabille pas pour un homme sans vérifier l'argent ! Enfin, je suppose, non ? Je ne sais pas, moi…

Il se tourna de part et d'autre, faisant mine de quémander une réponse, mais son visage était rouge de confusion.

– Et ensuite, alors !

Il était de plus en plus énervé.

– Je me suis déshabillée, c'est tout.

– Allons ! Un homme ne donne pas quinze mille francs uniquement pour regarder une jeune fille toute nue, ça ne tient pas.

Louise pensait se souvenir qu'ils étaient convenus de dix mille francs et non de quinze, mais elle n'était plus très sûre.

– Et c'est cela que je veux comprendre : à quoi vous étiez-vous réellement engagée pour une pareille somme ?

Le policier et l'infirmière voyaient mal ce que le juge cherchait à établir, mais le mouvement de ses doigts sur ses verres trahissait un énervement qui ressemblait fort à de l'excitation, c'était assez pénible.

– Car enfin... une telle somme... On se demande, forcément !

La cadence se fit plus rapide sur ses lunettes. Il regarda un instant la poitrine de Louise qui palpitait sous le tissu de la chemise de nuit.

– Quinze mille francs, c'est quelque chose !

La conversation était dans une impasse. Le juge replongea dans son dossier. Il en émergea avec un sourire carnassier. Si empreintes, position du corps, impact, tout démontrait que le docteur Thirion s'était lui-même tiré une balle dans la tête, il restait un chef d'inculpation qui faisait sa joie :

– L'outrage à la pudeur !

Louise le regarda fixement.

– Eh oui, mademoiselle ! Si vous trouvez naturel de vous promener totalement nue sur le boulevard Montparnasse, grand bien vous fasse, mais sachez que les honnêtes gens, eux, ne p...

– Je ne me promenais pas !

Elle avait presque crié, l'exclamation la fit trembler jusqu'aux épaules. Le juge se rengorgea.

– Ah oui ? Que faisiez-vous donc sur le boulevard nue des pieds à la tête ? Vos courses ? Ha ha ha ha !

Il se tourna à nouveau vers le policier, vers l'infirmière,

mais les visages restèrent fermés. Peu importe, emporté par sa jubilation, il enchaîna d'une voix dont la tonalité s'était élevée, on aurait dit qu'il allait se mettre à chanter :

– Il est infiniment rare que l'outrage à la pudeur soit perpétré par une jeune femme désireuse d'exhiber ses... (il saisit ses lunettes, fébrilement, faillit les faire tomber)..., de montrer à tous son... (ses doigts étaient blancs à force de serrer)..., de donner en spectacle sa...

La monture cassa net.

Le juge regarda les deux morceaux avec attendrissement, comme à la fin d'un coït réussi. Il ouvrit son étui et les rangea délicatement en disant d'un ton rêveur :

– Votre carrière dans l'Instruction publique est terminée, mademoiselle. Condamnée, vous serez révoquée !

– Thirion, oui, je me souviens, dit Louise.

La rupture était telle que le juge fut près de lâcher son étui.

– C'est cela. Joseph Eugène Thirion, bégaya-t-il, 67, boulevard Auberjon, à Neuilly-sur-Seine.

Louise se contenta d'un bref mouvement de la tête. Dérouté, le magistrat referma son dossier, il aurait tant aimé qu'elle pleure. Ah, si l'audition s'était déroulée dans son cabinet... Il partit à regret.

N'importe qui, à la place de Louise, aurait demandé ce qui allait se passer. Elle ne posa aucune question, le juge était déçu, il sortit sans saluer personne.


Louise resta encore trois jours à l'hôpital. Elle n'avala quasiment rien.

Un policier lui apporta la décision de justice dans sa

chambre au moment où elle s'apprêtait à la quitter. Le suicide était confirmé, le motif de prostitution avait été abandonné.

L'infirmière s'était immobilisée. La tête légèrement penchée, elle fixait Louise, un sourire un peu douloureux sur les lèvres. Comme le policier, elle se souvenait que la jeune femme restait passible d'un outrage à la pudeur qui lui coûterait sa place. Ni l'un ni l'autre ne savaient quoi dire.

Louise fit quelques pas vers la porte. Elle était arrivée à l'hôpital totalement nue. Personne ne savait ce qu'il était advenu des vêtements qu'elle avait laissés dans la chambre de l'Hôtel d'Aragon. Sauf peut-être la police et le greffe du tribunal. Alors, l'infirmière avait fait le tour de ses collègues et réuni un trousseau assez hétéroclite, une jupe en laine trop longue, un chemisier bleu, un gilet violine, un manteau avec un col et des revers en fausse fourrure. Louise avait l'air de sortir de chez le fripier.

« Vous êtes très gentille ! » avait-elle dit, comme si elle faisait une soudaine découverte.

Le policier et l'infirmière la regardèrent s'éloigner, démarche lasse et mécanique de quelqu'un qui va se jeter dans la Seine.

Au lieu de ça, elle prit la direction de l'impasse Pers, marqua un instant d'hésitation lorsque, à l'angle de la rue, elle vit la devanture de La Petite Bohème, puis, le regard rivé au sol, elle pressa le pas et rentra chez elle.

Bâtie après la guerre de 1870, la maison du 9, impasse Pers exhalait une ancienne opulence bourgeoise, le genre de demeure que se fait construire un rentier ou un commerçant retiré des affaires. Les parents de Louise s'y étaient installés l'année de leur mariage, en 1908. La famille Belmont n'était pas assez nombreuse pour l'habiter tout entière, mais Adrien Belmont était un homme entreprenant qui pariait sur une abondante progéniture. Le destin lui avait été contraire : il n'avait eu qu'un enfant, Louise, après quoi il avait été tué en 1916 sur le versant est du ravin des Vignes.

Autrefois, avant son mariage, Jeanne Belmont, la mère de Louise, avait eu des espérances, elle avait fait l'École primaire supérieure, obtenu son brevet élémentaire, elles n'étaient pas si nombreuses dans ce cas-là. Ses parents et ses instituteurs l'avaient rêvée infirmière ou secrétaire de mairie, mais, à dix-sept ans, elle avait brusquement choisi de quitter l'école. Préférant les ménages à l'usine, elle s'était faite domestique, une domestique qui savait lire et passait le plumeau comme dans des pages d'Octave Mirbeau. Son mari, lui, n'entendait pas que sa femme travaille, il en faisait un point d'honneur. À sa mort, Jeanne avait dû reprendre les ménages dans l'espoir de conserver à leur fille Louise cette maison de l'impasse Pers qui était le peu qui leur appartenait.

Après la guerre, Jeanne Belmont avait plongé dans la dépression comme dans des sables mouvants. Sa santé avait suivi la trajectoire de la maison qui, faute de travaux, s'était détériorée d'année en année. Elle suspendit ses ménages, ne les reprit jamais plus. Le médecin de famille parla de retour d'âge, d'anémie, puis de neurasthénie, il changeait d'avis comme de chemise. Mme Belmont passait la plus grande partie de sa vie à regarder par la fenêtre. Elle préparait à manger (souvent la même chose) et s'intéressa aux études de Louise puis à son diplôme puis à son métier puis à rien lorsque sa fille fut institutrice et n'eut plus besoin d'elle. Jeanne se fit légère jusqu'à l'évanescence. Sa santé s'altéra brutalement au printemps 1939. Louise la trouvait parfois au lit lorsqu'elle rentrait de l'école. Elle s'asseyait près d'elle, son manteau sur le dos, lui prenait la main. « Qu'est-ce qui ne va pas ? – Un coup de fatigue », répondait Mme Belmont avec un pauvre sourire. Louise lui faisait une soupe de légumes.

Un matin de juin, en entrant dans sa chambre, elle la trouva morte. Elle avait cinquante-deux ans. La mère et la fille ne s'étaient pas dit au revoir.

Dans la vie de Louise, tout avait alors glissé vers le bas, insensiblement, silencieusement. Elle était seule, sa jeunesse avait fondu comme un sorbet, Mme Belmont avait disparu, la maison elle-même n'était plus que l'ombre de ce qu'elle avait été autrefois. Au fil des années, elle était devenue si vétuste que les locataires qui l'avaient quittée n'avaient pas eu de successeurs. Louise s'était résolue à la vendre au prix qu'on lui offrirait pour recommencer sa vie ailleurs, mais le notaire qui liquida l'héritage lui remit cent mille francs qui lui venaient d'anciens occupants qui, lorsqu'elle était encore enfant, s'étaient attachés à elle et avaient souhaité pourvoir à son avenir, à quoi s'ajoutèrent vingt-quatre mille francs, correspondant au revenu de cet argent pendant les vingt années où, sans jamais lui en parler, Mme Belmont, par des placements heureux, s'était efforcée de le faire fructifier. Cela ne faisait pas de Louise une femme fortunée, mais cela lui donnait les moyens de conserver le pavillon et de le rénover.

Elle fit donc venir un maître d'œuvre, discuta les devis pied à pied. Rendez-vous fut pris pour conclure l'affaire, un soir après l'école. Mais en milieu d'après-midi, les crieurs de journaux de la rue Damrémont se mirent à hurler que la guerre était déclarée. La mobilisation générale était décrétée.

Le maçon ne se déplaça pas. Le projet de réfection de la maison attendrait des jours meilleurs.

Lorsqu'elle rentra de l'hôpital, Louise resta un long moment dans la cour à regarder le petit bâtiment qui avait autrefois servi d'entrepôt à son père et que Mme Belmont avait loué un prix dérisoire, elle n'aurait pas pu demander davantage, il ne disposait d'aucun confort. Il y avait, dans ce qu'elle venait de vivre, quelque chose de puissant, de sidérant, qui la ramenait à l'époque où habitaient là les deux hommes qui lui avaient légué cet héritage. Ce local était resté inoccupé. Tout au plus, tous les deux ou trois ans, Louise s'armait-elle de courage pour nettoyer, aérer, jeter ce dont elle ne s'était pas débarrassée la fois précédente. Ne restaient plus, dans la grande pièce de l'étage au plafond bas mais aux larges fenêtres, que le poêle à charbon, un paravent tendu d'un tissu représentant des moutons et des bergères à quenouille et une ottomane ridicule, de style vaguement Directoire, tout en festons et dorures, dont l'accoudoir – c'était un meuble pour gaucher – imitait le col d'un cygne bombant le torse et que Louise, personne ne sut pourquoi, avait tenu à remettre à neuf, mais avait néanmoins abandonnée là, comme dans un grenier.

Regardant l'appentis, la cour en terre battue, la maison, elle vit dans ce décor, comme si elle le découvrait, une métaphore de sa vie, elle sentit les larmes lui monter aux yeux. Sa gorge se serra, ses jambes lui manquèrent, elle fit quelques pas et s'assit sur les marches de bois vermoulu qui menaient à l'appentis et qu'on n'utilisait jamais sans inquiétude. La terrifiante vision de la tête du docteur Thirion se superposa à celle de l'ancien combattant qui, avec son compagnon d'armes, avait autrefois trouvé là refuge.

Ce jeune homme, Édouard Péricourt, portait des masques pour dissimuler son visage, dont le bas avait été emporté par un éclat d'obus. Louise avait dix ans. Elle avait pris l'habitude, lorsqu'elle rentrait de l'école, de monter le rejoindre pour gâcher de la pâte à papier, coller des perles, des rubans, peindre, il y avait des dizaines de masques accrochés aux murs, un pour chaque état d'âme. Louise à cette époque déjà parlait peu, elle écoutait la respiration rauque et sifflante d'Édouard, elle aimait ses mains qu'il posait sur ses maigres épaules, il avait le plus beau regard qu'on puisse imaginer, jamais Louise n'en avait revu un pareil. Parce que cela peut survenir entre des êtres totalement dissemblables, entre cet ancien combattant mutilé de vingt-cinq ans et cette petite fille orpheline de père était né un amour calme et définitif.

Le suicide du docteur avait rouvert une blessure que Louise pensait fermée. Un jour, Édouard l'avait abandonnée.

Avec son camarade Albert Maillard, il s'était lancé dans la vente de faux monuments aux morts qui avait rapporté une fortune.

Quel scandale ç'avait été...

Il avait fallu s'enfuir. Louise s'était tournée vers Édouard et, de l'index, elle avait, comme au premier jour, suivi rêveusement la plaie béante de son visage, les chairs boursouflées et rougeoyantes comme une muqueuse à ciel ouvert...

« Tu reviendras me dire au revoir ? » avait-elle demandé.

De la tête, Édouard avait répondu « Oui, bien sûr ». Ça voulait dire non.

Le lendemain, Albert, son compagnon, un ancien comptable qu'elle avait toujours vu trembler comme une feuille et essuyer ses mains moites sur son pantalon, était parvenu à s'enfuir avec une jeune femme de ménage et une fortune en billets de banque.

Édouard, lui, était resté et s'était jeté sous les roues d'une voiture.

La vente de faux monuments aux morts n'avait jamais été pour lui qu'un intermède.

Louise apprit plus tard à quel point l'existence de ce pauvre jeune homme avait été compliquée.

Elle réalisa que depuis ce moment, sa vie n'avait pas avancé d'un pouce ni reculé. Elle avait seulement vieilli, elle avait trente ans. Ses larmes redoublèrent.

Elle trouva dans la boîte aux lettres un courrier de l'école qui demandait la raison de son absence. Elle répondit, sans fournir d'explication, qu'elle reprendrait son travail dans quelques jours. Cette simple page d'écriture l'épuisa, elle se coucha et dormit seize heures d'affilée.

Après avoir jeté ce qui avait pourri dans le garde-manger, elle dut sortir faire quelques courses. Pour éviter La Petite Bohème, elle attendit que le bus, en passant, en masque la devanture pour se faufiler.

Il y avait plus d'une semaine qu'elle n'avait ni lu ni écouté les nouvelles. À voir les Parisiens vaquer à leurs occupations, on devinait qu'il ne se passait pas grand-chose sur le front de la guerre. Et le peu qu'on apprenait dans les quotidiens était plutôt rassurant. Les Allemands, en difficulté, étaient bloqués en Norvège et avaient été repoussés de cent vingt kilomètres par les Alliés dans la région de Levanger. Ils essuyaient « un triple revers face aux torpilleurs français » en mer du Nord, il n'y avait vraiment pas de quoi s'inquiéter. M. Jules, derrière son comptoir, devait se féliciter bruyamment de la stratégie lumineuse du général Gamelin et pronostiquer la raclée que

les Allemands ne manqueraient pas de recevoir s'ils s'aventu-
raient « vers chez nous ».

Louise peinait à s'intéresser à l'actualité, mais s'y accro-
chait pour faire obstacle à l'image qui assaillait son esprit dès
qu'il n'était pas occupé, celle de la tête du docteur Thirion à
moitié emportée.

La justice avait renoncé à comprendre pourquoi il l'avait
choisie, elle, pour faire une chose pareille, alors qu'il lui aurait
suffi d'entrer dans n'importe quel bordel. Il n'était pas rare
que cette question la réveille en pleine nuit. Elle tentait
d'associer le visage du client du samedi à ce nom de Thirion,
elle n'y parvenait jamais. Le juge avait dit qu'il habitait
Neuilly. Quelle drôle d'idée de se déplacer chaque samedi
dans le XVIIIᵉ arrondissement pour y déjeuner – n'y avait-il
donc pas de restaurants là-bas ? M. Jules avait dit que le docteur était « un habitué de vingt ans », ce qui, dans son esprit,
n'était pas un compliment. Il admettait facilement qu'on
puisse faire la cuisine pendant trente ans dans le même établissement, mais qu'on vienne y manger pendant presque
autant de temps dépassait son entendement. C'était moins la
fidélité de ce client qui le choquait que son manque de
conversation. « Ils seraient tous comme lui, on ferait aussi
bien de cuisiner pour les Trappistes… » En réalité, M. Jules
ne l'avait jamais aimé.

Rassemblant au fil des heures le peu qu'elle savait du docteur, Louise passa une nuit blanche, pelotonnée dans le fauteuil du salon à chercher le sommeil.

La nourriture dont elle disposait fondant à vue d'œil, le
lendemain elle sortit de nouveau. Ce début mai n'était pas si
vilain, se dit-elle. Un premier soleil timide lui caressa les
joues, elle se sentit moins lourde. De peur d'être interrogée

par les voisins, les commerçants, elle s'éloigna de son quartier pour acheter de quoi manger et cette marche la revigora.

Cette éclaircie ne dura pas. À son retour, une lettre l'attendait. Le juge Le Poittevin la convoquait le jeudi 9 mai à quatorze heures, pour « affaire la concernant ».

Paniquée, elle chercha le document remis par la police lors de sa sortie de l'hôpital et qui annonçait, sans ambiguïté, que l'affaire était classée et qu'aucune charge ne pesait sur elle. Dans cette affaire déjà passablement absurde, cette convocation n'avait aucun sens. Louise s'effondra tout habillée dans le fauteuil du salon, la respiration coupée.

# 4

Un nouveau spasme le plia en deux, mais Gabriel n'avait plus rien dans l'estomac. La fumée était maintenant si épaisse qu'il ne distinguait rien à un mètre. Allait-il mourir ici, entre ces quatre murs ? Sa respiration ressemblait à un râle, la fumée qui continuait à entrer lui noyait le visage, il leva la tête, la porte était entrouverte.

Un courant d'air pénétra dans le réduit, provoquant un tourbillon...

À travers ses larmes, Gabriel aperçut au niveau du sol une nappe d'air plus transparent. Sans réfléchir, il rampa, dérapa dans une flaque de vomi, poursuivit en patinant, parvint à gagner le couloir. Des pas pressés le dépassaient, certains le heurtaient sans s'arrêter.

Vidé de ses forces, Gabriel erra un long moment, ne trouvant pas son chemin. Il reconnut enfin l'infirmerie, frappa et entra sans attendre. Cinq lits étaient occupés. Dans la cohue, il y avait eu des chutes.

– Vous êtes dans un bel état, vous aussi..., dit le major, plus spectral que jamais.

– J'ai été enfermé dans une réserve, là-bas, dans le tunnel...

Sa voix trahissait sa frayeur. Le médecin fronça les sourcils.

– On m'a poussé…

Le toubib le fit entrer, le mit torse nu, l'ausculta.

– Comment ça, on vous a poussé ?

Gabriel ne répondit pas, le major comprit que la confession s'arrêterait là.

– Asthmatique !

Le diagnostic fut formulé de manière presque triomphante, le sous-entendu limpide. Il suffisait à Gabriel de confirmer, le médecin le couchait sur la liste des candidats à la réforme, il rentrait chez lui.

– Non.

Le major, sceptique, se concentra sur son stéthoscope.

– Tout va bien, major… Je veux dire, tout va mieux.

Gabriel avait attrapé sa chemise, l'enfilait, il était épuisé, sentait le vomi, il n'avait plus de couleurs, ses doigts tremblaient sur les boutons.

Le toubib le fixa un moment puis il hocha la tête, d'accord.

Pour Gabriel, la perspective d'être renvoyé dans ses foyers venait de disparaître. Ce qui le motivait ? Il n'était ni idéologue ni militant, encore moins héroïque. Quelle puissante raison avait-il alors de ne pas profiter d'une occasion que peu de soldats auraient laissée échapper ? Il lisait les journaux. Il n'avait jamais cru aux protestations pacifiques d'Hitler, les accords de Munich lui avaient semblé une folie, le vent qui soufflait d'Italie l'effrayait. Il n'avait pas renâclé à l'ordre de mobilisation générale parce qu'il pensait qu'il fallait s'opposer. Cette drôle de guerre qui ne ressemblait à rien en avait découragé plus d'un et c'est vrai qu'il s'était maintes fois demandé s'il ne serait pas plus utile en reprenant ses cours de mathématiques au collège de Dole. Mais la vie l'avait placé là, il était resté. L'invasion de la Norvège, la tension dans les Balkans, les « avertissements » des nazis à la Suède... Les dernières nouvelles lui faisaient penser que sa présence ne serait peut-être pas toujours vaine. Gabriel était, en vérité, un garçon plutôt craintif, peu enclin aux actions courageuses, mais qui reculait rarement devant le danger et trouvait d'obscures satisfactions dans les situations qui l'effrayaient le plus.

Le major le garda en observation deux jours pendant lesquels Gabriel eut le temps de méditer sur ce qui lui était arrivé.

Pour le médecin, les circonstances dans lesquelles le jeune sergent-chef s'était fait enfermer dans une réserve restaient assez mystérieuses.

– Vous devriez faire un rapport..., hasarda-t-il.

Mais Gabriel ne voulait pas.

– Ça n'est pas bon, ces histoires-là, sergent. Dans un lieu comme le nôtre, aussi confiné, on est les uns sur les autres. On sait comment ça commence, mais...

Il devait y tenir, à ce rapport, parce que le jour où Gabriel quitta l'infirmerie pour reprendre son poste, le médecin lui tendit une convocation chez le commandant du Mayenberg. Comparution immédiate. Le major, qui en était évidemment à l'origine, n'avait l'air ni navré ni gêné, mais Gabriel décela chez lui la raideur un peu ridicule des hommes qui pensent avoir fait leur devoir quand ils ont agi à leur idée. Il aurait aimé se mettre en colère, mais outre que cela n'aurait rien changé, il y aurait eu tant à dire que c'en était décourageant.

Assis dans le couloir, Gabriel se contenta de réfléchir à la situation en attendant que le commandant daigne le recevoir.

Il fut enfin appelé, se mit au garde-à-vous et s'apprêta à résister aux questions, ce ne fut pas nécessaire. Le médecin avait fait un rapport. Le bilan du major se traduisit dans la bouche de l'officier par « des petits pépins de santé, je vois ce que c'est ».

— Dans le civil, professeur de mathématiques, c'est bien ça ?

Gabriel n'eut pas même le temps d'approuver, il était nommé sous-officier de détail.

— Le sous-lieutenant Darasse sera absent pendant trois mois, vous le remplacerez.

Gabriel, soufflé par la surprise, en avait le cœur battant, adieu la vie souterraine du Mayenberg, à lui les journées dehors, les allers-retours à Thionville, le grand air et la lumière !

— Vous connaissez la mission. Vous prenez trois hommes, vous complétez les commandes de l'Intendance, vous gérez les dépenses en deniers. Vous êtes placé sous mon autorité. Un problème, c'est moi que vous venez voir. Des questions ?

Gabriel l'aurait embrassé. Au lieu de quoi il tendit la main, saisit son ordre de nomination et salua.

L'Intendance avait la charge de ravitailler le Mayenberg en viande, café, pain, rhum, légumes secs, etc., qui arrivaient par camions entiers ou par train. Le reste, primeurs, volailles, produits laitiers, relevait du « Détail », dont maintenant Gabriel était chargé ainsi que des « dépenses en deniers », l'argent liquide permettant de se rendre chez les commerçants avec qui l'armée n'était pas en compte. C'est au Détail que les hommes commandaient ce qu'ils n'avaient pas la possibilité d'acheter en ville, quoique les services concurrents proposés par le caporal-chef Landrade aient considérablement ralenti cette activité au cours des derniers mois.

La respiration de Gabriel s'était libérée. Il passa remercier le major qui, en regardant ailleurs, répondit d'un geste vague qui pouvait tout dire. Puis il alla, en courant, faire son paquetage. Gabriel logerait dorénavant à l'extérieur, près des magasins de l'Intendance. La journée, il pourrait respirer l'air de la campagne et la nuit, sortir regarder les étoiles.

– Ah bon ? Sous-officier de détail ! s'exclama Raoul Landrade, admiratif.

Gabriel se contenta de rassembler ses affaires et, sans saluer personne, emprunta le couloir vers la liberté.

Titubant sous le poids de son barda, il fit une halte aux Transmissions pour passer les consignes, signer le registre. Dans trois mois, au retour du titulaire du poste, il devrait revenir travailler ici, il ne voulait pas y penser, chaque jour était un nouveau jour. Puis il sortit du Mayenberg.

La large esplanade était occupée par des véhicules, des hommes de troupe qui chargeaient des barbelés, de petites unités circulant au pas. Gabriel, en respirant avec une avidité de prisonnier libéré, se dirigea vers l'Intendance.

Vers dix-sept heures, il prit possession de la chambrée, une pièce minuscule mais individuelle, froide comme une glacière mais avec une fenêtre qui donnait, par-delà l'esplanade, sur les bois alentour.

De la pièce contiguë destinée à sa future équipe, lui parvinrent, à peine son barda lâché au sol, des bruits de pas, des éclats de voix. Il ouvrit la porte. Le caporal-chef Landrade, accompagné de Chabrier et Ambresac, venait de prendre possession des lieux.

– Eh là ! cria Gabriel.

Les trois soldats se tournèrent vers lui, comme surpris.

Raoul Landrade s'avança en souriant.

– À ton nouveau poste, on a pensé que tu aurais besoin d'hommes d'expérience...

Gabriel se raidit.

– C'est hors de question !

Raoul parut vexé.

– Tu ne vas pas refuser un coup de main, tout de même !

Gabriel s'approcha. Il serrait les dents, sa rage contenue s'entendit lorsqu'il dit dans un murmure :

– Vous allez foutre le camp d'ici. Tous les trois. Et tout de suite.

Raoul passa de la vexation à la contrariété. Il baissa la tête, fouilla un long moment dans sa poche, en tira un mouchoir à rayures bleues qu'il déplia lentement. Gabriel en eut le souffle coupé. Dans le creux de la main, la chevalière marquée PD d'un or terne gisait comme un gros insecte menaçant, celle qui avait disparu quelques mois plus tôt et dont on avait fait tant de gorges chaudes.

– On t'a vu la planquer dans ta gibecière, mon vieux.

Il se retourna.

– Hein, les gars, qu'on l'a tous vu ?

Ambresac et Chabrier approuvèrent bruyamment, ils avaient l'air sincères.

En une fraction de seconde, Gabriel vit défiler les conséquences de cette menace, la plainte pour vol, l'impossibilité de prouver son innocence devant trois témoignages accablants. Plus que la perte du paradis provisoire auquel il venait d'accéder, ce qui aurait déjà été un sale coup, c'est le fait d'être aussi injustement accusé qui le paralysa.

Raoul remit tranquillement la chevalière dans son mouchoir et la rempocha.

# 5

Maître Désiré Migault quitta l'Hôtel du Commerce à sept heures trente précises, acheta les journaux du matin et se posta, comme à son habitude, à l'arrêt de l'autobus. En montant sur la plateforme, il découvrit sans surprise que le « procès de Valentine Boissier » faisait la une de tous les quotidiens. Celle qu'on appelait depuis un an « la petite pâtissière de Poisat », parce que son père y avait tenu une boulangerie, était accusée du meurtre de son ancien amant et de la maîtresse de celui-ci. Le bus déposa Désiré à trois cents mètres du palais de justice de Rouen, qu'il couvrit de son pas lent, mesuré, qui détonnait chez un homme de son âge (moins de trente ans, à coup sûr) et de son physique, plutôt mince, élancé, du genre à faire de l'athlétisme.

Maître Désiré Migault monta les marches, alors que la foule intéressée par ce procès commençait à arriver, ainsi que les reporters locaux. Sans doute méditait-il l'acte d'accusation terrible qui allait peut-être expédier sa cliente à la guillotine et qui reposait sur deux éléments accablants : la préméditation et la tentative de dissimulation des corps. C'est peu dire que la situation de la jeune Valentine était délicate. « Perdue, même ! » commentait un reporter qui en avait pour preuve que le procès avait été maintenu malgré l'accident survenu à son défenseur, un avocat commis d'office passé, quelques jours plus tôt, sous un camion réfrigéré. « Si on ne renvoie pas le procès, c'est que l'affaire est entendue... »

Après avoir salué ses confrères avec déférence, pendant qu'il se changeait et revêtait sa robe noire à trente-trois boutons avec rabat et épitoge, maître Migault aperçut les regards interrogatifs ou sceptiques des avocats du barreau de Rouen qui avaient vu débarquer de Paris ce jeune homme brillant à peine un mois plus tôt. Revenu en Normandie pour des raisons familiales (sa vieille mère, qui y habitait toujours, était assez mal en point, avait-on compris), il n'avait pas hésité à reprendre au pied levé cette « sale affaire » dont personne ne voulait. Le geste avait fait grosse impression.

Dès son entrée dans le prétoire, le charme de l'accusée avait frappé tous les regards. C'était une jeune femme frêle au beau visage grave, aux pommettes bien dessinées et aux yeux verts. Bien qu'elle fût vêtue d'un tailleur strict, on ne pouvait ignorer qu'elle était admirablement faite, de haut en bas.

Personne ne savait si ce physique attractif aurait ou non une influence positive sur les jurés. Il n'était pas rare que les jolies femmes soient plus lourdement condamnées que les autres.

Maître Migault lui serra affectueusement la main, lui adressa quelques mots à voix basse et prit place tranquillement devant elle pour assister au dénouement d'un procès qui s'était révélé languissant.

Le procureur Franquetot, considérant à la fois le poids des preuves qui pesaient sur l'accusée et l'inexpérience de son défenseur, s'était contenté la veille de résumer les faits et, dans une envolée classique, d'en appeler « à la sévérité que la société se doit… », etc. C'était un rien paresseux. On le sentait en roue libre. Le public de Rouen avait connu de meilleurs moments et on se demandait si on avait fait tout ce déplacement pour assister à une condamnation qui ne devrait rien ni à la sévérité ni à l'habileté du ministère public.

L'avocat général avait passé la première journée à expédier les témoins en deux questions, pendant que maître Migault, tête baissée, épluchait fébrilement son dossier, faisant visiblement profil bas, ce que chacun pouvait comprendre, l'évidence de la situation devait l'accabler. Les jurés l'observaient avec la commisération douloureuse qu'ils accordaient aux voleurs de pommes et aux maris cocus.

En milieu de matinée, on s'ennuyait déjà ferme au tribunal de Rouen.

Journée languide donc la veille et en cette matinée du second jour où l'on clôturerait le procès. Le réquisitoire interviendrait vers onze heures et demie. De l'avis général, il ne durerait pas. Si l'avocat de la défense était aussi perdu qu'il semblait, sa plaidoirie serait une formalité, en fin de matinée le jury se réunirait, pour le principe, et à midi, on mangerait à la maison.

Vers neuf heures trente, l'avocat général avait interrogé le dernier témoin, maître Migault émergea soudain de son dossier, regarda l'homme à la barre avec des yeux d'halluciné et demanda d'une voix que personne n'avait encore bien entendue :

— Dites-moi, monsieur Fierbois, vous avez vu ou croisé ma cliente le 17 mars, en matinée ?

La réponse fusa :

— Affirmatif ! (C'était un ancien militaire qui s'était fait concierge.) Même que je me suis dit : ah, elle est drôlement matinale, cette petite, c'est une courageuse…

Il y eut un brouhaha dans la salle, le président attrapa son marteau mais maître Migault s'était levé.

– Et pourquoi ne l'avez-vous pas dit aux policiers ?

– Bah, personne ne m'a posé la question…

Le brouhaha devint un vacarme. Mais ce qui n'était encore qu'une stupeur dans le public devint rapidement une torture pour l'avocat général. Maître Migault rappela en effet un à un tous les témoins.

On comprit rapidement que l'enquête avait été bâclée.

Manifestant une connaissance impressionnante du dossier, le jeune avocat retourna des témoins, en confondit d'autres, le tribunal revivait, les jurés se régalaient, même le président, qui était à quelques semaines de la retraite, retrouvait une certaine jeunesse.

Pendant que le jeune défenseur traque les faiblesses des enquêteurs, les mensonges et les à-peu-près des témoins, la précipitation de l'instruction, pendant qu'il exhume une jurisprudence oubliée et analyse des articles du code de procédure pénale, tentons de comprendre qui était ce jeune avocat brillant qui est en passe de retourner le jury.

Désiré Migault n'avait pas toujours été maître Migault.

L'année précédant ce procès, il avait été pendant trois mois « M. Mignon », instituteur de la classe unique de Rivaret-en-Puisaye, où il avait appliqué des méthodes pédagogiques extrêmement innovantes. L'école, vidée de ses pupitres, avait été transformée en odéon et le premier trimestre entièrement consacré à la rédaction d'une « constitution pour une société idéale ». M. Mignon avait soudainement disparu la veille de la venue de l'inspecteur d'Académie, mais avait laissé un souvenir inaltérable dans le cœur des élèves (et dans l'esprit des parents pour des raisons diamétralement opposées).

Quelques mois plus tard, on le retrouve en Désiré Mignard, pilote à l'aéroclub d'Évreux. Il n'était jamais monté dans un avion, mais avait présenté un carnet de vol et des certificats en acier trempé. Son enthousiasme communicatif avait permis d'organiser, pour quelques riches clients de Normandie et de région parisienne, une magnifique expédition à bord d'un Douglas DC-3 reliant Paris à Calcutta via Istanbul, Téhéran et Karachi, dont il assurerait le pilotage éclairé (qui constituerait son baptême de l'air, ce qu'évidemment personne n'aurait imaginé). Les vingt et un passagers conservèrent longtemps en mémoire le moment où Désiré, en grande tenue, fit rugir les moteurs sous l'œil inquiet de son mécanicien qui trouvait ses gestes peu orthodoxes, puis, soudain soucieux, expliqua qu'une dernière vérification s'imposait, quitta l'avion, s'éloigna vers les hangars et disparut à tout jamais en emportant la caisse de l'aéroclub.

Le clou de sa (pourtant) jeune carrière était d'être resté plus de deux mois le docteur Désiré Michard, chirurgien de l'hôpital Saint-Louis à Yvernon-sur-Saône. Il s'en était fallu de peu qu'il procède à un ambitieux cerclage de l'artère pulmonaire sur un patient présentant une légère communication du septum interventriculaire dont il n'avait jamais souffert. Désiré arrêta, à l'ultime seconde, le geste de l'anesthésiste, quitta le bloc opératoire puis l'établissement avec la caisse de l'intendance. Le patient en fut quitte pour la peur et les autorités hospitalières pour le ridicule. L'affaire fut prestement étouffée.

Personne n'est jamais parvenu à saisir qui était vraiment Désiré Migault. Seule certitude, il était né à Saint-Nom-la-

Bretèche où il avait passé son enfance, on trouve sa trace à l'école puis au collège, après quoi il disparaît.

Les avis de ceux qui l'avaient rencontré étaient aussi divers que sa vie elle-même.

Les membres de l'aéroclub qui avaient connu le pilote Désiré Mignard faisaient le portrait d'un aviateur téméraire et entreprenant («Un meneur d'hommes !» avait dit quelqu'un), les patients du docteur Désiré Michard évoquaient un chirurgien attentif, grave, concentré («Peu causant. Pour lui tirer un mot, à celui-là...»), les parents d'élèves de l'instituteur Désiré Mignon, eux, parlaient d'un garçon effacé, timide («Une vraie jeune fille... Un peu complexé, je crois.»).

Au moment où nous revenons au procès, l'avocat général, pantelant, a achevé un réquisitoire confus, fondé, à défaut de preuves indiscutables, sur des principes qui n'ont convaincu personne.

Désiré Migault entame sa plaidoirie :

– Je vous remercie, messieurs les jurés, de considérer d'abord que ce procès n'est pas ordinaire. Car qui avez-vous habituellement devant vous ? Qui avez-vous jugé au cours des derniers mois ? Un ivrogne qui a fracassé le crâne de son fils à l'aide d'une poêle en fonte, une mère maquerelle qui a trucidé un client récalcitrant de dix-sept coups de couteau, un ancien gendarme devenu receleur qui a attaché un de ses fournisseurs sur les rails du Paris-Le Havre où il a été découpé en trois morceaux. Vous m'accorderez sans peine, messieurs les jurés, que ma cliente, bonne catholique, brave fille d'un boulanger respecté, qui fut une élève brillante mais modeste du collège Sainte-Sophie, n'a rien à voir avec le flot des assassins et des meurtriers qui s'assoient habituellement sur les bancs de cette salle d'audience.

Le jeune avocat, qu'on avait vu d'abord effacé, presque égaré, puis droit et ferme pendant les interrogatoires, parlait maintenant d'une voix claire, bien timbrée. Il était d'une élégance parfaite, s'exprimait avec des gestes précis, évocateurs, incisifs et se déplaçait avec mesure et légèreté. Il plaisait de plus en plus.

— La tâche de M. le procureur, messieurs les jurés, n'était ni difficile ni complexe, tant il est entendu que cette affaire était, si vous le permettez, jugée d'avance.

Il revint vers son banc, se saisit des journaux du matin dont il présenta les unes au jury.

— *Normandie-Express* : « Valentine Boissier joue sa vie aux assises de Rouen. » *Le Quotidien du Bocage* : « La petite pâtissière à deux pas de la guillotine. » *Rouen-Matin* : « Valentine Boissier peut-elle espérer la perpétuité ? »

Il s'arrêta, sourit longuement et ajouta :

— Rarement la vox populi et le ministère public auront plus clairement dicté leur devoir à des jurés. Et n'auront poussé à une erreur judiciaire plus flagrante et, disons-le, plus scandaleuse !

L'affirmation fut suivie d'un lourd silence.

Commença alors la reprise de toutes les charges pesant sur l'accusée, que maître Migault plaça sous la lumière critique de ce qu'il appelait curieusement « la raison raisonnée », expression dont l'obscurité même décupla le respect du jury.

— Messieurs les jurés, conclut-il, ce procès pourrait s'arrêter là : nous avons ici (il brandit une impressionnante liasse de documents) tous les motifs pour exiger l'annulation de la procédure, les vices de forme sont innombrables. D'une certaine manière, après qu'il a été clos par la presse, il l'est maintenant par le tribunal lui-même. Mais nous préférons aller au bout. Car ma cliente n'accepte pas de quitter libre le tribunal grâce à des artifices de procédure.

La stupeur fut totale.

La cliente de Désiré faillit s'évanouir.

– Elle demande que l'on considère les faits. Elle exige que votre jugement s'appuie sur des vérités. Elle vous supplie, à l'instant de prononcer votre verdict, de la considérer les yeux dans les yeux. Elle vous adjure de comprendre que son geste fut marqué au sceau de la spontanéité et du réflexe défensif. Car oui, messieurs les jurés, vous êtes en face d'un crime commis en légitime défense !

La salle d'audience bruissa, le président fit une moue circonspecte.

– Mais oui, légitime défense ! répéta Désiré Migault. Car la victime est en fait le véritable bourreau et c'est la prétendue meurtrière qui est la victime.

Il passa un long moment à évoquer les brimades, violences, brutalités, humiliations que sa cliente avait eu à subir de la part de celui qu'elle avait tué d'un coup de revolver. L'épouvantable tableau de ces sévices horrifia le jury et l'assistance. Les hommes baissaient les yeux. Les femmes mordaient leur poing.

Pourquoi n'avait-elle jamais parlé de ces circonstances ni à la police ni au juge d'instruction et les découvrait-on aujourd'hui ?

– Par décence, messieurs les jurés ! Abnégation pure ! Valentine Boissier préfère mourir plutôt que d'attenter à la réputation de celui qu'elle a tant aimé !

Désiré démontra ensuite que si Valentine avait enterré ses deux victimes, ce n'était nullement pour les faire disparaître, mais pour leur assurer une « sépulture décente dont la religion les aurait privées en raison de leurs mœurs dissolues ».

Le sommet de cette plaidoirie fut évidemment l'instant où Désiré, évoquant les abominables cicatrices que son tortionnaire lui avait laissées, se tourna vers sa cliente et lui intima l'ordre de se dénuder jusqu'à la taille pour les montrer. La salle cria d'effroi, le président hurla à l'accusée de n'en rien faire et l'extrême rougeur de Valentine, stupéfiée (sa ravissante poitrine était, en réalité, aussi parfaitement blanche qu'à l'adolescence), passa pour un effet de sa pudeur. Le brouhaha n'en finissait pas. Désiré Migault, raide comme la statue du Commandeur, fit un geste en direction du président : parfait, je n'insiste pas.

Il dressa alors le portrait du « bourreau de Valentine », savant mélange d'ogre des bois, de personnalité satanique et de tourmenteur dépravé, et acheva sa plaidoirie par un ample mouvement oratoire destiné aux jurés :

– Vous êtes ici pour dire le juste, pour discerner le vrai du faux, pour résister à la voix de la populace qui condamne aveuglément. Vous êtes ici pour reconnaître le courage, approuver la générosité, affirmer l'innocence. Je ne doute pas que votre parole de compassion vous grandira et grandira avec vous, que dis-je, grâce à vous, la justice de notre pays que vous incarnez aujourd'hui.

Pendant la délibération, alors que Désiré était entouré de reporters, de journalistes et même de confrères venus, à regret, le féliciter, le bâtonnier se fraya un chemin et, passant son bras autour des épaules du jeune homme, l'entraîna à l'écart.

– Dites-moi, maître, nous n'avons pas trouvé trace de votre habilitation auprès du barreau de Paris.

Désiré marqua l'étonnement.

– Voilà qui est très surprenant !

– Je trouve aussi. Si vous pouviez venir me voir, aussitôt les délibérations achevées, j'aimer…

Il fut interrompu par la cloche qui annonçait le retour de la cour. Désiré Migault n'avait que le temps de passer rapidement aux toilettes.

Il est difficile de déterminer si la plaidoirie avait convaincu ou si, comme on s'ennuie en province, elle avait distrait et offert aux jurés l'occasion de se montrer vertueux, toujours est-il que Valentine Boissier, à qui furent reconnues les circonstances atténuantes, fut condamnée à trois ans de prison, dont deux avec sursis, et, grâce au jeu des remises de peine et de sa durée de détention, sortit libre du tribunal.

Quant à son défenseur, on ne le revit plus. Discuter le jugement supposait de reconnaître que toute la chaîne judiciaire avait laissé un faux avocat œuvrer en toute impunité, on n'en parla plus.

# 6

Lisant et relisant la convocation du juge Le Poittevin, Louise avait remué mille fois, interrogé et pesé cette « affaire vous concernant ». Sans résultat. L'inquiétude, la nuit, rampait à ses pieds, montait à sa gorge. S'il s'agissait de l'outrage à la pudeur auquel le juge tenait tant, pourquoi la convoquait-il, n'était-ce pas maintenant l'affaire du tribunal ? Elle s'imaginait face à une brochette de magistrats qui tripotaient nerveusement leurs lunettes, les brisaient et l'envoyaient à la guillotine, où le bourreau avait le visage du juge Le Poittevin et hurlait d'une voix stridente : « Ah, on veut montrer sa... son... », elle était nue, le juge regardait son entrejambe avec une fixité inquiétante, elle se réveillait en nage.

Le jeudi, manteau sur le dos, elle fut prête dès sept heures, bien trop tôt, elle était convoquée à dix heures. Elle refit du café, ses mains tremblaient un peu. L'heure vint. Enfin, presque l'heure, tant pis, elle serait en avance, elle rinça sa tasse, à cet instant la sonnette retentit.

Elle s'avança prudemment vers la fenêtre et découvrit le patron de La Petite Bohème qui tapait du pied sur le trottoir en fixant la façade. Elle n'avait pas envie de lui ouvrir, de discuter. M. Jules n'y était pour rien, dans cette malheureuse histoire, Louise agissait à la manière de ces édiles de l'Antiquité qui tuaient les porteurs de mauvaises nouvelles, mais, que voulez-vous, elle associait le restaurant à cette vilaine aventure, besoin de trouver des coupables, comme si M. Jules avait failli dans la mission de la protéger. C'était curieux, pour venir sonner chez Louise, il n'avait que la rue à traverser, mais il s'était habillé comme pour une cérémonie, costume serré et escarpins vernis, on l'imaginait très bien avec un bouquet de fleurs. Il ressemblait à un homme venu faire une demande en mariage, mais avait l'air résigné d'un amoureux promis à l'abandon.

Quelques jours plus tôt, l'autobus qui servait de paravent à Louise avait tardé, elle avait dû se lancer à découvert. En passant à marche forcée devant le restaurant, elle avait aperçu M. Jules portant les assiettes. C'était un spectacle pathétique dont elle avait entendu parler les rares fois où elle n'avait pu venir servir. Pour le service, c'était comme pour les conversations, M. Jules n'écoutait rien. Il confondait les tables et les commandes, traversait la salle pour une petite cuillère, oubliait le pain, les plats arrivaient froids quand ils arrivaient, on attendait l'addition des quarts d'heure entiers, on s'impatientait, M. Jules s'emportait, vous n'avez qu'à aller ailleurs, les clients posaient leur serviette, très bien, c'est ce qu'on va faire, les habitués soupiraient. Les rares absences de Louise avaient toujours pesé sur la réputation de la maison et sur son chiffre d'affaires. Pour autant, jamais M. Jules n'avait voulu la remplacer, il préférait jongler lui-même entre la cuisine et la salle, perdre des clients, mais embaucher quelqu'un d'autre, jamais !

Louise jeta un œil à la pendule, l'heure tournait, elle dut se résoudre à ouvrir.

M. Jules, les mains dans le dos, la regarda s'avancer jusqu'au portail.

– Tu aurais pu passer... C'est qu'on s'inquiète, nous !

Ce « nous » qui, dans son esprit, désignait la clientèle du restaurant, le voisinage et, par extension, la terre entière, ressemblait à un pluriel de majesté dont il perçut la maladresse.

– Je veux dire...

Mais il ne parvint pas à finir. Il observait Louise.

Elle aurait pu ouvrir la grille du jardin, mais elle n'en fit rien. Ils se dévisageaient à travers les minces barreaux du portail, comme si M. Jules s'était présenté à un guichet nommé Louise Belmont. Elle ignorait ce qu'on avait dit de son absence, de son retour. Ça lui était égal.

– Tu vas bien, au moins ? demanda M. Jules.

– Ça va...

– Tu allais sortir...

– Non. Enfin, oui.

Il hocha la tête d'un air entendu et soudain, il empoigna les barreaux à deux mains, comme un prisonnier.

– Tu vas revenir, dis ?

Louise le vit approcher son gros visage, son béret frotta contre la grille et se coucha sur l'arrière de son crâne, ce qui lui donna un air un peu ridicule. Il ne s'en rendit pas compte parce que cette question lui serrait le cœur, prenait toute la place.

Louise haussa les épaules.

– Non, je ne crois pas.

Quelque chose se brisa en elle. Plus encore que le suicide

du docteur Thirion, le passage devant un juge d'instruction et l'outrage à la pudeur, plus même que la déclaration de guerre, cette décision la projetait dans une nouvelle vie, cela lui fit peur.

À M. Jules aussi qui, sous le choc, recula, les larmes aux yeux. Il tenta un sourire, renonça.

– Oui, bien sûr.

Louise prit conscience qu'elle l'abandonnait, elle en eut le cœur gros, non parce qu'elle regrettait de partir ainsi, mais parce qu'elle l'aimait, qu'il faisait partie d'une vie qui venait de s'achever.

M. Jules, en costume de fiancé, le béret de travers, dansa d'un pied sur l'autre.

– Bon, bah, je vais y aller, moi...

Elle ne savait quoi dire, elle le regarda s'éloigner, son énorme derrière ballottait, ce costume était trop petit pour lui, le pantalon tombait sur les chevilles, la couture dans le dos de sa veste semblait près de rendre l'âme.

Au lieu de sortir, Louise remonta les marches, prit un mouchoir, jeta un œil par la fenêtre à l'instant où M. Jules refermait derrière lui la porte de La Petite Bohème. Ce n'est qu'à cet instant qu'elle se rendit compte qu'il ne lui avait posé aucune question. Que savait-il de ce qui était arrivé ? Comment aurait-il pu en savoir quelque chose ? Il avait forcément remarqué l'absence du docteur (la première depuis des décennies), mais comment aurait-il pu faire le rapport avec son absence à elle ? Le fait divers était-il relaté dans *Paris-Soir* ? Permettait-il de faire le rapprochement avec Louise ?

Elle ressortit bientôt et, sans se cacher cette fois, passa devant le restaurant pour gagner l'arrêt de bus. Ébranlé par cette courte entrevue avec M. Jules, son esprit peinait à se projeter dans l'audition qui l'attendait. Elle sortit de son sac la convocation pour « affaire vous concernant ».

– L'affaire, en effet, vous concerne au plus haut point ! dit le juge Le Poittevin.

Il ne portait plus de lunettes, elles devaient être en réparation. À la place, il tripotait un stylo plume oblong assez volumineux pour ses petites mains et regardait Louise en plissant les yeux.

– Vous...

On le sentait déçu. Autant épuisée, éperdue, assise dans son lit d'hôpital, la jeune fille lui avait paru séduisante – ce côté Cosette de boulevard, il aimait beaucoup –, autant là, dans son bureau, elle lui semblait banale, insignifiante, étriquée. On aurait dit une femme mariée. Le juge lâcha son stylo et piqua du nez sur son dossier.

– Pour l'outrage à la pudeur..., commença Louise d'une voix ferme qui la surprit elle-même.

– Pfft, s'agit-il de ça...

À son ton las, déçu, Louise comprit que même ce chef d'accusation serait abandonné.

– En ce cas, avez-vous le droit de m'interroger à nouveau ?

Elle aurait utilisé n'importe quel vocable, le juge aurait répondu. Mais elle parlait de « droit », c'est-à-dire de justice, c'était son rayon, il explosa. Le jeune greffier qui prenait note devait avoir l'habitude. Il se contenta de croiser les bras en regardant par la fenêtre.

– Comment ça, si j'ai « le Droit » ? hurla Le Poittevin. Vous êtes devant la Justice, mademoiselle (on sentait qu'il mettait des majuscules à tous les mots). Et vous devez Lui répondre, à la Justice !

Louise restait calme.

– Je ne vois pas ce que je fais là…

– C'est qu'il n'y a pas que vous sur terre !

Louise ne comprenait pas à qui le juge faisait référence.

– Eh oui…, ajouta-t-il.

Ce qui semblait une mauvaise nouvelle pour Louise en était une bonne pour lui.

Il fit signe au jeune greffier qui, en soupirant, quitta le bureau et revint quelques secondes plus tard précédé par une femme d'une soixantaine d'années, élégante dans un ensemble noir, au regard et au visage tristes. Il n'y avait pas d'autre solution, elle prit place à côté de Louise qui sentit son parfum, chic et discret, le genre de chose qu'elle ne s'était jamais offert.

– Madame Thirion, je suis navré de devoir vous imposer…

Il désignait Louise, qui rougit violemment.

La veuve Thirion regardait droit devant elle.

– Certes, l'affaire est close pour ce qui concerne… le décès de votre époux.

Il marqua un assez long silence destiné à souligner à la fois les conséquences de ce constat et le mystère de cette nouvelle convocation. Louise s'inquiéta aussitôt. Que pouvait-elle risquer maintenant… s'il n'y avait plus d'affaire ?

– C'est qu'il y a autre chose ! martela le juge comme s'il suivait ses pensées. Les charges de prostitution et d'outrage à la pudeur sont abandonnées, mais il reste…

Cette manière de ménager un suspense, si peu dans les

usages d'une justice sereine, avait quelque chose de gro-
tesque, d'obscène, mais aussi de terriblement menaçant. Ça
sentait la justice discrétionnaire.

– L'extorsion de fonds ! Car si « mademoiselle » n'a pas
« vendu » ses charmes, alors à quoi était destinée cette somme
d'argent ? Un chantage, assurément !

Louise en était bouche bée. Quel chantage aurait-elle pu
exercer sur le docteur Thirion, c'était absurde.

– Grâce à votre plainte, madame, nous allons pouvoir
enquêter et prouver qu'il y a eu exaction. Spoliation !

Il se tourna vers Louise.

– Quant à vous, ce sera trois ans d'emprisonnement et
cent mille francs d'amende !

Il claqua son stylo sur sa table pour marquer la fin de sa
démonstration.

Louise était effondrée. À peine échappait-elle à une charge
qu'une autre la menaçait… Trois années de prison ! Elle
était près d'éclater en sanglots lorsqu'elle sentit, plus qu'elle
ne le vit, un mouvement de Mme Thirion.

Elle faisait non de la tête.

– Je vous conjure de réfléchir, madame. Vous avez subi
un grave dommage. La perte d'un époux dont la réputation
était excellente et qui n'était pas homme à « fréquenter des
filles ». Il a donné de l'argent à « mademoiselle », il y a bien
une raison, que diable !

Louise sentit Mme Thirion se raidir. Elle la vit ouvrir son
sac, prendre son mouchoir, s'essuyer les yeux. Visiblement,
ce n'était pas la première fois que le juge Le Poittevin exhor-
tait la femme du docteur à porter plainte et, si ses efforts
avaient jusqu'à présent été vains, il n'avait pas renoncé à l'en
persuader.

– Cette somme extravagante a été prélevée sur l'argent du ménage ! Nous pouvons en découvrir la raison et punir la coupable !

Il partit d'un rire nerveux, théâtral. Louise avait envie d'intervenir, mais la présence de cette veuve qui se mouchait discrètement la glaçait.

– Rien ne dit que mademoiselle n'a pas soutiré davantage à monsieur votre mari ! Ça n'était sans doute pas la première fois ! Combien cette créature a-t-elle extorqué à votre défunt mari ? À vous-même !

Son visage s'éclaira devant la puissance de l'argument.

– Car cet argent serait à vous, madame ! C'est l'héritage de votre fille Henriette ! Sans votre plainte, pas d'enquête, et sans enquête, pas de vérité ! Si vous portez plainte, nous pourrons tirer tout ça au clair.

Louise s'apprêtait à intervenir, elle ne voulait pas laisser penser qu'elle avait profité de cet argent... Elle ne l'avait même pas pris, l'enveloppe était restée sur la commode... Elle étouffait d'arguments, elle fut interrompue par le juge.

Mme Thirion faisait non de la tête.

– Mais enfin ! hurla le magistrat. Greffier !

Il agita sa petite main avec impatience, rien n'allait suffisamment vite, surtout pas le jeune greffier qui soupira profondément, prit sur une étagère quelque chose qu'on ne voyait pas, se retourna et s'avança vers le bureau du juge.

– Et ça, quand même, madame Thirion, ça n'est pas rien !

Il désignait le couteau de cuisine que Louise avait emporté, qu'on avait dû retrouver dans ses vêtements. Vu ainsi, avec sa petite étiquette beige au nom de Belmont suivi d'un numéro d'ordre, ce vulgaire instrument de cuisine prenait une allure dangereuse. On l'imaginait très bien dans la main d'un assassin.

– Une « fille » qui se promène avec ça dans sa poche a-t-elle des intentions innocentes, je vous le demande !

Mais on ne savait pas à qui le juge posait la question. Ce non-lieu auquel les circonstances l'avaient contraint le mettait dans une rage folle. Il voulait la punir, ah, ce que cette fille l'exaspérait !

– Portez plainte, madame !

Il avait saisi le couteau, c'était à croire qu'il allait poignarder quelqu'un, cette jeune perverse qu'il avait dû relâcher faute de grief ou cette épouse qui lui refusait les moyens de la châtier.

Mais décidément non, Mme Thirion tournait la tête de droite et de gauche, elle ne voulait pas, l'envie d'en finir sans doute, une bonne fois pour toutes. Elle quitta soudainement la pièce, si rapidement que le jeune greffier fut pris de court. Le juge aussi. Il était consterné.

Pour Louise, l'affaire était close une seconde fois.

Elle se leva elle aussi, se dirigea vers la porte, avec la crainte qu'une voix lui intime l'ordre de se rasseoir, mais il n'en fut rien. Elle quitta le Palais de Justice soulagée. Cette fois, c'en était terminé, mais la présence de cette veuve lui avait fichu un coup, elle en ressentait un poids dans la poitrine.

À l'instant où elle passait sous les arcades, elle fut surprise de voir Mme Thirion près d'un pilier, qui s'entretenait avec une femme, moins élégante qu'elle, sa fille sans doute, elles avaient un vague air de famille. À son passage, toutes deux la suivirent des yeux. Louise dut faire un effort pour ne pas presser le pas. Elle traversa l'esplanade en fixant le sol, elle avait honte.

Elle tourna un jour ou deux d'une pièce à l'autre puis écrivit au directeur de l'école qu'elle reprendrait son travail le lundi.

Après quoi elle se rendit au cimetière, comme elle faisait quand elle se sentait désœuvrée.

Elle alla jusqu'à la tombe de la famille, remplit le vase d'eau et y planta le bouquet qu'elle avait apporté. Les photos émaillées de son père et de sa mère étaient fixées sur le marbre l'une à côté de l'autre. Elles ne semblaient pas appartenir à la même génération, au même monde. Cela tenait sans doute à ce que son père était mort en 1916 et que sa mère lui avait survécu vingt-trois ans.

Louise n'avait aucun souvenir de son père, il n'était qu'une photographie désuète, alors que tout la rapprochait de sa mère. Elle avait été aussi aimante qu'elle avait pu, mais la dépression l'avait terrassée, avait fait d'elle un fantôme.

Louise avait passé une partie de son enfance à se préoccuper d'une mère peu vivante, mais dont elle se sentait proche. Parce qu'elles se ressemblaient. Louise n'avait jamais su si c'était ou non une bonne chose. Sur l'image figée qu'elle avait sous les yeux, c'était le même visage qu'elle, la même bouche et, plus que tout, les mêmes yeux d'une clarté rare.

Pour la première fois depuis la disparition de Jeanne, elle

eut envie de lui parler, regretta de n'avoir pas su le faire quand il était encore temps.

Maintenant son deuil était fait et c'est cela qui la rendait triste : regretter de ne plus pouvoir parler à une femme qu'elle avait aimée, mais qu'au fond elle ne pleurait plus.

# 7

En annexant celui de Gabriel, Raoul Landrade disposa enfin d'un territoire à la mesure de ses ambitions. Lorsque, au premier jour, il s'installa au volant du camion qui faisait la liaison avec les commerces de Thionville et les magasins de l'Intendance, toute sa personne exhalait la confiance en soi d'un homme accédant à une responsabilité pour laquelle il se sentait fait.

À l'arrière, Ambresac et Chabrier, en chiens de garde, regardaient la route avec indifférence.

– Comment c'est déjà qu'il s'appelle, le primeur ? demanda Raoul.

La question alluma aussitôt une alarme dans l'esprit de Gabriel.

– Floutard, Jean-Michel.

Raoul hocha la tête, sceptique. La guerre d'influence venait de débuter. Perdue d'avance. Lorsque Gabriel quittait les boutiques et surveillait le chargement du camion, il voyait Raoul s'entretenir dans la coulisse avec les commerçants. Après quoi il disparaissait une heure, parfois plus, comme s'il n'était qu'un visiteur préoccupé de ses propres affaires.

En début d'après-midi, on dut l'attendre une heure près du camion.

– Doit être au boxon, dit Chabrier, philosophe.

– Ou à jouer au bonneteau dans une petite rue, ajouta Ambresac. Histoire de gagner ses cigarettes, devrait pas tarder.

Raoul apparut enfin, poussant une brouette chargée de sacs en toile de jute, de caisses recouvertes. Gabriel le rappela à l'ordre avec toute l'autorité dont il était capable.

– On y va, chef, on y va ! répondit Raoul en rigolant.

On prit la route. Il était dix-sept heures, c'était le premier jour et jamais le camion n'était revenu aussi tard au Mayenberg.

Le lendemain, à l'entrée de Thionville, Raoul prit directement le chemin vers le nouveau fournisseur. Gabriel se tut. Cette acceptation silencieuse, aveu d'impuissance, galvanisa aussitôt les ardeurs mercantiles de Raoul. Moins d'une semaine plus tard, il avait jeté ses filets dans toutes les directions.

Ordinairement le camion partait quasiment vide pour revenir plein. Dès la deuxième semaine, il quitta le Mayenberg à moitié chargé de cartons, de caisses, de sacs. Gabriel monta sur le plateau et souleva une bâche. Son geste fut aussitôt arrêté par Raoul.

– C'est des choses personnelles…

Une menace contenue vibrait dans sa voix, qu'il voulut apaiser par un genre de sourire, ses lèvres minces dessinèrent alors une sorte d'accent à mi-chemin du défi et de la provocation.

– On rend des services aux copains, tu vois, dit-il en recouvrant soigneusement les caisses.

Puis il se redressa, fit face à Gabriel.

– Si tu préfères, on peut leur dire qu'ils aillent se faire voir et qu'on lèvera pas le petit doigt pour eux, c'est comme tu veux.

Ils avaient déjà la réputation d'être une brochette de privilégiés qui pouvaient se pavaner en ville toute la sainte journée pendant que les autres dépérissaient dans les entrailles du Mayenberg, quand ils n'étaient pas obligés de couler du béton sous la pluie, on devinait facilement quelle serait leur réaction. Gabriel descendit et reprit sa place sur le siège passager.

Quelques kilomètres après le départ, le camion dut cahoter sur des nids-de-poule, on entendit du verre brisé, personne ne bougea, quelques instants plus tard des vapeurs de rhum envahirent la cabine.

– On va s'arrêter là, dit Raoul, juste une petite course pour un camarade.

Gabriel n'eut pas le temps de protester, déjà Chabrier passait des caisses à Ambresac posté sur le trottoir, devant la Brasserie des Sports où s'engouffrait Raoul. Il devait prélever des alcools et du café sur les stocks de l'Intendance et les revendre aux limonadiers…

– Tiens, dit Raoul en reprenant sa place derrière le volant. C'est pas grand-chose, mais bon…

Il tendit trois billets froissés.

– Ça va pas pouvoir durer comme ça, Landrade…, lâcha Gabriel.

Il était blanc de rage.

– Ah oui ? Tu vas faire quoi ? Expliquer à l'état-major ce que tu tolères depuis une semaine ? Tu leur diras en même temps combien tu touches, ça va leur plaire.

– Je n'ai jamais rien touché !

– Bah si, tu touches, on l'a tous vu, hein les gars ?

Ambresac et Chabrier opinèrent gravement. Raoul saisit Gabriel par l'épaule.

– Allez, vieux, prends les billets ! Dans trois mois, tu termines ton remplacement. À ce moment-là, tout le monde s'en foutra...

Gabriel repoussa le bras de Raoul, qui enchaîna aussitôt :

– Tu fais comme tu veux. Allez, les mecs, on se grouille, on a du boulot.

La troisième semaine, Raoul inaugura un nouveau trafic à partir de la blanchisserie militaire. On vit passer des sacs pleins de caleçons, capotes, couvertures et même de souliers, que Raoul revendait aux paysans des alentours qui constituaient un vaste vivier de clientèle.

Le caporal-chef Landrade était réellement doué. Le mouvement des effets et provisions qui sortaient du fort était si rapide et discret, si furtif, que Gabriel se demandait parfois s'il avait la berlue. À l'entrée, les marchandises illicites étaient mêlées aux officielles, personne n'y voyait rien.

Le vendredi était le jour de grand ravitaillement, on partait à quatre véhicules pour rapporter les denrées lourdes et encombrantes, les légumes secs, les conserves, des tonneaux de vin, le café, etc. À l'arrivée au fort, on chargeait tout cela sur les wagons du petit train qui sillonnait les couloirs en direction des magasins de l'Intendance et des cuisines. La lumière s'éteignit soudain, le tunnel fut plongé dans le noir. Quelques cris de soldats, c'est quoi ce bordel ! Il fallut appeler la centrale électrique, un technicien arriva en râlant avec une lampe frontale, ça vient, ça vient, la lumière se fit. Gabriel n'eut que le temps de voir, le long de la paroi, se fermer brutalement la porte d'une réserve. Sur le wagon précédent, la moitié des denrées avaient disparu. On ne revit Raoul et ses acolytes qu'une heure plus tard, ils avaient l'air contents de leur journée.

Le mardi suivant, Raoul attrapa Gabriel et l'entraîna à part.

– Un peu de détente, ça te dirait ?

Il fouilla dans sa poche et en tira un petit billet curieusement estampillé au cachet encreur, sur lequel n'étaient inscrits qu'un chiffre et quelques lettres.

– Si tu veux, on te dépose, on fait la tournée, on repasse te chercher au retour et le tour est joué...

Landrade venait d'inventer les « tickets de bordel ». Deux établissements se trouvaient l'un à trente kilomètres du fort, l'autre à soixante. Dans les deux cas, il fallait prendre le train. Les permissionnaires de courte durée, à eux seuls, assuraient la rentabilité de la ligne de chemin de fer. Raoul avait un air encourageant. Il gardait la main tendue avec les tickets.

– Non merci ! coupa Gabriel.

Raoul rempocha ses tickets. Quel accord avait-il passé avec les tenancières ? Quels tarifs avait-il négociés et pour quelles prestations ? Gabriel ne voulut rien en savoir, mais il commença à voir circuler ces tickets qui se gagnaient au bonneteau et qui servirent bientôt à l'échange de toutes sortes de denrées. Quelques jours plus tard, ils étaient la monnaie parallèle de l'économie souterraine du Mayenberg qu'animait le caporal-chef Landrade.

L'affaire prenait des proportions inquiétantes.

En trois semaines, le « système Landrade » s'était mis à

tourner à plein régime. Gabriel, dépassé par la rapidité de sa mise en œuvre et le périmètre qu'il couvrait, empêché d'agir par le chantage de Raoul, eut un réflexe de professeur : il prit des notes. À défaut de mentionner les quantités exactes qui circulaient ou le nom des contacts de Landrade, en revenant dans sa chambre, il inscrivait dans un carnet les denrées dont il suspectait la provenance ou la destination, les jours et les heures. Il faisait mine de ne pas voir Landrade s'entretenir à part avec une bouchère, un épicier, un vigneron, mais il le notait. À son retour au Mayenberg, le camion rapportait des cartouches de cigarettes, des paquets de tabac, des boîtes de cigares qui ne figuraient sur aucune liste, Gabriel en relevait la présence.

Les jours passaient. Au soulagement d'être libéré de l'atmosphère angoissante du Mayenberg succéda le désir d'y retourner, d'être enfin soustrait à une sale affaire qui prenait une ampleur inquiétante et destinait tôt ou tard ses organisateurs aux foudres de la justice militaire. En attendant, il truquait les chiffres, trichait sur les quantités, masquait les détails embarrassants.

Mais bientôt, un événement survint puis un autre et, avant d'avoir compris ce qui lui arrivait, Gabriel fut projeté dans le grand tourbillon de son époque, sa vie allait changer pour n'être plus jamais la même.


Comme parfois les opérations complexes se dénouent en une fraction de seconde, le commerce du caporal-chef Landrade s'effondra d'un coup, en l'espace d'une journée.

Tout commença par un geste malencontreux.

Sur le plateau du camion, Gabriel découvrit, calés entre deux caisses vides, quatre jerricans de gas-oil.

– C'est pas grand-chose, dit Landrade. Pour nous, ça change rien, mais mets-toi à la place de ces pauvres cultivateurs qui ne peuvent quasiment plus rien faire à cause des restrictions !

Le carburant provenait des quatre cents mètres cubes de gas-oil stockés dans le Mayenberg et destinés au fonctionnement de la ventilation et des filtres que Gabriel était si souvent allé vérifier.

Pour lui, voler du gas-oil, ce n'était pas faire un petit profit de plus, c'était participer à l'asphyxie du fort en cas d'attaque aux gaz de combat. C'était un acte de trahison.

La seule vue de ces jerricans l'étouffait comme s'il manquait d'air.

Il se retourna, blanc comme neige.

– Je ne veux plus de tes petits trafics, Landrade, c'est terminé !

Il descendit du camion.

– Eh là, cria Raoul en lui courant après.

Ses deux acolytes approchèrent à pas vifs et firent obstacle.

– C'est terminé, tu m'entends !

Maintenant, Gabriel hurlait, des hommes ici et là se retournaient. Il exhiba le petit carnet cartonné dans lequel il prenait des notes.

– J'ai tout ici ! Tes magouilles, les dates, les heures, tu vas aller en rendre compte au commandant !

Raoul, en homme à réflexes rapides, mesura la gravité de la situation, en saisit les conséquences. Pour la première fois, Gabriel discerna une nuance de panique dans son regard.

Landrade aperçut du coin de l'œil les soldats qui approchaient. D'un coup de poing à l'estomac, il plia Gabriel en deux puis le saisit sous les aisselles pour l'emporter loin des regards, Gabriel serrait son carnet contre sa poitrine. Tandis qu'Ambresac lui tenait les avant-bras, Raoul tenta de le lui arracher, mais Gabriel s'y agrippait comme un damné. Les trois hommes pressèrent le pas. On ouvrit la porte de la pièce à peine éclairée par un plafonnier, Gabriel reçut une première salve de coups de poing dans les côtes.

– Donne-moi ça, enfoiré ! disait Raoul en serrant les lèvres.

Gabriel roula et, couché sur le ventre, s'efforça de résister. Les complices de Raoul essayaient en vain de le soulever. Ambresac, qui faisait rarement dans la demi-mesure, lui allongea un coup de pied dans l'entrejambe avec l'extrémité de son brodequin. Gabriel vomit immédiatement, la douleur lui retourna les tripes.

– Arrête ! cria Landrade en retenant Ambresac qui voulait y retourner.

Puis il se pencha sur Gabriel.

– Allez, donne-moi ce carnet et relève-toi, ça va aller…

Mais Gabriel s'était enroulé en escargot autour de son calepin et le protégeait comme si sa vie en dépendait.

Soudain, on entendit les sirènes mugir.

Branle-bas de combat.

On ouvrit la porte de la réserve, des dizaines de soldats couraient dans les couloirs.

Raoul attrapa un deuxième classe dont les pieds se prenaient dans son barda.

– C'est quoi ce bordel ?

Le jeune soldat était hypnotisé par le spectacle de Gabriel qui rampait sur le sol en direction de la sortie.

Raoul le secoua à l'épaule, répéta sa question.

– C'est la guerre, répondit enfin le garçon hébété.

Gabriel leva la tête.

– Les Boches... Ils ont envahi la Belgique... !

# 8

Lorsque Louise se présenta à l'école le lundi, ses collègues la saluèrent distraitement, pas comme on fait avec quelqu'un qui a été malade, personne ne lui demanda de ses nouvelles. Il est vrai que tout le monde était préoccupé. Les instituteurs qui n'avaient pas été mobilisés en 39 avaient été appelés. Ou ils étaient partis. En tout cas, le corps enseignant s'était singulièrement clairsemé, et les enfants de réfugiés étaient arrivés en nombre, on manquait de tables, de chaises, on manquait de tout. Sauf d'insultes. Répétant ce qu'ils entendaient à la maison, bien des petits Français traitaient les petits Belges de « Boches du Nord », on se moquait de l'accent des Luxembourgeois mais aussi des Picards, des Lillois, la guerre, par capillarité, avait gagné les cours de récréation.

Les quotidiens titraient sur l'offensive soudaine des Allemands entamée deux jours plus tôt. « L'Allemagne engage contre nous une lutte à mort », avait d'ailleurs proclamé le général Gamelin. C'était martial, donc sécurisant. Si tout se déroulait selon les prévisions, cette brutale offensive avait tout de même pris les Français de court, l'atmosphère était à l'étonnement. Ceux qui avaient soutenu que la guerre resterait diplomatique se faisaient tout petits. Les journaux affirmaient que l'état-major avait les choses bien en main. « La Hollande et la Belgique opposent une farouche résistance aux hordes du Reich », avait titré l'un ; « Les Allemands arrêtés devant les lignes belges ! » avait annoncé l'autre. Pas de quoi s'inquiéter. Ce matin encore, la presse assurait qu'en Belgique les forces franco-britanniques « paralysaient » la progression de l'ennemi, que le choc brutal des agresseurs « se heurtait aux masses puissantes » des armées alliées, que l'arrivée des troupes françaises avait même « fouetté les énergies ».

Tout cela était bel et bon, mais on se demandait néanmoins si cela correspondait bien à la réalité. Depuis septembre dernier, on répétait sur tous les tons que l'arme décisive de la guerre serait l'information. Il était à craindre que les journaux soient lancés dans une vaste campagne destinée à entretenir, chez les Français, un moral de vainqueur. Ainsi pour le nombre d'avions abattus. C'était le sujet de la conversation sous le préau, pendant que les garçons jouaient à la guerre dans la cour de récréation.

– Dix par jour, je vous dis ! scandait Mme Guénot.

– À la radio, ils ont parlé d'une trentaine, répondit quelqu'un.

– Et ça, ça veut dire quoi ? demanda M. Laforgue en exhibant son exemplaire de *L'Intransigeant*, qui en annonçait cinquante.

Personne n'avait la réponse.

– *Num nos adsentiri huic qui postremus locutus est decet ?* demanda le directeur avec un petit sourire entendu, mais personne ne le comprit.

On s'écarta en découvrant la présence de Louise, mais ce

mouvement semblait moins destiné à lui ménager une place qu'à s'éloigner d'elle.

– Moi, je n'y comprends que couic, dit Mme Guénot. De toute manière, la guerre, c'est une affaire d'homme...

Et là, sa voix se fit plus perverse encore qu'au naturel, son regard plus oblique annonçait qu'elle s'apprêtait à lâcher une de ces bassesses qui faisaient le fond de son caractère.

– Et les affaires d'homme ne concernent que certaines femmes...

Deux ou trois collègues se tournèrent vers Louise. La cloche retentit, chacun partit vers sa classe.

Le repas à la cantine se révélant aussi pesant que les récréations, en fin de journée, Louise décida d'interroger le directeur, un spécimen hors d'âge de l'Instruction publique, on le croyait déjà proche de la retraite huit ans plus tôt lorsque Louise avait pris son poste dans l'école. Il avait autrefois enseigné les belles-lettres, le latin et usait d'une langue fleurie, tout en circonlocutions, qui n'allait jamais au but, il était souvent difficile à comprendre. Il était de petite taille et se hissait spasmodiquement sur la pointe des pieds quand il vous parlait, vous aviez l'impression de discuter avec un bilboquet.

– Mademoiselle Belmont, répondit-il à Louise, vous me voyez fort quinaud. Je n'ai point accoutumé de prêter l'oreille aux ouï-dire, vous le savez...

L'attention de Louise fut instantanément en éveil. Les temps étaient aux rumeurs et l'une d'elles la concernait. Voyant la jeune femme presser ses mains l'une contre l'autre, le directeur monta sur ses ergots :

– Et peu me chaut, je vous en assure, que quiconque aille jeter son bonnet par-dessus les moulins !

– Qu'est-ce qui se passe ? demanda Louise.

La simplicité de la question prit de court le directeur. Sa barbiche blanche tremblota en même temps que sa lèvre inférieure. Il avait peur des femmes. Après une longue et pénible respiration, il alla ouvrir le tiroir de son bureau et posa devant Louise un article de *Paris-Soir*, dont l'état montrait qu'il était passé dans pas mal de mains :

## Tragique suicide dans un hôtel du XIVe arrondissement

Une institutrice, prostituée occasionnelle,
retrouvée nue sur le lieu du drame.

L'article, sans doute rédigé le soir même de l'événement, comportait de nombreuses imprécisions. Aucun nom n'était imprimé, il aurait été possible pour Louise de jouer l'ignorance, mais elle était plongée dans la confusion, ses mains tremblaient.

– Les gazettes ébaudissent le populaire avec des riens, mademoiselle Belmont, vous n'êtes pas sans le savoir. *Sic transit gloria mundi.*

Louise le fixa dans les yeux. Elle le sentit faiblir. Il avait l'air d'un écolier grincheux en retournant vers son tiroir. Il tendit la suite, un second article, plus conséquent :

## Suicide du XIVe arrondissement : le mystère éclairci

Le Dr Thirion s'est donné la mort en présence
de l'institutrice, dont il avait payé les charmes.

– Si vous sollicitiez mon conseil, je dirais : *Ne istam rem flocci feceris…*

Le lendemain, Louise revint à l'école oppressée comme une élève. La collègue de musique penchait la tête pour faire croire qu'elle regardait ailleurs. Mme Guénot persiflait à voix basse dans les couloirs. Louise était mise au ban, même le petit directeur n'osait plus la regarder. Quand ils la voyaient dans les couloirs, ses collègues fixaient leurs chaussures. Comme chez le juge, ici aussi, on la prenait pour une putain.

Le soir, elle se coupa elle-même les cheveux plus court encore que d'habitude et revint le lendemain à l'école maquillée, ça ne lui était jamais arrivé. À la récréation, elle alluma une cigarette.

Évidemment, à la réprobation des femmes répondit l'intérêt des hommes. L'idée saisit alors Louise de se faire sauter par tous les mâles de l'école. Dans la cour, en fumant, les bras croisés, elle les compta, une douzaine, rien d'impossible. Elle fixa un surveillant en s'imaginant qu'il la prenait en levrette sur le bureau de sa classe. On ne sait pas ce qu'il comprit, mais il rougit et baissa les yeux.

Le petit directeur, constatant les effets dévastateurs, sur un groupe d'adultes, de deux traits de rouge à lèvres et d'une touche appuyée de mascara, lâcha dans un soupir :

– *Quam humanum est ! Quam tristitiam !*

Pour Louise, contrefaire la putain fut un plaisir bref. Avant tout elle se sentait seule, étrangère, honteuse, elle jeta le paquet de cigarettes.

L'évolution de la situation militaire provoqua une diversion.

Un doute vague et lancinant saisissait l'école comme le reste de la population parisienne. Si l'irruption de l'ennemi en Belgique avait confirmé l'intuition des responsables militaires, son apparition du côté des Ardennes contredisait un peu les prévisions. Les journaux commentèrent diversement cette nouvelle offensive allemande, traduisant l'incertitude générale. *L'Intransigeant* avait beau titrer sur « L'attaque allemande contenue », *Le Petit Parisien* concédait que les Allemands « approchaient de la Meuse entre Namur et Mézières ». Qui fallait-il croire ?

Le concierge, un homme au teint jaune et à l'esprit suspicieux, demanda sur un ton impératif :

– Bon, alors, ils passent par la Belgique ou par les Ardennes ? Faudrait savoir !

Les jours suivants n'apportèrent pas les éclaircissements espérés. On lisait ici : « En aucun point l'ennemi n'a entamé nos lignes principales de défense », mais ailleurs : « Progression constante des envahisseurs ». Entre l'incertitude sur le déroulement de la guerre et l'ambiance pesante provoquée par les révélations concernant Louise (à quoi la dimension sexuelle ajoutait un délicieux parfum de perversité, de trouble et d'interdit), la vie à l'école devenait de plus en plus difficile.

Louise s'interrogeait : que faisait-elle là ? Plus personne n'avait envie de l'y voir et elle n'avait plus envie d'y être. N'était-il pas temps de changer de vie ? Mais comment ? M. Jules n'avait pas les moyens de payer une serveuse à plein temps, et elle ne savait rien faire d'autre qu'apprendre à lire à des enfants et servir des têtes de veau ravigote. Elle était dans la même situation que tout le monde : elle espérait un miracle.

Le vendredi soir, lorsque, épuisée, elle posa son sac sur la table de la cuisine, elle s'avança à la fenêtre et regarda la devanture de La Petite Bohème. C'est maintenant que la visite de M. Jules aurait été utile. En une fraction de seconde, Louise imagina les commentaires vibrants d'incompétence dont il devait abreuver sa clientèle au sujet de la situation avec l'Allemagne, elle sourit, et s'aperçut qu'elle était en train de dîner sans même ôter son manteau. Quelque chose n'allait vraiment pas dans sa vie. Ce coup de revolver du docteur Thirion, dont le sens lui échappait, n'en finissait pas de provoquer des dégâts.

# 9

– Mouais…

Le directeur des services était un homme d'une soixantaine d'années. Son visage poupin et ses lèvres boudeuses donnaient l'impression qu'il allait éclater en sanglots. Effet de la fatigue sans doute, des responsabilités. Diriger le ministère de l'Information, autant dire de la censure, cinq cents agents pour la plupart normaliens, agrégés, professeurs, officiers, personnels diplomatiques, ça n'était pas une mince affaire. Il suffisait d'entrer dans l'hôtel Continental, cette fourmilière, pour comprendre que les larges cernes qu'il avait sous les yeux n'étaient pas dus à une soirée un peu tardive ou une épouse acariâtre.

– M. Cœdès, dit-il pensivement, je l'ai croisé une fois ou deux… Un homme admirable !

En face de lui, le jeune homme qui avait sagement posé ses mains sur ses genoux approuva respectueusement. Derrière ses grosses lunettes rondes, il avait le regard étrangement flou des gens distraits, cet air hésitant et fébrile que le directeur avait souvent observé chez les intellectuels rongés par les travaux dans une discipline très pointue. Langues orientales. Le directeur tenait une lettre émanant de l'École française d'Extrême-Orient, signée Georges Cœdès, qui lui recommandait chaudement son étudiant pour son sérieux, sa ténacité, son sens des responsabilités.

– Vous parlez le viet, le khmer...

Désiré approuva gravement.

– J'ai aussi, ajouta-t-il, de bonnes notions en thaï et en jaraï.

– Bien, bien...

Mais le directeur était déçu. Il reposa la lettre sur son bureau avec lassitude. On sentait un fonctionnaire accablé par le sort.

– Mon problème, jeune homme, ça n'est pas l'Orient, nous avons les compétences. Un professeur des Langues orientales a amené avec lui trois de ses disciples. Dans ce secteur, hélas pour vous, nous sommes au complet.

Désiré cligna vivement des yeux. Il comprenait.

– Non, poursuivit le directeur, mon problème, voyez-vous, c'est la Turquie. Nous n'avions qu'un seul spécialiste du turc et le ministère de l'Industrie et du Commerce nous l'a pris.

Le visage de Désiré s'éclaira.

– Je pourrais peut-être me rendre utile...

Le directeur écarquilla les yeux.

– Mon père, expliqua posément le jeune homme, était secrétaire de légation, j'ai passé toute mon enfance à Izmir.

– Vous... vous parlez le turc ?

Désiré étouffa un petit rire faussement modeste en répondant :

– Je ne traduirais pas Mehmet Efendi Pehlivan, bien sûr, mais s'il s'agit de dépouiller la presse d'Istanbul et Ankara, ma foi...

– Merveilleux !

Le directeur aurait été bien en peine de trouver trace du poète turc que Désiré venait d'inventer, mais il était tellement content que la providence lui envoie ce jeune homme qu'il n'y songea pas un instant.

Désiré suivit, sous la conduite d'un huissier, un chemin labyrinthique à travers les luxueux couloirs de ce grand hôtel de la rue Scribe, dont quatre cents chambres abritaient les équipes chargées de maîtriser l'information.

– Réformé pour… ? hasarda le directeur en se levant pour le raccompagner.

Désiré désigna douloureusement ses lunettes.

On croisait dans ce palace réquisitionné une faune vibrionnante et hétéroclite d'hommes en costume, de militaires en uniforme, d'étudiants affairés, de secrétaires portant des dossiers, de femmes du monde, il était difficile de comprendre qui faisait quoi. Des parlementaires hurlaient, des journalistes cherchaient un responsable, des juristes s'interpellaient, les huissiers sillonnaient le grand hôtel en faisant cliqueter leurs chaînes dorées, des professeurs faisaient des théories, on vit un acteur de théâtre planté dans le hall exiger une réponse à une question que personne n'avait entendue et disparaître comme il était venu. La concentration de pistonnés et de fils de bonne famille était spectaculaire, car tout le monde avait envie d'intégrer ce caravansérail guerrier et républicain naguère dirigé, si l'on peut dire, par un dramaturge célèbre dont à peu près personne ne comprenait les propos, remplacé par un agrégé d'histoire qui venait de la Bibliothèque nationale et placé sous la férule d'un ancien pourfendeur de la censure propulsé ministre de l'Information, tout ça avait des allures de foutoir mondain et exerçait un énorme pouvoir d'attraction sur les intellectuels, les femmes, les planqués, les étudiants. Et les aventuriers. Désiré s'y sentit tout de suite à son aise.

– Avec la presse turque, vous aurez de quoi faire, conclut le directeur en mettant sa main sur l'épaule du jeune homme. Vous allez trouver un certain retard...

– Je ferai de mon mieux pour le résorber, Monsieur le directeur.

L'huissier le laissa au seuil d'une pièce dont l'exiguïté exprimait le peu d'intérêt que le gouvernement attachait à la Turquie. La table qui en occupait la place centrale était couverte de journaux et de revues dont Désiré n'aurait même pas su prononcer le titre, ce qui, à ses yeux, n'avait aucune importance.

Après les avoir ouverts, froissés, arbitrairement découpés et entassés, il se rendit aux archives, ramassa quelques quotidiens français des dernières semaines et rédigea une liste d'informations générales sur la France et les Alliés censées provenir de la presse turque.

Certain que personne ne songerait à rapprocher son travail des notes ou communiqués d'ambassade concernant un coin du globe dont tout le monde se foutait, après avoir pêché quelques entrées d'un dictionnaire français-turc qui remontait à 1896, il se lança dans une conclusion enthousiaste, dans laquelle il expliquait que la neutralité turque était l'objet d'une lutte intestine à Istanbul entre le mouvement Merkez sol, emmené par un nouveau leader nommé Nuri Vehfik, et la frange pro-occidentale d'Ilımlı sağ. Il n'était pas évident de comprendre ce que désiraient réellement les protagonistes de cette lutte intérieure que Désiré avait inventée de toutes pièces, mais la note se voulait rassurante en concluant : « Antichambre de l'Orient comme de l'Occident, la Turquie pourrait inquiéter si elle venait à s'engager dans le conflit européen. Mais, comme une lecture attentive de la presse turque le montre, la France y rayonne toujours admirablement et les deux factions, bien qu'opposées, se retrouvent sur le terrain de la fascination pour notre pays qui saura trouver dans la patrie de Muhyi-i Gülşeni et de Mustafa Kemal un allié sincère, sûr et solide. »

– Excellent.

Le directeur était content. Il n'avait le temps de lire que les conclusions, celle-ci le rassurait.

Les journaux turcs ne parvenant à Paris qu'irrégulièrement, Désiré passait ses journées dans les couloirs. On prit l'habitude de voir, entre les immenses colonnes de marbre rose, dans les escaliers et sur le péristyle, ce grand jeune homme timide et concentré qui clignait nerveusement des yeux en vous saluant. Cet air gauche qu'il avait... Les hommes s'en moquaient un peu, les femmes en souriaient avec attendrissement.

– Vous tombez bien, vous !

Le directeur ressemblait de plus en plus à un chef de cuisine débordé par un soudain afflux de clientèle. La censure s'appliquait à tout : radio, cinéma, publicité, théâtre, photographie, édition, chansons, thèses de doctorat, rapports d'AG de sociétés anonymes, il y avait tant à faire, il ne savait plus où donner de la tête.

– Il me faut quelqu'un au téléphone, suivez-moi.

Le service de la censure téléphonique était logé dans une suite du dernier étage où, devant une série de postes à écouteurs, des collaborateurs surveillaient et interrompaient les conversations des soldats encasernés avec leur famille, des journalistes avec leur rédaction et d'une manière générale tous les échanges pouvant véhiculer des informations intéressant l'intérieur ou l'extérieur du pays, c'est-à-dire à peu près tout, on ne savait plus où on en était, il fallait contrôler, censurer, personne ne savait vraiment quoi faire, la tâche était abyssale.

On donna à Désiré un classeur épais comme le bras qui recensait tous les sujets dont le service devait assurer la surveillance. Des déplacements du général Gamelin à la météo du jour, des informations sur le prix des denrées alimentaires aux propos pacifistes, des revendications salariales aux menus des régiments, tout ce qui pouvait être utile à l'ennemi ou susceptible d'atteindre le moral des Français devait être rigoureusement censuré.

Lorsqu'il brancha sa première fiche, il tomba sur la conversation d'un deuxième classe de Vitry-le-François avec sa fiancée.

— Tu vas bien, mon chéri ? commença-t-elle.

— Tsst tsst tsst, l'interrompit Désiré. Pas de mention concernant le moral des troupes.

On sentit la jeune fille désarçonnée. Elle hésita, puis :

— Au moins, il fait beau ?

— Tsst tsst tsst, dit Désiré. Rien sur les conditions météorologiques.

Un long silence s'ensuivit.

— Chérie...

Le soldat attendit qu'on l'interrompe. Rien ne vint, il se lança :

— Dis-moi, pour les vendanges...

– Tsst tsst tsst. Le vin français est une donnée stratégique.

Le jeune soldat passa à la colère, il n'y avait vraiment pas moyen de discuter. Il décida d'arrêter là.

– Bon, écoute, trésor...

– Tsst tsst tsst. Aucune mention concernant la Banque de France.

Silence.

La jeune fille enfin se risqua :

– Bon bah, je vais te laisser...

– Tsst tsst tsst, pas de défaitisme !

Désiré était très en forme.


Il donna le meilleur de lui-même pendant deux jours et regretta le retour du collègue qu'il avait remplacé, mais, comme son service concernant la Turquie lui prenait très peu de temps, il fut heureux que le directeur l'expédie momentanément à la censure du courrier où il se livra à des innovations qui lui attirèrent une admiration unanime.

Il ouvrit les lettres des soldats à leurs parents et, considérant qu'il fallait s'attaquer prioritairement au cœur de la syntaxe, il supprima tous les verbes. Les destinataires reçurent alors des courriers du type : « On      ferme, tu      . On      d'une corvée à l'autre sans      vraiment ce qu'on      là. Les copains      souvent, tout le monde      . »

Chaque matin, le service recevait des instructions nouvelles que Désiré appliquait aussitôt avec zèle et précision. S'il était rappelé de censurer toute information concernant, par exemple, le pistolet-mitrailleur MAS 38, outre les verbes, Désiré caviardait tous les « M », les « A » et les « S ». Cela

donnait quelque chose comme : « On     fer e, tu     . On    d'une
corvée l'utre n     vr i ent ce qu'on     l. Le cop in     ouvent,
tout le onde    . »

C'était jugé très efficace. Profitant de la confiance grandis-
sante du directeur, Désiré fit ensuite un séjour à la censure
de la presse. Chaque matin, il entrait dans l'imposante salle
des fêtes du Continental ornée de magnifiques colonnes
corinthiennes et de plafonds peints où des angelots calli-
pyges voletaient pesamment, et il s'asseyait à la grande table
où s'alignaient les morasses qu'on renverrait aux journaux
après suppression des éléments proscrits. Il y avait là une
quarantaine de collaborateurs animés d'un bel esprit patriotique qui, forts des interdictions du jour (qui se cumulaient
avec celles des jours précédents, le registre faisait maintenant
pas loin de mille pages), étaient chargés d'une vaste tâche de
caviardage.

Tandis que la serveuse de Chez Daniel distribuait des
bières tièdes et des sandwichs humides, les discussions
allaient bon train sur les consignes du jour, après quoi, repu
de contradictions et d'approximations, chacun se lançait à sa
manière dans son opération de nettoyage. Il n'était pas rare
que ces consignes produisent des absurdités. Le public en
avait pris l'habitude et personne ne sourcillait en lisant par
exemple que telle denrée, « qui valait … francs le mois dernier, en valait aujourd'hui … ! ».

Désiré s'acquit rapidement une belle réputation dans le
domaine des armements. On admira sa logique selon laquelle
la censure devait s'entendre dans son « acception extensive ».

« Induction, déduction : l'ennemi est sagace ! » professait-
il en clignant nerveusement des yeux.

Il démontrait merveilleusement, avec ce ton de modestie

qui donnait à ses interprétations des allures d'évidences, qu'en raison de la chaîne argumentaire reliant « arme » à « destruction » puis à « dégâts », « victime », « innocence » et donc à « enfance », toute référence à la cellule familiale comportait un élément stratégique sous-jacent et devait, à ce titre, être proscrite. Les mots père, mère, oncle, tante, frère, sœur, cousin, etc. furent impitoyablement traqués. Une publicité théâtrale pour une pièce de Tchekhov devint « Les Trois… », le titre d'un roman de Tourgueniev, « … et… », on vit même un « Notre… qui êtes aux cieux » et une « Odyssée d'Ho… ». Grâce à Désiré, la censure s'élevait au rang des Beaux-Arts et Anastasie était en passe de devenir la huitième muse.

# 10

– Du côté de Sedan, à ce qu'on m'a dit, répondit évasivement un soldat à une question que Gabriel n'avait pas entendue.

L'incertitude sur la destination n'était pas surprenante si l'on considérait la valse des ordres et contrordres qui s'étaient succédé. Alors qu'on devait partir à pied, on avait attendu plus d'une heure avant d'être dirigés vers la gare, après quoi, ordre de l'état-major, on s'était repliés sur le Mayenberg, mais, à peine arrivés là, on était retournés à la gare où l'on avait finalement grimpé dans des wagons à bestiaux. Cette offensive allemande en Belgique était prévue, mais la présence de l'ennemi dans les Ardennes prenait tout le monde de court, les chefs étaient à la peine pour décider de la riposte.

Ni Chabrier ni Ambresac n'étaient du voyage. Envoyés ailleurs. Oubliant aussitôt ceux qui avaient été ses dévoués acolytes, le caporal-chef Landrade n'en fut pas affecté un instant. Dans un coin du wagon, il jouait au bonneteau avec des camarades qui ne s'étaient pas encore fait plumer, certains y revenaient, il y a des incorrigibles partout. Il avait gagné plus de quarante francs, tout lui faisait profit.

C'était comme ça partout où il passait, à la minute même il était le copain de tout le monde. Il se tournait parfois vers Gabriel avec un bon sourire, comme si, et c'est peut-être ce qu'il pensait, tout ce qu'ils avaient vécu était maintenant prescrit.

Il en allait tout autrement pour Gabriel qui ressentait des douleurs terribles à l'entrejambe, là où Ambresac lui avait asséné un coup de godillot sans économiser ses forces. Il avait l'impression que ses génitoires avaient doublé de volume depuis le départ, il en avait des nausées.

Du côté de la troupe, ce qui dominait, c'était le soulagement.

« On va leur foutre sur la gueule, à ces cons-là ! » avait hurlé un jeune soldat, enthousiaste.

Après l'interminable attente de cette drôle de guerre qui avait miné les énergies, on avait hâte d'en découdre. On entendit *La Marseillaise*, suivie, comme les arrêts se faisaient de plus en plus longs, par des chansons à boire.

Vers vingt heures, on entamait les chansons de corps de garde.

Il fallut descendre, on était à Sedan.

La caserne grouillait de monde. On dut s'entasser dans des réfectoires transformés en chambrées. L'installation se fit à grand bruit, on se disputait les couvertures, mais en camarades, ce morceau d'armée ressemblait à un grand corps ankylosé par des mois d'inaction, heureux de se dérouiller les membres.

Une heure plus tard, on entendait déjà des hurlements de joie, Landrade siphonnait la solde des nouveaux venus sous les acclamations.

Aussitôt arrivé, Gabriel s'était précipité dans les toilettes

117

pour mesurer les dégâts. Son entrejambe était très sensible, c'était tuméfié et douloureux, mais ses génitoires n'avaient pas enflé autant qu'il l'avait craint. Lorsqu'il fut de retour, Landrade lui adressa un clin d'œil et pouffa de rire en mettant sa main devant sa bouche, comme si, au lieu d'être à l'origine d'un grand coup de godillot dans les couilles, il lui avait attaché un poisson d'avril dans le dos pendant la récréation.

Gabriel regarda les dizaines d'hommes entassés là. Ce vaste rassemblement illustrait admirablement le principe du panachage, règle considérée comme très moderne par l'armée française consistant à démanteler des unités puis à les reconstituer selon une logique supérieure qui échappait à tout le monde. Il y avait là des soldats de quatre compagnies issues de trois bataillons provenant de trois régiments différents. Personne ne connaissait personne ou à peu près, la seule tête qui vous disait quelque chose était le sous-officier placé juste au-dessus de vous. Les officiers étaient perplexes, on espérait que les chefs savaient ce qu'ils faisaient.

On servit une soupe chaude, mais claire comme de l'eau de roche, à ceux qui avaient eu la chance de percevoir leur quart en fer-blanc. Les autres mâchèrent du pain, on se passa des saucissons dont personne ne connaissait la provenance, à la bonne franquette.

Un gros garçon d'une vingtaine d'années marchait entre les rangs, demandant :

– Quelqu'un aurait des lacets ?

Raoul Landrade fut le plus rapide et tendit une paire de lacets noirs.

– Tiens. Trois francs.

Le gros jeune homme ouvrit la bouche, comme un poisson. Gabriel fouilla dans son paquetage.

– Tiens, prends ceux-là, dit-il.

On comprenait, à son geste, que ceux-là étaient gratuits. Raoul Landrade remit sa paire de lacets dans son sac avec une petite moue fataliste, comme tu voudras.

Le garçon, soulagé, s'effondra à côté de Gabriel.

– Tu me sauves la vie…

Gabriel regarda le profil de Landrade, son bec d'oiseau, ses lèvres minces, il était déjà passé à autre chose. Il vendait des paquets de cigarettes à des camarades qui en manquaient. Quand Raoul se tournait vers lui, un vague sourire aux lèvres, Gabriel peinait à imaginer que cet homme-là était capable, si les circonstances l'y conduisaient, de lui envoyer un grand coup de godillot dans les roustons.

– Je suis arrivé dans les derniers au magasin d'habillement, reprit le jeune soldat en déboutonnant sa veste. Il n'y avait plus que des chaussures trop grandes ou trop petites. J'ai préféré les grandes, évidemment, mais du coup il me faut des lacets et il n'y en avait plus non plus.

L'anecdote fit rire. Elle en appela une autre. On regorgeait d'histoires de ce genre. Un immense type se mit debout, déclenchant l'hilarité générale : il n'avait pas trouvé sa taille, il était encore en pantalon civil. Loin de mettre mal à l'aise, ces mésaventures de la vie de caserne n'entachaient en rien le moral de vainqueur qui dominait. Un officier vint à passer, aussitôt happé par la troupe.

– Alors, mon capitaine, on va enfin leur foutre sur la gueule ?

– Oh, fit-il avec un accent de regret, on va surtout faire de la figuration. Ici, il n'y aura pas d'attaque avant un moment. Et encore, s'il y en a une ! Les Boches qui pourront passer les Ardennes, ça ne sera guère que des petites unités.

– On va quand même les accueillir ! s'exclama quelqu'un.

Il y eut quelques cris, comme si l'énergie de la troupe était proportionnelle à la modicité de sa contribution.

Le capitaine sourit et quitta la chambrée.

C'est ce même officier que Gabriel alla trouver le lendemain matin vers sept heures. Son poste de transmission avait reçu des messages qui contredisaient la sereine certitude de la veille. D'importants mouvements de troupes allemandes se dessinaient au nord-est de Sedan.

L'alerte monta au commandant puis au général, qui balaya l'information avec hauteur :

– Effet d'optique. Les Ardennes, c'est une forêt, comprenez-vous ? Mettez-y trois unités motorisées, vous avez tout de suite l'impression que c'est un corps d'armée.

Il fit quelques pas vers la carte murale, où les épingles colorées figuraient un vaste croissant le long de la frontière belge. Il souffrait d'être là, les bras ballants, à jouer les utilités, alors que là-bas la vraie guerre battait son plein. Son âme de héros en prenait un sale coup.

– Allez, lâcha-t-il au terme d'un long soupir nostalgique, on va envoyer un peu de renfort là-bas.

Cette concession lui coûtait. Il aurait pu, il serait rentré chez lui.

C'est ainsi qu'une compagnie de deux cents hommes fut désignée pour aller prêter main-forte, en cas de besoin, à la 55e division d'infanterie chargée de surveiller l'accès à la Meuse, à trente kilomètres de là.

Pour cette destination, il n'y avait pas de train. L'unité de Gabriel, une quarantaine de fantassins, se retrouva à marcher sur la route, sous la houlette d'un capitaine de réserve quinquagénaire nommé Gibergue, pharmacien à Châteauroux dans le civil, officier qui pouvait se prévaloir de brillants états de service lors de la guerre précédente.

Dès le milieu de la matinée, le soleil commença à taper fort, faisant fondre le bel enthousiasme de la veille. Même Landrade, que Gabriel surveillait du coin de l'œil, était à la peine. Chez lui, la fatigue était l'antichambre de la colère. Son visage aux traits tirés ne présageait rien de bon.

Le grand type qui, hier, se moquait de son pantalon civil avait perdu le sourire et le soldat aux lacets regrettait les chaussures trop petites en sentant les ampoules que lui provoquaient les trop grandes. Normalement, ils étaient huit de son unité, mais quatre avaient été envoyés ailleurs en renfort.

– Où ça ? demanda Gabriel.

– J'ai pas bien compris. Au nord, je crois...

À mesure que l'on avançait, on voyait au loin le ciel se zébrer par intermittence de lueurs orangées, on distinguait des fumées montantes, impossible de dire à quelle distance – dix kilomètres ? vingt ? davantage ? Le capitaine lui-même n'en savait rien.

Cette expédition, Gabriel la trouvait inquiétante. Ces hésitations, ces incertitudes ne lui disaient rien qui vaille, tout ça allait exploser. La guerre devant, Landrade derrière, il n'en menait pas large.

Maintenant les jambes pesaient lourd. Vingt kilomètres à marcher avec le barda, et encore presque autant à parcourir, avec ce sac trop grand, ce bidon bêtement attaché à la ceinture qui vous ballottait contre les cuisses à chaque pas... Gabriel avait les épaules cisaillées par les lanières d'un cuir trop rigide qu'il n'était pas parvenu à régler convenablement, les mécanismes étaient grippés, rien ne coulissait. Il avait le corps pétri de courbatures. Le fusil aussi était pesant. Il trébucha et faillit tomber, c'est Landrade qui le retint. Ils ne s'étaient pas adressé la parole depuis le départ du Mayenberg.

– Donne-moi ça, dit le caporal-chef en tirant sur les sangles de son sac à dos.

Gabriel voulut résister, mais n'en eut pas le temps, il allait remercier, mais Raoul était déjà trois pas devant, il avait hissé le sac de Gabriel au-dessus du sien et semblait l'avoir déjà oublié.

Des avions passèrent à haute altitude. Français ? allemands ? C'était difficile à dire.

– Français, dit le capitaine, la main en visière au-dessus de ses yeux, comme un Indien.

C'était rassurant. Rassurant aussi le flux de réfugiés belges et luxembourgeois, en voiture pour la plupart, heureux de croiser les troupes montant à la rencontre de l'ennemi. Plus ambigus, en revanche, les Français de la région dont les encouragements prenaient invariablement la forme des slogans de la guerre précédente (« On les aura ! », avec le poing fermé). Vingt ans plus tard, cette similitude mettait mal à l'aise.

Les gars commençaient à râler, on fit une pause, personne n'avait rien dans le ventre depuis le matin, on avait parcouru vingt-trois kilomètres, il était temps de poser le barda et de casser la croûte.

En partageant le pain et le pinard, on se raconta des histoires de caserne, des histoires de guerre. La plus marrante mettait en scène un certain général Bouquet qui, paraît-il, avait expliqué que l'instrument le plus efficace pour arrêter un blindé allemand était... un drap de lit. Il fallait être quatre, un pour chaque coin, comme si on allait tendre une nappe, et d'un ample mouvement bien coordonné, se jeter sur le char pour coiffer sa tourelle. Ainsi aveuglé, impuissant, l'équipage n'avait plus d'autre solution que de se rendre. Les gars échangèrent un rire gêné. Gabriel ne savait pas quel crédit attribuer à l'anecdote, sérieuse ou pas ; dans les deux cas, ça laissait une impression pénible. C'est un général qui a dit ça ? demanda-t-on, incrédule, mais personne n'écouta la réponse parce qu'il fallait se lever, reprendre la marche, allez les gars, relayaient les sous-officiers, un dernier effort et on se baigne dans la Meuse, ha ha ha.

– Merci, dit Gabriel en récupérant son sac près de Raoul. Avec un bon sourire, Landrade mit sa main à la tempe.

– Service, mon sergent-chef !

La seconde partie du trajet ressemblait à la première, à la différence que les réfugiés qu'on croisait maintenant étaient moins causants que les précédents, peut-être parce que ceux-là étaient à pied, des enfants dans les bras. On comprenait qu'ils fuyaient les troupes allemandes, mais aucun ne put livrer une information stratégique utilisable. Ils se mettaient à l'abri en venant à la rencontre des Français, voilà tout ce qu'on saisissait.

On passa pour la seconde fois de la journée devant un bâtiment en béton isolé dans cette forêt.

– Bordel de Dieu...

Gabriel sursauta. Landrade s'était rapproché.

– Eh ben, il est beau le fleuron de la défense française !

Les maisons fortes et les blockhaus qu'on découvrait n'étaient pas achevés et donnaient une impression de désolation. Ils ne semblaient pas faire partie du même projet que le Mayenberg dans lequel ils avaient vécu. Abandonnés sans équipement, rongés par le lierre, ils ressemblaient déjà aux ruines qu'ils étaient en passe de devenir. Landrade cracha par terre puis, rigolard, désignant de la tête l'entrejambe de Gabriel :

– Ça sera terminé pour le retour à la maison, va, t'en fais pas.

Gabriel aurait voulu répondre, mais la force, l'énergie lui manquaient.

Enfin, ce fut le contact avec les troupes campées le long du fleuve. Et là, tout le monde fut déçu, les soldats de la compagnie de Gabriel autant que ceux de la 55e division. Les premiers parce qu'ils arrivèrent exténués par cette marche de quarante kilomètres et qu'ils se sentirent mal accueillis, les seconds parce qu'ils s'attendaient à un renfort autrement conséquent.

– Qu'est-ce que vous voulez que je fasse de vos deux cents bonshommes ! hurla un lieutenant-colonel. Il m'en faudrait trois fois plus !

Les avions avaient cessé leurs passages, personne ne voyait

clairement la raison de réclamer une aide plus importante. Les tirs de canon étaient assez éloignés, aucune information nouvelle n'était parvenue, si l'on exceptait « la présence de troupes ennemies en grand nombre » de l'autre côté de la Meuse, dont on savait ce qu'il fallait penser : un effet d'optique.

— J'ai vingt kilomètres de berges à couvrir, moi ! vociférait néanmoins l'officier. Douze points d'appui à renforcer ! C'est pas une ligne de front ça, c'est un gruyère, y a des trous partout.

Ça n'était alarmant que si les Allemands arrivaient très nombreux et très équipés, ce qui ne paraissait pas possible, puisque, pour l'essentiel, ils attaquaient par la Belgique.

— Et ce que vous entendez, alors, c'est quoi ? Des miaulements de chat ?

Tout le monde écouta plus attentivement. Oui, en effet, au nord-est, il y avait des tirs d'artillerie. Le capitaine-pharmacien demanda :

— Qu'est-ce que disent les avions de reconnaissance ?

— Y en a pas, des avions ! Voilà. Y en a pas !

Le capitaine, épuisé par cette journée de route, se contenta de fermer les yeux, il aurait bien pris un moment de repos, mais il n'en fut pas question, son supérieur avait déjà battu le rappel de tous les officiers et étalé sa grande carte.

— On va envoyer des gars pour voir ce que foutent les Boches de l'autre côté de la Meuse. J'ai besoin de monde pour couvrir leur repli. Alors, vous, vous allez placer votre unité ici. Vous, là. Vous, là…

Son gros index longeait la ligne sinueuse de la Meuse. Il pointa, à l'intention du capitaine Gibergue, un affluent de la

Meuse, la Tréguière. qui dessinait une sorte de U à l'envers, comme une cloche.

– Et vous ici. Exécution.

L'unité hissa les armements, les caisses de munitions et la cantine sur le plateau d'un camion, auquel on accrocha un canon de 37 qui emprunta en brinquebalant le chemin caillouteux de la forêt.

Tous sentirent qu'une page venait de se tourner.

La compagnie était maintenant réduite à une vingtaine d'hommes qui durent s'enfoncer dans les bois, alors que le jour diminuait, créant un climat d'insécurité. Le ciel, au nord, se couvrit de gros nuages. Le flux de réfugiés s'était brutalement asséché, peut-être passaient-ils par un autre endroit, plus loin sur le fleuve. Personne ne l'exprimait ouvertement, mais soit les ennemis étaient attendus de ce côté-ci et on voyait mal comment, même avec l'aide de l'artillerie, une unité aussi faiblement armée serait de taille à les arrêter, soit il n'y avait rien à craindre et on ne comprenait pas très bien ce qu'on faisait là…

Gabriel se trouva à la hauteur du capitaine Gibergue qui marmonna, « Manquerait plus qu'il pleuve… ». Ce qui arriva quelques minutes plus tard, au moment où ils rejoignaient le camion.

Le pont sur la Tréguière était un de ces petits ouvrages en béton du siècle précédent, au charme désuet et bucolique, assez large pour un poids lourd, mais où les voitures devaient se céder le passage.

Le capitaine fit déployer et protéger de l'averse qui s'intensifiait les armements, le canon de 37, les fusils-mitrailleurs (d'excellents FM 24/29 flambant neufs). On fut

contraint de patauger dans la boue pour tirer des toiles destinées à abriter le campement, les six premiers soldats désignés
allèrent se mettre en poste de chaque côté du pont en rous-
pétant.

Raoul Landrade s'était bien débrouillé, comme souvent. Il
s'était fait affecter à la surveillance des armements. Profitant
de son grade de caporal-chef, il s'était assis dans la cabine du
camion et regardait en souriant la pluie ruisseler sur le pare-
brise et les camarades courir sous la flotte.

Le capitaine Gibergue alla interroger Gabriel, qui avait
installé son poste de transmission un peu à l'écart sous une
bâche.

– Dites-moi, sergent, vous avez quand même le contact
avec l'artillerie ?

Les artilleurs étaient postés à quelques kilomètres de là.
En cas d'attaque, c'était eux qu'on solliciterait pour arroser
l'autre côté du fleuve afin de tenir l'ennemi à distance.

– Vous savez bien, mon capitaine, répondit Gabriel, on
n'a pas le droit de communiquer avec l'artillerie par radio…

Le capitaine se massait le menton, perplexe. L'état-major
se méfiait des transmissions sans fil qui pouvaient trop facilement être interceptées. Les demandes de tirs devaient se
formuler exclusivement par le lancement de fusées. Or, justement, le capitaine rencontrait là un petit problème :

– On nous a équipés de lance-fusées automoteurs tout
nouveaux, mais, dans l'unité, personne ne sait s'en servir. Et
il n'y a pas le mode d'emploi.

Au loin, la cime des arbres se teintait de nouveau du
rougeoiement des tirs dont la pluie assourdissait les
échos.

– Sans doute les troupes françaises qui harcèlent les Boches, dit le capitaine.

Gabriel, sans bien savoir pourquoi, se souvint de la devise du général Gamelin : «Courage, énergie, confiance.»

– Sans doute…, répondit-il. Ça ne peut être que ça…

# 11

Bien que l'immense salon du Continental fût déjà plein comme un œuf, toutes sortes d'hommes et de femmes continuaient d'arriver. Dès le seuil, chacun attrapait une coupe de champagne d'un geste distrait qui trahissait des décennies d'expérience, puis, reconnaissant une silhouette près des bacs de plantes vertes, criant un nom connu de tous, traversait la salle en protégeant sa coupe comme par une journée de grand vent.

De fait, le vent qui soufflait depuis quarante-huit heures, mélange d'inquiétude et de soulagement, de confiance et de vertige, excitait la foule au plus haut point. Enfin, on y était. La guerre. La vraie. On avait hâte d'en savoir plus. Tout le monde se ruait au Continental, le cœur palpitant du ministère de l'Information. Les diplomates étaient sollicités, les militaires pris d'assaut, les journalistes assiégés, les nouvelles circulaient d'un groupe à l'autre, la RAF avait bombardé le Rhin, les Belges se montraient admirables, un général en écrasant sa cigarette lâcha, déçu : « La guerre est déjà terminée. » L'affirmation fit grosse impression, elle se propagea, passant d'un académicien à un professeur d'université, d'une demi-mondaine à un banquier, et arriva jusqu'à Désiré, dont la réaction fut scrutée par une douzaine de regards avides. Depuis deux jours qu'il avait la charge de lire à voix haute les communiqués officiels à l'intention de la presse, on considérait qu'il n'y avait pas d'homme mieux informé.

– Certes, dit-il d'un ton mesuré, la France et ses alliés ont la situation bien en main, mais enfin, parler d'une « guerre terminée », c'est peut-être aller un peu vite en besogne.

La demi-mondaine éclata de rire, c'était son registre, les autres se contentèrent de sourire et attendirent la suite. Ils en furent pour leurs frais parce qu'un homme les interrompit en fendant la foule :

– Bravo, mon vieux ! Et... quelle assurance !

Désiré baissa ses yeux de myope en signe de modestie, car il voyait bien que l'assistance se divisait en deux camps, les admiratifs et les envieux. Le nombre élevé de femmes parmi les premiers densifiant encore le camp des jaloux, l'appui inopiné de ce haut fonctionnaire (il était quelque chose au ministère des Colonies) fut particulièrement bienvenu. L'ascension quasiment verticale de Désiré au Continental attisait le feu des commentaires, les questions. Est-ce qu'on sait d'où il vient, ce garçon ? demandait-on, mais l'information sur Désiré répondait aux mêmes règles que l'information sur la guerre, on croyait ce qu'on voulait croire et pour l'heure ce garçon simple, mélange de timidité, de charme et de solidité, était la coqueluche du Continental. Il avait été placé sous l'autorité du sous-directeur de l'information à la presse, un homme nerveux, fébrile, chargé comme une pile électrique.

« On peut penser ce qu'on veut de ces gens-là, avait-il dit à Désiré lors de leur première rencontre, mais ce Léon Blum qui a créé le ministère de la Propagande, je dis : chapeau. Je ne dirais pas "quel homme !", il est juif, mais tout de même, quelle belle idée !»

Lors de leur première rencontre, le sous-directeur faisait les cent pas dans son bureau, les mains dans le dos.

«Maintenant, je vous le demande, jeune homme, quelle est notre mission ?

– Informer...»

Il avait été pris au dépourvu, c'est une réponse à laquelle il n'avait pas pensé depuis longtemps.

«Oui, si vous voulez... Mais informer pourquoi ?»

Désiré se creusait la tête, regardait autour de lui, puis soudain :

«Pour rassurer !

– Voilà ! hurla le sous-directeur. L'armée française est chargée de faire la guerre, soit. Mais il ne sert à rien de mettre des canons en batterie si les hommes qui les manœuvrent n'ont pas une mentalité de vainqueur. Et pour cela, ces hommes doivent se sentir soutenus, ils ont besoin de notre confiance ! La France tout entière doit y croire à cette victoire, comprenez-vous ! Y croire ! Toute la France !»

Il s'était planté devant Désiré, qui le dépassait d'une tête.

«C'est pour cela que nous sommes ici. En temps de guerre, une information juste est moins importante qu'une information réconfortante. Le vrai n'est pas notre sujet. Nous avons une mission plus haute, plus ambitieuse. Nous, nous avons en charge le moral des Français.

– Je comprends», dit Désiré.

Le sous-directeur l'observait. On lui avait beaucoup parlé de ce garçon aux verres épais mais à l'esprit aiguisé. On le disait sans prétention, c'était criant, mais brillant, c'était possible.

« Alors, jeune homme, comment voyez-vous votre travail dans ce service ?

– A, E, I, O, U », avait répondu Désiré.

Le sous-directeur, qui connaissait son alphabet, se contenta d'un regard interrogatif. Désiré reprit :

« Analyser, Enregistrer, Influencer, Observer, Utiliser. Dans l'ordre chronologique : J'Observe, j'Enregistre, j'Analyse et j'Utilise pour Influencer. Influencer le moral des Français. Pour qu'il soit au plus haut. »

Le sous-directeur comprit immédiatement qu'on lui avait confié la crème de la crème.

Dès le 10 mai, lorsque les Allemands entreprirent leur grande offensive sur la Belgique et qu'il fallut maîtriser l'information à la presse, le nom de Désiré Migault s'imposa.

Chaque matin et chaque soir, journalistes et reporters venaient recueillir les dernières nouvelles du front. Désiré lisait d'un ton grave ce qu'il fallait retenir de la demi-journée et qui correspondait à ce qu'on désirait le plus, à savoir : « Les troupes françaises opposent à l'envahisseur une résistance énergique » et « Les forces ennemies ne réalisent pas de progrès notables ». À ces expressions que Désiré psalmodiait calmement, s'ajoutaient des précisions (« à proximité du canal Albert et de la Meuse », « dans la région de la Sarre et à l'ouest des Vosges ») destinées à renforcer leur véracité sans dévoiler de détails dont l'ennemi pourrait se servir. Car la difficulté de l'exercice était là : rassurer, informer, mais rester vague, parce que les Boches écoutaient, épiaient sans relâche, surveillaient, guettaient. Ne dites rien, répétaient les autorités. On avait placardé partout des affiches rappelant que tout ce qui était dit risquait d'être utile aux Allemands, une nouvelle vraie ou fausse pouvait se révéler plus décisive qu'une unité de chars, le véritable ministère de la Guerre, c'était le ministère de l'Information, et Désiré était son héraut.

Le ministère avait convié le Tout-Paris. C'était la guerre, c'était la fête.

Toute la soirée, on tira la manche de Désiré, demandant une précision, sollicitant une confidence. Un journaliste du *Matin* le prit à part :

– Dites-moi, cher Désiré, on en sait plus sur ces parachutistes ?

Il était de notoriété publique que les Allemands avaient placé, un peu partout sur les territoires alliés, des agents armés et entraînés chargés de se fondre dans la population et d'apporter le moment venu un appui décisif aux troupes de l'envahisseur. Ces partisans, désignés par les vocables de cinquième colonne, pouvaient être des Allemands, mais aussi des Belges, des Hollandais sympathisants du IIIe Reich et même des Français qui se recrutaient, évidemment, parmi les premiers traîtres, à savoir les communistes. Depuis que trois parachutistes allemands déguisés en bonnes sœurs avaient été démasqués, on voyait des espions partout. Désiré jeta un discret coup d'œil vers son épaule droite puis murmura :

– Douze nains déguisés...

– Non...!

– Tout à fait. Douze nains, tous soldats de l'armée allemande. Parachutés à la fin du mois dernier. Se faisaient passer pour des adolescents en camping dans le bois de Vincennes. Nous les avons attrapés à temps.

Le journaliste était sidéré.

– Armés ?

– Produits chimiques. Très dangereux. S'apprêtaient à

contaminer le réseau d'eau potable de Paris. Visaient les cantines scolaires. Et ensuite, Dieu sait quoi...

– Et... je peux ?

– Un entrefilet, rien de plus. On les interroge en ce moment, vous comprenez... Mais dès qu'ils sont passés à table, l'information est pour vous.

De l'autre bout de la salle, le sous-directeur observait avec une tendresse toute paternelle sa jeune recrue qui naviguait entre les groupes et répondait aux questions avec mesure et discernement. Désiré avait autorisé un reporter à prendre note de ce qu'il disait au sujet du moral de la soldatesque allemande :

– Hitler s'est enfin décidé à attaquer parce que, là-bas, la famine menaçait, il n'avait pas d'autre solution. L'armée française pourrait d'ailleurs lancer une grande campagne d'information par tracts : tout soldat allemand qui se rendra aura droit à deux repas chauds. L'état-major hésite, forcément, on risque d'avoir deux ou trois millions de soldats allemands sur les bras, nourrir tout ce monde-là, vous imaginez... !

À quelques mètres de là, le sous-directeur souriait, quelle belle soirée.

– Étudiant aux Langues orientales, c'est ça ? demanda soudain un haut fonctionnaire en désignant Désiré.

L'information l'avait frappé, il avait passé dix-huit mois à Hanoï.

– Tout à fait, dit le sous-directeur. Ce petit phénomène nous arrive de l'École française d'Extrême-Orient. Il maîtrise tout un tas de langues asiatiques, c'est incroyable !

– Eh bien, il va trouver à qui parler... Tenez, Désiré...

Désiré se tourna. Il était face à un Asiatique d'une cinquantaine d'années qui lui souriait de toutes ses dents.

– Je vous présente M. Thong, secrétaire au service de la Main-d'œuvre indigène. Il nous vient de Phnom Penh.

– Angtuk phtaeh phoh kento siekvan, dit Désiré en lui serrant la main. Kourphenti chiahkng yuordai.

Devant cet amas disparate de phonèmes dans lequel il était impossible de repérer un seul mot de khmer, M. Thong hésita. Si ce jeune homme se piquait de parler admirablement sa langue, il n'était pas convenable de le détromper. Il se contenta donc de sourire en signe de remerciement.

– Salanh ktei sramei, ajouta Désiré en s'éloignant.

– Il est épatant, non ? dit le sous-directeur.

– Oui, tout à fait...


– L'aviation allemande a poursuivi son action sur le territoire français. Ses résultats sont négligeables...

Désiré, pour ce point de presse, avait choisi une suite bien éclairée du second étage dans laquelle pouvaient s'entasser une soixantaine de reporters.

– ... et notre aviation a répliqué en bombardant violemment quelques objectifs militaires de première importance. Trente-six appareils ennemis ont été abattus. Un de nos groupes de chasse en a abattu à lui seul onze dans la même journée. Rien à signaler entre la Moselle et la Suisse.

Le contenu des premiers communiqués avait tourné autour de deux idées. L'offensive allemande avait été prévue, attendue même, et notre armée contrôlait parfaitement la situation.

– La marche de nos troupes se poursuit normalement dans la partie centrale de la Belgique.

Les reporters envoyés sur place adressant à leur rédaction

des informations (et des photos) qui traduisaient l'intensité des combats, Désiré opta dès le deuxième jour pour ce qu'il nomma une « dramatisation maîtrisée » :

– L'attaque allemande se développe avec une violence accrue, mais partout, nos troupes et les Alliés combattent avec vaillance contre l'ennemi qui déploie un effort extrême.

À l'issue de ce point de presse, Désiré se tenait lui-même à la porte et remettait à chaque participant le texte de la déclaration dont il avait fait la lecture.

« Je prends ainsi le pouls de la France, avait-il expliqué au sous-directeur. Je calme les inquiétudes, je distille de la confiance, je renforce les convictions. Et j'influence. »

Trois jours après le début de l'offensive allemande, un journaliste lui demanda naïvement :

– Si notre armée et les Alliés sont aussi efficaces qu'on le dit, pourquoi les Boches continuent-ils d'avancer ?

– Ils n'avancent pas, répliqua Désiré, ils font mouvement vers l'avant, c'est très différent.

Au quatrième jour, il fut plus difficile d'expliquer pourquoi l'ennemi, dont le passage par les Ardennes était réputé impossible, venait tout de même d'atteindre les rives de la Meuse au sud de Namur et s'attaquait à la zone de Sedan.

– Les Allemands, déclara Désiré, ont tenté en plusieurs endroits de franchir le fleuve. Notre armée a lancé de puissantes contre-attaques. Notre aviation intervient de manière très efficace. L'aviation allemande est en passe d'être décimée.

Le sous-directeur trouvait dommage que la guerre ne suive pas la courbe tracée par les communiqués. Cette offensive sur la Meuse et Sedan, pour ce qu'on parvenait à en savoir (l'état-major donnait peu d'informations concrètes), mettait l'armée française en position délicate. Aussi Désiré proposat-il de passer de la « dramatisation maîtrisée » à la « retenue stratégique » :

– L'intérêt supérieur de la conduite des opérations commande de ne pas fournir à ce stade de renseignements précis sur les actions en cours.

– Pensez-vous que les journaux vont se contenter de cela ? demanda le sous-directeur, inquiet de la tournure des événements.

– Non point, répondit Désiré en souriant. Mais il y a d'autres manières de les rasséréner.

Aux reporters déçus du manque de contenu concernant la situation militaire, Désiré proposa un large exposé sur l'état et le fonctionnement des armées alliées :

– On ne voit partout que résolution, courage, confiance, certitude. Nos soldats œuvrent à la sauvegarde de la patrie dans un enthousiasme unanime. L'état-major français poursuit avec calme et détermination le plan élaboré de longue date. Notre armée dispose à la fois d'un matériel puissant, d'une expertise remarquable et d'une organisation sans faille.

# 12

Une douzaine d'hommes étaient postés à l'entrée du pont. Sur le plateau du camion Renault qui bloquait l'accès, un fusil-mitrailleur était censé faire à lui seul refluer l'ennemi. C'était un spectacle assez préoccupant, on aurait dit un barrage de gendarmerie. Un peu plus loin, le canon de 37 pointait en direction du nord. Sur une petite remorque, à cinquante mètres de là, étaient placés le second fusil-mitrailleur et des caisses de munitions dont quelques-unes étaient ouvertes près des mortiers.

Le capitaine Gibergue fit d'incessants allers-retours entre les transmissions (« Vous avez du nouveau ? ») et le pont sur la Tréguière (« Tout va bien, les gars, pas d'inquiétude… »), jusqu'à ce qu'en milieu de matinée arrive enfin l'unité de reconnaissance chargée d'aller jeter un œil sur ce que préparaient les Allemands, une vingtaine d'hommes armés légèrement, deux motos, le tout commandé par un officier visiblement heureux de monter à la rencontre de l'ennemi. Les jambes largement écartées, une main derrière le dos, il balaya la scène, le poste de transmission, le capitaine Gibergue, dans lequel il ne vit qu'un pharmacien

réserviste, le canon de 37, l'équipe postée devant le pont...
Il soupira.

– Passez-moi votre carte.

– Mais c'est que...

– Il y a eu une petite erreur, la mienne correspond à la zone 687, alors qu'on est dans la 768.

Gabriel vit hésiter son capitaine. Comme lui, il avait la pénible impression de devoir partager un instrument de survie.

– Pour surveiller ce pont, une carte n'est pas nécessaire, expliqua le capitaine Duroc.

Gibergue battit en retraite et céda.

Quelques minutes plus tard, l'unité de reconnaissance disparut dans la forêt.

La pluie s'était arrêtée dans la nuit. Le ciel maintenant dégagé laissait voir les lueurs de tirs d'artillerie dont les échos se rapprochaient. Le capitaine Gibergue scrutait la cime des arbres.

– Si l'aviation pouvait survoler la zone et nous dire ce qui se passe là-bas.

C'était ça le plus pénible, attendre et ne pas savoir ce qu'on attendait.

Dans la matinée, les tirs d'artillerie s'intensifièrent. Les échos de l'offensive se rapprochaient de minute en minute. L'inquiétude devint palpable.

Outre que le ciel s'enflammait un peu partout, devant, derrière, on ne recevait toujours aucun ordre ; les communications étaient sans doute rompues, l'état-major ne répondait pas. Puis enfin, au-dessus d'eux passa l'aviation, mais c'était l'aviation allemande. À moyenne altitude.

– Des appareils de reconnaissance...

Gabriel se retourna. C'était Raoul Landrade, cambré vers l'arrière, fixant le ciel. Il avait abandonné le confort de son poste dans la cabine du camion et montrait un visage préoccupé. Un malaise saisit Gabriel. D'un pas pressé, il regagna le gros de l'unité dont les hommes étaient maintenant silencieux. Les conversations n'avaient pas repris.

Le capitaine Gibergue vint à sa rencontre, il fallait adresser un message à l'état-major.

– L'ennemi exécute une préparation, dit-il. Il y aura une attaque dans les heures à venir. Il faut faire intervenir la chasse.

Il était essoufflé par l'émotion. Gabriel se précipita. Était-ce un effet de l'appréhension, il sembla que les tirs s'intensifiaient, se rapprochaient. La réponse tardait. Le capitaine Gibergue envoya six soldats supplémentaires devant le pont.

Soudain, tout s'accéléra.

Rugissements de moteurs, tirs denses, cris. Les hommes baissèrent les épaules, serrèrent la crosse de leur arme, les fusils-mitrailleurs furent pointés sur le pont. Au lieu d'une troupe ennemie surgirent alors les deux motos de reconnaissance sur lesquelles étaient accrochés plusieurs soldats français affolés. On ne comprit pas tout de suite ce qu'ils disaient, tant ils s'époumonaient. Ils marquèrent un léger temps d'arrêt devant le capitaine Gibergue.

– Barrez-vous, les gars, y a plus rien à faire !

– Quoi, quoi ? balbutia Gibergue. Comment ça, rien ?

– Les Boches ! Les blindés arrivent ! cria le soldat en remettant les gaz. Foutez le camp !

Le reste de l'unité surgit à son tour. L'officier, le capitaine Duroc, naguère fringant, avait vieilli de dix ans.

– Dégagez-moi tout ça !

On aurait dit qu'il voulait balayer toute la situation d'un revers de main. Gibergue exigea de savoir pourquoi.

– Pourquoi ? hurla le capitaine. Pourquoi ?

Il tendit le bras vers la forêt et l'autre côté du pont.

– Vous avez un millier de blindés qui arrivent par ici, il vous en faut combien pour comprendre ?

– Un millier…

Sa voix se brisa.

– On a été trahis, mon vieux… Ils sont…

Les mots lui manquaient.

– Faut vous barrer, y a rien à faire. Trop nombreux !

La hiérarchie militaire offrit alors une assez bonne image de ce qu'était l'armée française dans son ensemble. Le capitaine Duroc décida qu'il fallait détruire les armes françaises pour qu'elles ne tombent pas aux mains de l'ennemi et repartir vers le sud pour rejoindre le gros du régiment.

Mais le capitaine Gibergue, lui, s'offusqua de cette attitude. Quitter cette position revenait à renoncer à la résistance. Pas question, ni pour lui ni pour ses hommes, de partir ainsi sans combattre !

Les deux hommes ne s'affrontèrent pas directement.

Furieux l'un et l'autre, ils prirent chacun des dispositions contraires sans se regarder. Duroc donna l'ordre de faire mouvement, ce qui revenait à une retraite dans l'esprit de Gibergue, qui appela à lui les soldats qui voulaient se battre. Devant la vacuité du commandement, la fièvre gagna tout le monde.

Les autres soldats de l'unité qui s'étaient rapprochés regardaient anxieusement le pont, puis leur capitaine.

– On ferait mieux de les suivre, non ? dit un soldat.

Le capitaine Gibergue, tout le monde fut surpris, dégaina son pistolet, dont personne n'aurait imaginé qu'il savait se servir.

– On est là pour garder ce pont, les gars, et on va le garder ! Le premier qui fout le camp, je lui colle une balle dans la peau.

On ne sut jamais ce qui se serait réellement passé si des hommes avaient choisi de s'enfuir, parce qu'à cet instant commença le bombardement aérien, d'une violence inouïe. Les avions allemands trouèrent le sol de distance en distance, les suivants décapitèrent la forêt, le tout dans un fracas d'enfer, de bombes, d'explosions, de flamboiements et de tremblements de terre. Plusieurs soldats couchés au sol furent saisis de soubresauts, la poitrine ouverte, un membre arraché. Ce ne fut bientôt plus que flammes, cendres, trous béants autour de ces quelques Français allongés sur le ventre et censés défendre l'entrée de leur pays avec deux fusils-mitrailleurs et un canon hors d'âge dont ils ne distinguaient même plus la silhouette à travers les fumées et les flammes.

L'artillerie française sembla sortir de sa torpeur et couvrit soudain d'obus la forêt au-delà du pont.

L'unité de Gabriel était prise en étau entre l'avancée d'une troupe allemande qui devait compter ses blindés par milliers (était-ce seulement possible, on n'avait rien vu venir...) et l'artillerie française qui tentait de la maintenir à distance en l'arrosant par-dessus la rivière.

Il n'en fallut pas davantage pour que la plupart des soldats attrapent leur barda et s'enfuient par la forêt, droit devant eux, qui courant, qui hurlant.

Ceux qui restèrent les virent détaler entre les arbres déchiquetés et enflammés par l'aviation allemande. Ils se regardèrent. Regardèrent le pont. Deux hommes, là-bas, étaient allongés. L'un des fusils-mitrailleurs avait été coupé en deux, ce n'était plus que des morceaux de fer calcinés.

– Faut faire sauter ce pont avant de se barrer, les gars.

Gibergue avait perdu son képi, ses rares cheveux au sommet de son crâne s'étaient redressés comme sous l'effet de la terreur, son visage était blanc comme un suaire.

Ils étaient une dizaine, abasourdis par la situation et le fracas des tirs d'artillerie qui passaient au-dessus d'eux. Parmi eux, Gabriel, Raoul Landrade et le gros soldat aux lacets.

– Vous savez ce qu'on a ? hurla Landrade.

– De la mélinite ! répondit le gros soldat en criant pour se faire entendre. Il y a des pétards, là-bas dessous !

Quatre hommes s'étaient précipités vers le fusil-mitrailleur posté loin du pont afin de le rapprocher. Landrade se rua vers le camion, aussitôt suivi de Gabriel et du gros soldat. Il monta, souleva précipitamment les bâches, fouilla, balançant par-dessus bord tout ce qui lui tombait sous la main, et exhiba comme un trophée une cartouche d'explosif, il souriait largement en signe de victoire, comme s'il venait de ratisser l'unité entière au bonneteau.

Gabriel se saisit des cartouches que Landrade, une à une, passa par-dessus la ridelle du camion, et il les entreposa sous le châssis. Il y avait là dix kilos d'explosif, suffisamment pour faire sauter le pont.

– Bordel de merde ! cria Landrade. Il n'y a rien pour les faire sauter, ces putains de cartouches…

Il s'était assis dos à la roue du camion. Le gros soldat aux lacets s'était abrité sous le châssis et revenait en rampant. Gabriel tenait, calée entre ses genoux, une fusée d'explosif.

– Bon, dit Landrade, on n'a rien en électricité, on va fendre une mèche lente. Tu vas me chercher de quoi serrer le tout, d'accord ?

Déjà, il remontait sur le plateau du camion. Gabriel courut vers le campement, les genoux pliés, le dos voûté, et revint quelques minutes plus tard avec six ceintures de toile à bâche que Landrade utilisa pour lier les cartouches de mélinite les unes avec les autres.

Gabriel regarda par-dessus l'épaule de Raoul ce pont dérisoire, les lueurs des bombes qui explosaient devant et derrière eux dans un fracas épouvantable et tout autour la forêt détruite en plusieurs endroits. Et Landrade lui-même.

C'était un homme qu'il ne comprenait pas.

S'il y avait un soldat dont il aurait juré qu'il serait dans les premiers à se sauver, c'était bien lui, et il était là, à serrer de toutes ses forces les lanières de toile, à fixer le pont avec rancune en murmurant comme pour lui-même :

– On va lui foutre ça sous les jupes, à cet enfoiré de pont, ça va pas traîner…

Ils se levèrent ensemble, Landrade et Gabriel portant la charge principale, le gros soldat souffrant, trébuchant, transportant les deux charges complémentaires, ses chaussures trop grandes n'arrangeaient rien. Tous trois zigzaguèrent jusqu'à la rivière, baissant la tête sous les tirs de l'artillerie qui ne faiblissaient pas. Parvenu à la culée du pont, Landrade distribua les consignes :

– Moi, je vais placer la principale. Vous, vous mettez les autres, une à droite, une à gauche, ensuite je fais le relais et boum.

Les obus français tombaient de plus en plus près de la berge, signe que l'ennemi approchait.

Voyant arriver ce trio inattendu, les soldats massés autour du dernier fusil-mitrailleur et dont la présence dérisoire serrait le cœur poussèrent un cri de soulagement. Plus de pont, plus de garde. Ils n'avaient pas été les premiers à détaler comme des lapins, mais se trouvaient bien heureux de pouvoir le faire maintenant qu'une équipe déterminée s'apprêtait à expédier le pont au paradis des ouvrages d'art.

Gabriel partit sur la droite avec sa charge de dix kilos, la hissa sur le béton. Il regarda de l'autre côté. Le gros soldat avait fait de même, les charges étaient symétriques, il levait la main le pouce en l'air lorsqu'un obus tomba dans l'eau à une quinzaine de mètres, il fut fauché par un éclat et s'effondra dans la rivière. Gabriel fut sidéré. Déjà, Landrade, tirant son cordeau, arrivait à sa hauteur.

– Tu as vu ? demanda Gabriel en désignant l'endroit où leur camarade était mort.

Landrade leva la tête, aperçut le soldat qui flottait sur le ventre.

– C'est con, dit-il, il avait des lacets tout neufs.

Disant cela, il achevait, à bout de bras, d'attacher son cordeau et commençait à tailler en sifflet l'extrémité de la mèche lente.

– Allez, maintenant, barre-toi, lâcha-t-il. J'allume tout ça et on met les bouts.

Et comme Gabriel restait immobile, hypnotisé par la vue

du camarade dont le corps s'éloignait en ballottant sur les remous de la rivière :

— Allez, je te dis, barre-toi !

Gabriel se précipita vers le camp, où le capitaine Gibergue les attendait.

— C'est bien, les gars ! dit-il.

L'ensemble de l'unité s'était maintenant évaporée dans les bois. Les trois hommes virent Landrade détaler comme un fou dans leur direction, comme s'il était poursuivi par la charge explosive dont il venait d'assurer l'allumage. Il s'effondra à leurs côtés, hors d'haleine.

Aussitôt arrivé, il se retourna et scruta le pont en plissant les yeux.

— Bordel, j'ai mis une mèche courte, qu'est-ce qu'elle fout, cette salope…?

On comprend sa colère. La charge était-elle mouillée, le relais était-il défectueux ? Vingt secondes, trente, une minute. Ils furent alors certains qu'ils avaient risqué leur vie pour rien puisqu'il ne se passerait rien.

En écho à leur écœurement, comme pour confirmer son invincibilité, l'ennemi arrosa la rive opposée de la Tréguière de fumigènes. C'était l'échec. Derrière le rideau de fumée blanche, ils distinguèrent des silhouettes qui s'apprêtaient à pousser à l'eau des canots pneumatiques. La terre commença à vibrer, signe que la colonne de blindés allemands approchait de la rive.

— Faut se tailler ! cria Landrade en se remettant debout.

Le capitaine Gibergue, du même avis, posa sa main sur l'épaule de Gabriel, allez, mon vieux, on a fait de notre mieux…

Que se passa-t-il dans l'esprit de Gabriel, c'est assez difficile à dire. Il n'avait pas l'âme héroïque, mais il avait des scrupules. Il était là pour faire quelque chose et il ne l'avait pas fait.

Sans mesurer le risque, il courut vers le pont et s'installa derrière le fusil-mitrailleur.

Arrivé là, il se figea. Que fallait-il faire ? Il en avait déjà vu, de ces armes, mais de loin. Il posa la main sur le chargeur rectangulaire qui se dressait au-dessus du canon. Derrière le rideau de fumée qui commençait à s'éclaircir, les silhouettes de canots pneumatiques se précisaient. Gabriel empoigna la poignée pistolet, dirigea le canon vers l'ennemi et serra les dents, tous ses muscles bandés pour amortir le choc en retour des balles, il avait retenu ça, ce fusil-mitrailleur tirait 450 coups à la minute.

Il appuya sur la détente. Un coup partit. Un seul. Une balle misérable, comme dans le stand de tir d'une fête foraine.

En face de lui, c'est fou comme les choses allaient vite. Tandis qu'il se battait avec son arme pour trouver le moyen de vider son chargeur, la terre vibrait sourdement sous les roues des véhicules lourds arrivant sur le pont.

– Eh bah alors, Ducon, qu'est-ce que tu fous ?

Raoul Landrade était là, tout sourire, et s'installait à côté de lui.

La surprise de cette arrivée fit un choc à Gabriel, qui serra les mains sur son arme, une rafale partit aussitôt, les deux hommes regardèrent le canon comme s'il venait de leur dire quelque chose de surprenant.

– Bordel de Dieu ! dit Raoul, euphorique.

Gabriel venait de comprendre qu'il fallait deux détentes pour tirer en rafale. Il visa le pont. Raoul s'était levé, avait attiré à lui une caisse remplie de chargeurs et les glissait dans l'arme au fur et à mesure des tirs, tandis qu'en hurlant Gabriel arrosait toute la zone.

Pour être franc, la précision des tirs laissait beaucoup à désirer. Des balles se perdirent dans les troncs d'arbres, dans les fougères, quelques-unes, assez rares, dans l'eau, la plupart dans la terre à plusieurs dizaines de mètres de la cible.

Gabriel s'en rendait compte, tentait de modifier ses trajectoires, mais c'était toujours trop haut, trop bas, ça n'allait jamais où il fallait.

– Ha ha ha ! Allez ! hurlait Raoul en se marrant comme une baleine. Fous-leur sur la gueule à ces cons-là !

Il y a peut-être quelque part des dieux badins et primesautiers que l'attitude de Gabriel et les rires de Raoul amusèrent, parce que le premier char allemand venait tout juste de s'engager sur le pont de la Tréguière lorsque des balles de Gabriel atteignirent la charge et la firent exploser.

Le pont s'effondra, entraînant le char dans la rivière.

Gabriel et Raoul étaient soufflés.

La chute du pont avait créé une belle perturbation de l'autre côté de la rive. On entendait des ordres en allemand, la colonne de chars s'était figée. Gabriel, tétanisé, souriait aux anges. Raoul le réveilla d'un coup de coude.

– Faudrait peut-être pas trop traîner maintenant…

En une fraction de seconde, les deux hommes furent debout et se mirent à courir vers la forêt en hurlant de joie.

# 13

Louise, de retour de l'école, avait été prise d'une langueur comme autrefois, quand elle palpait son ventre avec inquiétude, qu'elle surveillait ses cycles, que rien ne venait, l'énergie alors lui manquait pour se lever, elle appelait dans l'après-midi le brave docteur Piperaud qui lui prescrivait des ventouses et un arrêt de travail.

Le samedi passa ainsi. Puis le dimanche. Elle se sentait lourde, vide. Deux alertes aériennes la laissèrent de marbre. «Peut-être que je veux mourir», se disait-elle sans y croire réellement. Les sirènes mugissaient sur Paris, elle restait dans son lit, revêtue d'un pull-over sans forme qu'elle ne quittait plus.

Le lundi, il y avait classe, mais elle était trop fatiguée. Il aurait fallu se rendre chez le docteur Piperaud ou le faire venir, mais s'habiller, remonter toute la rue pour aller jusqu'au téléphone était au-dessus de ses forces.

En début de matinée, elle regardait par la fenêtre la cour de la maison en sirotant un café tiède, la cloche du portail résonna. Elle n'hésita pas, ouvrit la porte et, sans surprise, découvrit M. Jules, les mains dans les poches.

Cette fois, plus de tenue de cérémonie – «pour le succès

que ça m'a valu, merci bien» –, il portait son pantalon de cuisine et ses charentaises.

Louise resta sur le seuil. Une dizaine de mètres les séparaient.

Elle s'appuya au chambranle, tenant à deux mains son bol de café. M. Jules voulut parler, mais se ravisa, arrêté dans son élan. Cette jeune femme aux cheveux courts, au visage grave, au regard triste était d'une beauté folle.

– C'est pour les alertes, que je viens… ! dit-il enfin.

Il avait la voix colérique des gens lassés de se répéter. Louise hocha la tête, reprit une gorgée de café. La distance obligeait M. Jules à parler fort, c'était inconfortable pour un homme au souffle court.

– Tu fais ce que tu veux de ton temps, Louise, mais quand il y a une alerte, tu fais comme tout le monde, tu descends à l'abri !

Sur le papier, la phrase semble impérieuse, mais si elle commença sur le ton catégorique qu'il adoptait pour commenter les exploits de l'artillerie française, elle s'épuisa en cours de route et s'acheva comme un murmure, une demande, une prière.

Moins fatiguée, Louise aurait souri. Les alertes. C'était un drame dans la vie de M. Jules de n'avoir pas été nommé chef d'îlot. Il possédait, outre le restaurant, un petit immeuble à quatre numéros de là et avait offert la jouissance de sa cave au quartier pour en faire un abri, en échange de quoi il estimait que le rôle de chef d'îlot lui revenait « par nature ». Hélas, au terme d'un imbroglio scandé par de nombreux rebondissements, ce fut M. de Froberville, « un militaire en demi-solde », disait M. Jules avec mépris, qui avait été désigné par la préfecture. Depuis, une lutte sourde opposait les deux

hommes. Louise comprit toutefois que si son absence affai-
blissait le camp du restaurateur, ce n'était pas la raison de
sa venue.

Elle descendit enfin les quatre marches, traversa le jardi-
net.

M. Jules se racla la gorge.

– Sans toi, le restaurant, c'est plus pareil...

Il tenta un sourire.

– On attend que tu reviennes, tu sais ! Les gens me
demandent de tes nouvelles...

– Ils ne lisent pas les journaux, les gens ?

– Ils s'en foutent des journaux ! Tout le monde t'aime
ici...

Cet aveu lui fit baisser la tête, comme un enfant pris en
faute. Louise avait les larmes aux yeux.

– Et quand il y a une alerte, faut descendre aux abris,
Louise... Même cette vieille ganache de Froberville est
inquiète pour toi.

Louise esquissa un geste dans lequel M. Jules voulut voir
un consentement.

– C'est bien, c'est bien...

Elle avait terminé son bol de café. M. Jules lui trouvait un
« côté artiste », c'est ainsi qu'il appelait les jeunes filles qui
posaient comme modèles, des filles bohèmes, mal coiffées,
l'air de se moquer du monde, d'un charme sauvage, d'une
sensualité folle, il y en avait une ou deux dans le quartier,
elles fumaient des cigarettes dans la rue, c'était à ça que ressemblait Louise, avec son beau visage de marbre, ses lèvres
charnues, ce regard...

– Mais, je t'ai pas demandé... Tu vas bien, Louise ?

– Pourquoi, j'ai pas l'air ?

Il tapota ses poches.

– Bon, allez...

Louise remonta chez elle. À quoi consacra-t-elle son temps ? Plus tard, elle ne parvint pas à s'en souvenir. Ce qui resta, c'est une image, innocente pour n'importe qui, mais terriblement cruelle pour elle. En milieu d'après-midi, elle se rendit compte qu'elle était demeurée plusieurs heures au même endroit, accoudée à la fenêtre qui donnait sur la cour, dans la position exacte que Jeanne avait occupée après la mort de son mari et qu'elle n'avait plus jamais quittée.

Louise serait-elle bientôt folle, elle aussi ?

Finirait-elle comme sa mère ?

Elle prit peur.

L'atmosphère de la maison l'oppressa. Elle mit de l'eau à chauffer, fit sa toilette, s'habilla, sortit, passa devant La Petite Bohème sans tourner la tête. Cette découverte d'une étrange ressemblance avec Jeanne l'avait ébranlée.

Où aller, elle n'avait pas de but.

Elle marcha jusqu'à l'avenue, se planta à l'arrêt de l'autobus, attendit. Dans la corbeille, il y avait un journal, elle tendit la main, sa voisine se détourna, il n'y avait que les clochards pour faire des choses pareilles. Comme si elle avait abdiqué tout amour-propre, Louise prit le quotidien, le défroissa. La guerre allait bon train, on annonçait des pertes colossales chez l'ennemi, ses avions abattus se comptaient par centaines.

À la page deux, elle vit une photo de gens serrés les uns contre les autres, le regard flottant. « Les réfugiés belges affluent à la gare du Nord et nous font le récit de leur voyage d'exil. » Il y avait un enfant au premier plan, un garçon, une fille, on distinguait mal.

Un entrefilet attira son attention :

## Les instituteurs parisiens reçoivent les réfugiés

Le Syndicat national confédéré des instituteurs et institutrices
recommande à tous ses adhérents de se mettre immédiatement
à la disposition des autorités pour accueillir les réfugiés
qui peuvent arriver de Belgique et des départements frontières.
Les réfugiés sont reçus à la permanence
organisée 3, rue du Château-d'Eau (Xe).

Louise n'était pas syndiquée. Peut-être que les choses
auraient pris un autre cours si la femme qui s'était détournée
d'elle quelques instants plus tôt n'avait engagé la conversation avec sa voisine :

– Vous êtes certaine qu'il marche ?

– Certaine, non…, hésita la voisine. Je sais que le 65 est
supprimé…

– Le 42 aussi ! dit quelqu'un. C'est pour transporter les
réfugiés.

– J'ai rien contre eux, mais si c'est pour prendre nos
autobus, alors là, je suis plus d'accord ! Déjà qu'on a les
restrictions, un jour pas de viande, un autre pas de sucre…
Comment ils veulent qu'on les nourrisse, les réfugiés, s'il n'y
a déjà pas assez pour nous autres ?

Louise reprit sa lecture. Le bus arriva, elle monta, absor-
bée dans le journal : « Les avions sont apparus tout près des
toits. Ils lâchaient des paquets de bombes. Des enfants que
l'on rassemblait pour l'évacuation ont été déchiquetés. »

Elle replia le quotidien, regarda la ville. Il y avait les Parisiens, qui allaient à leur travail, en revenaient, faisaient des

courses, et il y avait les camions militaires, les réfugiés par groupes d'une trentaine escortés par des scouts, des ambulances de la Croix-Rouge, certains gardiens de la paix portaient un fusil en bandoulière...

Elle trouva facilement. Devant la Bourse du travail, il y avait beaucoup de monde, elle entra.

Il régnait là une activité de ruche, des gens arrivaient chargés de cartons, d'autres sortaient, tous s'interpellaient.

Louise avança avec précaution comme si elle avait peur de déranger. Depuis le seuil de la grande salle, sous l'immense verrière, elle découvrit une centaine de personnes fatiguées, assises ou couchées sur les bancs de bois qu'on avait disposés comme pour un dortoir, des familles, on avait installé des tables ici et là. C'était un brouhaha incessant. Entre les groupes circulait une femme en manteau qui tendait une photographie. Louise entendit seulement : « Mariette, elle a cinq ans... Je l'ai perdue... » Elle avait le visage tiré. Comment peut-on perdre sa fille de cinq ans ? se demanda Louise.

– À la gare du Nord, dit une voix.

À côté d'elle, une infirmière de la Croix-Rouge d'une soixantaine d'années regardait elle aussi la grande salle.

– Ils étaient si nombreux qu'on les a dirigés vers le sous-sol où des camions sont venus les chercher. C'était une cohue, vous n'avez pas idée... Vous lâchez la main de votre môme, vous faites un pas dans un sens, lui un pas dans l'autre, vous vous retournez, il n'est plus là, vous avez beau hurler, personne ne peut vous dire où il est.

Louise regardait la femme qui poursuivait son chemin de croix entre les allées improvisées, sa photo à bout de bras. Elle sentit les larmes lui monter aux yeux.

– Vous êtes...? demanda l'infirmière.

– Institutrice, je…

– Il faut faire le tour de la salle, voir avec les gens ce qu'il leur manque. L'organisation, c'est là-bas…

Elle désignait une double porte ouverte. Louise voulut répondre, mais l'infirmière était déjà repartie.

Des malles servaient de tables, des bancs faisaient office de lits, des couvertures étaient roulées en guise de matelas. On avait distribué du pain, des gâteaux secs que mangeaient des hommes, des femmes harassées qui soutenaient des enfants assommés de fatigue, il y avait des cris de bébés…

Perdue au milieu de cette foule égarée, Louise ne savait quoi faire. Dans une travée, quelques manches à balai avaient été liés pour étendre du linge, des langes principalement. À un mètre de là, assise par terre, une jeune femme pleurait, penchée sur ses genoux. Louise perçut un sanglot de nourrisson, elle avait l'oreille pour ces choses-là.

– Je peux vous aider ?

La jeune fille leva vers elle un visage défiguré par l'épuisement. Dans ses jupes dormait un bébé, dont le bassin était enveloppé dans une écharpe.

– Quel âge a-t-il ? demanda Louise.

– Quatre mois.

Elle avait une voix grave, éraillée.

– Et son papa ?

– Il nous a mis dans le train, il ne voulait pas tout laisser comme ça… Vous comprenez, on a des vaches…

– Qu'est-ce que je…

– Je n'ai pas pris assez de langes…

Elle regarda l'étendoir improvisé, sur sa droite.

– Et en plus, ici, je ne sais pas pourquoi, ça ne sèche pas.

Louise fut soulagée. Procurer des langes, c'était quelque chose qu'elle pouvait faire, elle se sentit utile tout à coup.

Elle pressa la main de la jeune maman avec détermination, se rendit au local de l'organisation, mais les vêtements et produits pour les enfants étaient ce qui manquait le plus.

– On est en rupture depuis trois jours, dit l'infirmière qu'elle avait croisée plus tôt. Tous les jours on nous les promet…

Louise regarda vers la porte.

– Si vous en trouvez, reprit l'infirmière, ça servira à tout le monde.

Louise retourna précipitamment vers la jeune femme.

– Je vais chercher ce qu'il vous faut. Je reviens.

Elle faillit ajouter « attendez-moi », c'était idiot.

Elle sortit rassurée, pleine d'énergie, elle avait une mission.

Lorsqu'elle arriva impasse Pers, il était déjà dix-huit heures. Elle monta à l'étage, ouvrit la porte de la chambre de Mme Belmont.

Louise n'y avait plus mis les pieds depuis la mort de sa mère. Dès que les pompes funèbres eurent enlevé le corps, elle avait arraché les draps, les couvertures, raflé tout ce qui se trouvait sur la table de nuit. Puis elle avait ouvert l'armoire, et quelques minutes plus tard il ne restait plus une seule robe, un seul gilet, une seule paire de bas, rien. Mme Belmont venait de disparaître avant même d'être enterrée. Quand elle était sortie le lendemain pour aller à La Petite Bohème, Louise avait vu que les quatre sacs de linge étaient partis dans la nuit.

La pièce était froide, sentait le renfermé, elle alla ouvrir la fenêtre.

L'armoire était remplie de draps en lin que sa mère entreposait soigneusement, comme les nappes et les serviettes de table qu'elle ne sortait jamais. Louise avait tout de suite pensé à ces draps, il y avait de quoi, en les découpant, fabriquer des dizaines de langes solides.

Elle avait oublié... Ce que ces draps étaient épais ! Elle en saisit cinq ou six, les soupesa, ça irait, elle pouvait en prendre encore un ou deux. Elle tomba sur une liseuse en faux cuir que Mme Belmont utilisait pour garder les souvenirs de famille, des cartes postales, des courriers. Louise ne l'avait pas vue depuis bien longtemps, cette liseuse. Elle l'ouvrit, trouva une photo de son père, une autre du mariage de ses parents, des lettres qui devaient dater de la guerre. Elle posa le tout sur le matelas, descendit la moitié des draps et remonta avec un sac en toile de jute pour prendre le reste. Après un instant d'hésitation, elle rafla le petit dossier de photos et de correspondance, sortit et, miraculeusement, trouva un taxi à l'angle de l'impasse, direction la Bourse du travail.

La nuit tombait. Le chauffeur déblatérait sur l'époque, les restrictions d'essence. Fatiguée, Louise préféra ouvrir la liseuse et en feuilleter le contenu distraitement.

– Ce qu'il y a comme réfugiés, disait le chauffeur, c'est pas croyable ! Je me demande où on va les mettre.

C'est vrai qu'il y en avait du monde, avec des valises et des ballots. Lorsqu'elle baissait les yeux, son regard tombait sur des clichés jaunis, des cartes postales de bains de mer, de places de village signées de l'oncle René, le frère de son père, celui qui était mort en 17 et qui avait une belle écriture calligraphiée avec des arabesques et des majuscules à volutes. Elle trouva aussi des lettres de ses parents, toutes datées de 1914 à 1916.

« Ma chère Jeanne, écrivait son père, il fait un froid terrible ici, même le vin a gelé. »

Ou : « Mon camarade Victor a été blessé au pied, mais le médecin dit que ça ne sera rien, il est bien soulagé. » Il signait : « Ton Adrien ».

Mme Belmont, elle, commençait ses lettres par « Cher Adrien » et disait des choses de la vie quotidienne : « Louise est très studieuse à l'école, les prix ici ne cessent d'augmenter, Mme Leidlinger a eu des jumeaux. » Elle signait : « Affectueusement, Jeanne ».

Chez Louise, le vague reproche de faire intrusion dans cette histoire qui n'était pas la sienne ne dura pas. Ce qui dominait, c'était la surprise. Elle revoyait sa mère, accoudée à sa fenêtre, les yeux dans le vide des journées entières. Et voilà qu'au lieu de la trace du grand amour perdu qui avait rendu Mme Belmont neurasthénique, Louise découvrait des lettres plates comme des trottoirs, qui ne disaient rien sur rien ni personne, des courriers qui sentaient la complaisance conjugale, ce que l'on écrit quand on est un soldat à la guerre, ce que l'on répond quand on en est l'épouse.

Louise regarda défiler le paysage parisien par la fenêtre du taxi, pensive. C'était surprenant. Rien de tendre, des choses gentilles seulement. Il était difficile d'associer le couple qui s'exprimait dans ces lettres insignifiantes et le chagrin définitif qui avait saisi Mme Belmont à la mort de son mari.

Louise referma le dossier, c'est à cet instant que glissa sur le sol de la voiture une carte.

Elle marqua un temps d'arrêt.

Bien qu'elle soit à l'envers, Louise en lut immédiatement le nom : Hôtel d'Aragon, rue Campagne-Première.

La grande salle de la Bourse du travail était vide.

En fin d'après-midi, les réfugiés avaient été emmenés dans un centre de regroupement, près de Limoges, croyait-on, personne ne savait exactement.

Louise posa les draps par terre sans prévenir personne, quitta l'immeuble, héla un taxi en tenant à la main la carte de l'hôtel qui n'avait cessé d'occuper ses pensées depuis sa découverte.

La voiture aborda le boulevard Montparnasse.

– Je vais m'arrêter là, dit Louise.

Elle termina à pied.

Elle refit, dans le sens inverse, le chemin qu'elle avait emprunté quelques semaines plus tôt, nue, couverte de sang, totalement perdue, sous les hurlements des klaxons et le regard affolé des passants...

La réception était vide.

Elle s'avança jusqu'au comptoir où était posée une pancarte à l'enseigne de l'Hôtel d'Aragon destinée aux clients. Ce n'était plus le même motif que sur sa carte, avec des arabesques censées faire espagnol, c'était plus moderne à présent.

De quand datait celle-ci ?

L'entrée de la vieille femme la prit au dépourvu. Toujours aussi maigre, chancelante, le visage fermé, sévère, sa mantille sur les épaules sous laquelle on apercevait une robe noire à boutons de nacre. Sa perruque était légèrement de travers.

Louise avala péniblement sa salive lorsqu'elle l'entendit dire :

– Bonsoir, mademoiselle Belmont...

Elle n'avait pas un bon regard, toute sa personne exhalait la rancune.

D'un geste sec, elle désigna le petit salon qui jouxtait la réception et ajouta :

– Pour discuter, on sera mieux là-bas...

# 14

Le pont à peine effondré, Gabriel et Landrade s'étaient mis à courir. La mitraille derrière eux s'était intensifiée. Ils rejoignirent quelques camarades qui couraient moins vite, dépassèrent un camion qui brûlait. Autour, tous les arbres étaient décapités, déchiquetés à hauteur d'homme, des cratères trouaient le chemin forestier à perte de vue.

Ils arrivèrent à l'endroit où avaient stationné les éléments de la 55e division qu'ils étaient venus soutenir et d'où on les avait envoyés sur le pont de la Tréguière.

Il n'y avait plus personne.

Plus trace du lieutenant-colonel qui pestait contre le manque d'effectifs, ni de son état-major, ni des unités qui avaient campé là quelques heures plus tôt, plus rien que des tentes effondrées, des cantines éventrées, des bardas abandonnés, des documents épars qui s'envolaient, des fusils-mitrailleurs détruits dont les restes s'enfonçaient dans la boue. Un camion portant un canon brûlait, la fumée vous prenait à la gorge, ce désert militaire puait l'abdication.

Gabriel se précipita sur le poste de transmission. Ce qu'il en restait, c'était deux radios réduites en miettes, les communications étaient coupées, le petit groupe était seul au monde. Gabriel s'essuya le front, moite de sueur.

Tous se retournèrent et virent alors, à cinq cents mètres de là, déboucher les premiers panzers qui s'étaient frayé un chemin dans les Ardennes, accompagnés de véhicules à chenilles.

La colonne militaire émergea de la forêt comme le mufle d'un monstre lent, mais furieux, conquérant, prêt à avaler ce qui passerait à sa portée.

Ce fut le signal. Tous se précipitèrent dans le fossé, escaladèrent la paroi opposée aussi vite qu'ils le pouvaient et s'enfoncèrent en courant dans le sous-bois. Quelques centaines de mètres plus loin, ils butèrent sur un sentier où une autre colonne de blindés allemands avançait rapidement, bouchant le passage, l'ennemi arrivait de partout à la fois.

Ils refluèrent, le dos courbé, et se tapirent à bonne distance, à l'abri de quelques bosquets, attendirent longtemps, la colonne de chars n'en finissait plus de passer, indifférente aux tirs de l'artillerie française qui, faute d'une aviation qui leur aurait permis de les repérer, arrosait la zone en aveugle, tirant tantôt trop à gauche, tantôt trop loin, seuls deux obus, en une demi-heure, eurent la chance de trouver leur cible. Insensible à la douleur, la colonne allemande sacrifia là trois chars, dont la dépouille fumante fut aussitôt contournée.

Gabriel, qui avait commencé à dénombrer les véhicules, en perdit le compte. Plus de deux cents chars sans doute, et des voitures blindées, des motocyclistes… Une armée entière envahissant le pays défilait sous les yeux de cette poignée de soldats français battus, épuisés, démoralisés et terriblement seuls.

– On a été trahis…, murmura quelqu'un.

Gabriel le regarda. Qui avait trahi qui, il n'en n'avait pas la moindre idée, mais le mot, obscurément, lui convenait.

Raoul Landrade, lui, avait allumé une cigarette dont il dispersait la fumée en agitant la main. Il chantait entre ses dents :

– Nous vaincrons parce que nous sommes les plus forts !

L'artillerie française avait-elle été détruite ou faite prisonnière, nul ne pouvait le dire.

Soudain, les tirs français cessèrent, l'armée allemande était passée, laissant derrière elle un paysage de forêt dévastée, des ornières profondes comme des cadavres, des nids-de-poule de la hauteur d'une roue de camion.

Les hommes se levèrent, leur regard passa sur ce paysage ravagé, abandonné, auquel ils s'identifiaient.

Personne ne savait quoi faire.

Les traces des véhicules et des chars montraient clairement que l'armée allemande se dirigeait vers l'ouest. Gabriel était le seul sous-officier.

– Je propose de prendre vers l'est…, hasarda-t-il.

Landrade, premier debout, se mit au garde-à-vous, les reins cambrés et, la cigarette au coin des lèvres, répondit par un salut martial et rigolard :

– À tes ordres, mon sergent-chef !


Ils marchèrent une heure, partageant l'eau de deux bidons sauvés de la catastrophe, parlant peu, en hommes accablés par ce qui, la veille, semblait impensable. Des boxeurs sonnés. Landrade fumait à l'arrière du groupe à la manière d'un flâneur que la situation aurait amusé.

Depuis un moment, la lumière entre les arbres laissait deviner qu'on atteignait enfin le bout de la forêt. On pressait le pas. Où était-on, personne ne le savait, ça n'avait guère d'importance, les esprits ne fonctionnaient plus. Ceux qui se retournaient montraient un visage anxieux, on se sentait suivis, l'ennemi était à la trace, il fallait avancer. Fuir. À quelques kilomètres de là, vers l'ouest, la bataille faisait rage, le halo des tirs d'artillerie provoquait dans le ciel des lueurs orangées.

Ils retrouvèrent d'autres soldats éperdus qui venaient de partout. Trois fantassins, un artilleur, un type du ravitaillement, deux provenaient du train... Comment se trouvaient-ils ensemble à cet endroit, c'était un mystère.

– Vous venez d'où ? demanda un grand jeune homme avec une petite moustache blonde qui marchait près de Gabriel.

– Le pont sur la Tréguière.

Le soldat fit une moue dubitative, il ne savait pas ce que c'était, Gabriel y aurait laissé sa peau que ça n'aurait intéressé personne.

– Et toi ?

Mais le soldat n'entendit pas la question. Poursuivant la pensée qu'il mâchonnait depuis un moment, il ralentit le pas un court instant pour souligner sa stupéfaction :

– Des Allemands en uniforme français, tu te rends compte ?

Gabriel l'interrogea du regard.

– C'est des Allemands déguisés en officiers français qui ont donné l'ordre de faire retraite !

Il avait repris sa marche et parlait avec des trémolos dans la voix, comme sous le coup d'une vive émotion.

L'affirmation sembla incongrue à Gabriel, cela dut se voir sur son visage parce que le jeune homme reprit, véhément :

– Absolument ! Des espions qui parlaient français comme toi et moi ! C'est eux qui ont donné l'ordre de repli et tout le monde y a cru ! Ils avaient des papiers de l'état-major, des faux, bien sûr !

Gabriel se souvenait surtout d'une horde débouchant de la forêt ardennaise...

– Tu les as vus, ces papiers ? demanda-t-il.

– Pas moi, mais notre capitaine, oui !

Mais où était passé ce capitaine, personne ne le savait.

Le groupe, atteignant l'orée de la forêt, déboucha sur une petite route où quelques réfugiés surgis de nulle part pressaient le pas en poussant des charrettes, de temps à autre dépassés par une voiture ou quelques cyclistes dont certains criaient au passage : « Grouillez-vous ! Traînez pas ! »

Le cortège disparate allait à trois vitesses, les voitures disparaissaient vite, les vélos lentement, les gens à pied marchaient d'un pas mécanique et lent, comme dans une procession funèbre.

Gabriel s'apprêtait à emprunter la route à son tour lorsque son attention fut attirée par un groupe arrêté au bord de celle-ci, trois militaires autour d'une carte étalée sur la roue d'un side-car renversé portant l'emblème du 66e RI dont on n'avait vu aucun soldat. En fait, deux officiers entouraient le troisième, gravement penché sur la carte. Gabriel s'avança pour apercevoir ses galons. Un général. C'était une scène parfaitement immobile, une sorte de tableau de genre. Les trois militaires figés comme des cierges. Ce qui frappait, c'était le profil du général, l'air stupéfait, abasourdi, d'un homme sidéré par un spectacle totalement étranger à ses catégories. Gabriel, regardant autour de lui, parvint sans effort à apparier l'image de ce général pétrifié, cherchant la solution à un problème dont les données lui échappaient, et celle de ce groupe de soldats dépenaillés qui, dans le désordre, avaient commencé à suivre les paysans, les charrettes et les bœufs...

Au bruit, il semblait que la bataille derrière eux s'était éloignée vers l'ouest. Retardé par le triste spectacle de ce général scrutant sa carte, Gabriel dut accélérer le pas pour ne pas perdre le contact avec son groupe, mais de groupe, il n'y en avait déjà plus, il s'était étiré sur la route, s'était dissous.

Il fut surpris par la survenue de Landrade, réapparaissant comme un diable sortant de sa boîte, souriant malgré les circonstances.

– Quelle merde, hein ! Viens par ici !

Il le prit par la manche et le tira jusqu'à une voiture, une Novaquatre beige clair garée le long du fossé, capot ouvert.

– J'ai quelqu'un ! dit triomphalement Landrade en désignant Gabriel.

Le conducteur, un homme brun et large d'épaules, attendait en compagnie d'une jeune femme, son épouse sans doute. Il tendit la main à Gabriel en disant :

– Filipe.

La jeune femme était petite, brune, effacée. Assez jolie. Était-ce pour cette raison que Raoul les aidait ? L'homme était souriant, reconnaissant de l'aide qu'on lui apportait.

– Leur moteur a calé, dit-il à Gabriel. On va les pousser.

Et, sans attendre la réponse, il ajouta :

– Je me mets au volant. Toi, tu vas pousser par le côté, eux par-derrière. Allez, au boulot !

Il se pencha vers Gabriel et murmura, hilare : « C'est des

rastaquouères ! » puis il ouvrit la portière et saisit le volant. La voiture était pleine de cartons et de valises.

– Du nerf ! hurla-t-il.

Gabriel empoigna à son tour la carrosserie à la hauteur du siège du passager et se retourna. Le jeune couple, à l'arrière, les mains à plat sur le capot, grimaçait en poussant le véhicule qui s'arracha lentement du bas-côté.

Ils furent alors dépassés par un véhicule roulant vite, dans lequel Gabriel reconnut le général qu'il avait vu éperdu devant sa carte d'état-major.

Un peu plus loin, la route descendait en léger faux plat, le véhicule prit insensiblement de la vitesse, le moteur hoqueta, Gabriel redoubla d'efforts, puis tout à coup, dans une sorte de sanglot, la voiture démarra.

– Saute ! cria soudain Landrade.

La portière avant était ouverte. Sans réfléchir, Gabriel monta sur le marchepied et s'assit à côté de Landrade, qui accéléra brutalement.

– Qu'est-ce que tu fous ? hurla-t-il en se retournant.

Landrade, à grands coups de klaxon, obligeait les charrettes à lui céder le passage. Gabriel vit derrière eux, déjà loin, le jeune couple qui regardait s'enfuir sa voiture. L'homme brandissait le bras, Gabriel en ressentit une peine terrible, mais la rage fut la plus forte, il attrapa Landrade par le coude pour l'obliger à s'arrêter. La réponse fusa sous la forme d'un poing fermé qui cueillit Gabriel au coin de la bouche, sa tête heurta le montant de la carrosserie, il se tint la mâchoire.

À demi assommé, il ne parvenait pas à retrouver ses esprits, il voulait descendre, c'était confus, c'était trop tard, le défilé des fuyards à cet endroit s'était clairsemé, la voiture roulait à cinquante à l'heure.

Landrade commença à siffloter.

Gabriel cherchait autour de lui de quoi arrêter le sang qui lui coulait sur le menton et jusque dans le cou.

# 15

– Face à la violence inouïe de l'attaque allemande sur le front de la Meuse, nous sommes fiers de vous confirmer que la valeureuse armée française oppose une résistance héroïque. Et victorieuse ! Partout, les contre-attaques françaises et alliées sèment le désordre et le doute dans les rangs teutons.

Dès ses premières conférences de presse, Désiré avait repéré les sceptiques, les dubitatifs, ceux qui ne s'en laisseraient pas conter. C'est vers eux qu'il se tournait lors des passages névralgiques, c'est à eux qu'à travers ses épaisses lunettes il adressait son regard le plus patriotique.

– Les Allemands attaquent avec acharnement, mais le commandement français achève la mise en place du mur qui va s'opposer à la ruée de l'envahisseur. En aucun point l'ennemi n'a entamé nos lignes principales de défense.

Il y eut un petit brouhaha. Les affirmations péremptoires de Désiré Migault faisaient du bien à tout le monde.

– Dites-moi, monsieur Migault…

Il fit mine de chercher d'où venait la voix, ah, là-bas, sur la droite, oui ?

– Les Allemands devaient attaquer par la Belgique, mais ils attaquent également par la Meuse…

Désiré opina gravement de la tête.

– En effet. Les stratèges allemands ont imaginé que notre armée serait désorientée par une diversion sur le front est, démarche bien naïve pour qui connaît la lucidité de notre état-major.

La formule déclencha ici et là quelques petits rires vite étouffés.

Le journaliste s'apprêtait à reprendre la parole, lorsque Désiré leva un index vertical qui l'interrompit dans son élan.

– Il est naturel de s'interroger. Mais à condition que ces questions n'entraînent pas chez les Français l'incrédulité, voire le soupçon, qui, à l'heure de la bataille décisive, sont des sentiments antinationaux et antipatriotiques.

Le journaliste ravala sa question.

Désiré achevait toujours ses conférences de presse par une courte tirade en forme de synthèse, dont chaque terme était destiné à renforcer, si besoin en était, la confiance en l'armée française et, par ricochet, dans les communiqués du ministère.

– Nos chefs, successeurs de Foch et Kellermann, en pleine possession de leurs compétences et de leurs nerfs, notre aviation d'une valeur insurpassable, nos chars d'assaut infiniment supérieurs aux blindés allemands, notre infanterie d'une bravoure hors pair… Autant d'éléments indiscutables qui donnent tout son sens à cette glorieuse certitude : la lutte se poursuivra jusqu'à la victoire française.

La réalité avait hélas tendance à aller à l'encontre des désirs de l'armée française, contraignant Désiré à la surenchère.

À l'image de l'escalade de la violence sur les régions du nord et de l'est, plus les nouvelles du front étaient inquiétantes, plus les affirmations de Désiré se faisaient péremptoires.

Un matin, il demanda au sous-directeur s'il estimait que le ministère était la voix la plus efficace pour influencer le moral des Français.

Le sous-directeur recula dans son fauteuil. Il agita l'index, poursuivez.

– Malgré leur exactitude, ces communiqués sont la « parole officielle » et, à ce titre, ils éveillent toujours dans le public une certaine méfiance. Si j'osais...

– Osez, mon vieux, osez !

– Eh bien, je dirais que les gens accordent spontanément moins de crédit à un message officiel qu'à un... propos de bistrot.

– Vous voulez faire vos conférences au bistrot ?

Désiré partit de ce petit rire sec et nerveux que le sous-directeur attribuait aux esprits supérieurs.

– Certes pas, monsieur ! J'ai songé à la radio.

– C'est d'un vulgaire ! hurla aussitôt le sous-directeur. On ne va tout de même pas s'abaisser au niveau de... Radio-Stuttgart ! Au niveau de ce traître de Ferdonnet !

On n'appelait jamais Paul Ferdonnet autrement que ce « traître-de-Ferdonnet ». Grand ordonnateur de Radio-Stuttgart, à la solde des Allemands, il avait été condamné à mort en mars par le 3ᵉ tribunal militaire de Paris, les fausses nouvelles qu'il véhiculait destinées à saper le moral des Français – voire à les pousser à déposer les armes – ayant été considérées comme des actes de traîtrise caractérisés. Le bonhomme ne manquait pas de perfidie et quelques-uns de ses slogans avaient fait mouche : « L'Angleterre fournit les machines, alors que la France fournit les poitrines », « Les canons ne touchent jamais les bureaux des généraux », « Pendant que vous êtes mobilisés, les affectés spéciaux, restés dans les usines, couchent avec vos femmes »... Désiré avait trouvé cela très efficace et pensait qu'il y avait là matière à réflexion et peut-être même modèle à creuser.

— Je me suis demandé quel impact aurait une chronique quotidienne, à une heure de grande écoute, où un fonctionnaire, sous couvert d'anonymat, dirait... tout ce que l'administration ne peut pas dire.

Désiré développa l'idée selon laquelle, rien n'étant plus crédible qu'une parole officieuse, les Français seraient portés à croire ce que leur dirait une autorité... à condition qu'elle le fasse sous le manteau.

— Le Français entretient avec son poste de TSF une relation intime, quasiment charnelle. Il a le sentiment que le speaker lui parle, ne parle qu'à lui. Rien n'est plus indiqué que la radio pour maintenir la confiance du pays.

Le sous-directeur prit un air incrédule qui, chez lui, servait à masquer l'enthousiasme.

— Nous devons montrer à Radio-Stuttgart, reprit Désiré, que nous aussi nous connaissons notre ennemi, que nous le connaissons même très bien !

C'est ainsi que naquit, sur les ondes de Radio-Paris qui émettait sur l'ensemble du territoire, *La Chronique de M. Dupont*, qui s'ouvrait sur une introduction, toujours la même, annonçant que, sous couvert d'anonymat, un membre éminent de l'administration française parfaitement informé en raison de son rang élevé répondrait aux questions posées par courrier par les auditeurs.

« Double bénéfice ! assurait Désiré. L'auditeur aura le sentiment que c'est à ses questions que l'on s'intéresse et qu'on le juge assez mûr pour partager des informations stratégiques. »

– Bonsoir à tous. Monsieur S., de Toulon (Désiré tenait à la précision géographique qui, selon lui, « enracinait la question dans une véracité topographique », expression que son supérieur avait trouvée admirable), me demande « pour quelle raison l'Allemagne, après une année d'immobilité, s'est soudain décidée à passer à l'offensive ». (Désiré avait intercalé ici une brève musique destinée à souligner la qualité de la question et à valoriser l'importance de la réponse.) Je dirais : l'Allemagne ne pouvait pas faire autrement. C'est un pays ruiné économiquement et moralement, où l'on manque de tout, où les queues s'étirent devant des magasins désespérément vides. Pour éviter une révolution, Hitler était contraint d'attaquer, de créer une diversion pour tenter d'endiguer la profonde désaffection des Allemands vis-à-vis du national-socialisme. Il faut bien prendre conscience de ce qu'est ce pays aujourd'hui, une nation exsangue, vidée de toute substance, aboulique. L'offensive allemande n'est rien d'autre qu'un geste désespéré du pouvoir nazi pour tenter de redonner à l'Allemagne une perspective, un espoir. De gagner du temps.

Désiré ne s'était pas trompé. Dès la première émission, Radio-Paris reçut des centaines de courriers posant toutes sortes de questions à M. Dupont. Cette chronique était un incontestable succès, que le sous-directeur fut heureux de présenter en haut lieu comme une initiative personnelle.

– Bonsoir à tous. Une auditrice, madame B., de Colombes, me demande de préciser ce que j'ai appelé ici « le manque de tout en Allemagne ». – *Musique*. – Nous disposons d'innombrables exemples de ce qui manque en Allemagne. La pénurie de charbon, par exemple, se fait cruellement sentir. On a vu des mères emmener leurs enfants dans des cimetières afin qu'ils se réchauffent les mains sur les incinérateurs. L'usage du cuir étant réservé à l'armée, les femmes portent des peaux de poisson pour tenter de se protéger du froid. Pour la cuisine, elles ne disposent plus de pommes de terre, seule nourriture des régiments, ni de beurre, exclusivement utilisé à graisser les armes. Aucun foyer n'a vu depuis plus d'un an ni un grain de riz ni une goutte de lait, on ne peut manger un morceau de pain qu'un jour par semaine. Et c'est évidemment sur les plus faibles que ces manques provoquent les plus graves dégâts. Les jeunes mères sous-alimentées donnent naissance à des bébés chétifs. Plus de soixante pour cent des enfants allemands sont rachitiques. Les restrictions expliquent sans doute l'effroyable expansion de la tuberculose partout dans le pays. Des millions d'écoliers allemands se rendent chaque jour à l'école sales comme des peignes, faute de savon.

Au fil de ses chroniques, Désiré laissait perler quelques informations sur les Français eux-mêmes, destinées à les rasséréner.

– Il est tout à fait faux de dire, expliqua-t-il un soir, que les Français manquent de café. Le café ne manque pas puisqu'on en trouve. Mais les Français adorent le café, ils n'en ont jamais suffisamment. Aussi, comme ils ne trouvent pas toujours *tout* le café qu'ils souhaiteraient, ont-ils l'impression (évidemment fausse) d'un manque.

Les syllogismes de Désiré Migault faisaient l'admiration de la moitié du Continental et exacerbaient dans l'autre moitié de sourdes rivalités, des jalousies. Dans les couloirs, on raillait d'autant plus que, en haut lieu, on se déclarait très satisfait de cette vigoureuse contre-offensive française en matière d'information, secteur où les Allemands se montraient depuis belle lurette particulièrement efficaces et dangereux.

M. de Varambon s'était fait le leader de la fronde souterraine anti-Désiré. C'était un homme tout en longueur, longueur de jambes, de phrases et même de pensées, c'est d'ailleurs ce qui le sauvait. Quand il attrapait une idée, il n'en démordait plus et labourait le terrain avec une admirable conviction, un entêtement quasi animal. C'est lui qui avait sournoisement mis dans les pattes de Désiré, quoique sans succès, M. Thong, le secrétaire au service de la Main-d'œuvre indigène. Il trouvait surprenant que personne n'ait jamais entendu parler de Migault avant son arrivée au Continental.

Le sous-directeur écarquilla les yeux.

– Parce que la recommandation de M. Cœdès, directeur de l'École française d'Extrême-Orient, ça n'est donc rien pour vous !

M. de Varambon changea de cap et fit le tour des services. Hormis ce M. Cœdès que nul ici n'avait jamais vu, personne n'avait jamais eu affaire, de près ou de loin, à Désiré Migault.

175

– Dites-moi, jeune homme…

Désiré s'était retourné et avait, d'un geste précipité, remonté ses lunettes.

– Monsieur ?

– Avant le Continental, avant Hanoï, où étiez-vous donc ?

– En Turquie, monsieur. Principalement à Izmir.

– Alors… vous connaissez Portefin ?

Désiré plissa les yeux, il cherchait…

– Enfin, Portefin ! répétait de Varambon. Il est tout ce qu'il y a de plus important en Turquie !

– Ce nom ne me dit rien… Où était-il en poste exactement ?

De Varambon fit un geste agacé, laissez tomber, il se retourna et remonta le couloir à grands pas. Son piège n'avait pas fonctionné et, comme chaque fois qu'il essuyait un échec, il y puisait des forces nouvelles. Il allait poursuivre l'enquête.

De son côté, Désiré reprit son chemin. Il connaissait parfaitement ce petit vent qui précédait les moments de révélation, il en avait connu toute sa vie, il était alors grand temps de penser à une retraite stratégique.

Pour la première fois de son existence, quitter un rôle lui coûtait. C'était prématuré. Il adorait ce qu'il faisait de cette guerre. Quel dommage !

# 16

L'hôtelière avait croisé les mains sur ses genoux, bouche revêche, visage fermé, rancunier. Ses yeux gris fixaient Louise comme ceux d'un oiseau de mauvais augure. Louise, elle, avait peur de ce qu'elle allait entendre et ne savait par où commencer. Chacune restait donc enfermée dans son silence, la jeune femme la tête baissée sur les motifs du tapis, la propriétaire, le regard sur sa proie captive avec un air de défi...

Louise enfin fit un effort pour décrisper ses doigts de la sangle de son sac et dit d'une voix dont elle tenta de maîtriser le vibrato :

– Madame...

– Trombert. Adrienne.

C'était dit comme une gifle. Peu importait la manière dont la discussion s'ouvrirait, sur cela ou sur autre chose, l'hôtelière guettait la première ouverture, elle se précipita :

– Parce que vous trouvez que ça se fait, vous, de venir se tuer chez les gens ?

Que voulez-vous répondre à ça ? Louise revit la chambre, le corps du vieil homme... Elle n'avait pas envisagé la chose sous cet angle, elle se sentit coupable.

– Parce que enfin ! poursuivit l'hôtelière. Il n'avait pas été assez bien reçu ici, le docteur ? avec sa poule ? Il ne pouvait pas faire ça ailleurs ? La mère ne lui suffisait pas, il lui fallait aussi la fille ?

Louise reçut le coup à l'estomac, réprima une nausée.

L'hôtelière se pinça les lèvres. Ç'avait été plus fort qu'elle, c'est la phrase qu'elle avait envie de dire depuis le début, qu'elle s'était répétée des jours entiers et qui, dans l'ombre de sa réception, lui semblait la formule idéale, l'expression parfaite pour exprimer sa rancœur, mais à s'entendre la prononcer ainsi, à voix haute, ça n'avait plus la même allure.

Ce fut son tour de regarder le tapis, elle regrettait, elle n'avait pas un mauvais fond, seulement de la colère.

– C'est que, toutes ces démarches…

Elle ne parvenait plus à regarder Louise en face, tournait et retournait nerveusement son alliance.

– Vous imaginez… La police !

Elle releva la tête.

– Nous n'avons jamais eu de problèmes ! C'est un hôtel bien tenu ici, pas un…

Le mot resta en suspension dans l'air. On y était. C'était une affaire de « bordel ». Une affaire de putain.

– Après… *l'accident*, les clients menaçaient de partir, mademoiselle ! Ils ne voulaient plus loger ici, des *habituels*, qui étaient là depuis des années…

Elle était anéantie par les conséquences de cet événement sur son établissement, sur le commerce, la clientèle, le chiffre d'affaires.

– Et forcément, après, aucune fille n'acceptait plus d'entrer dans cette chambre pour faire le ménage, vous comprenez ? C'est moi qui…

Louise était ailleurs, submergée par le trouble que cette expression de « mère et fille » avait provoqué. Elle comprenait qu'il puisse s'agir d'elle, somme toute, elle s'était conduite en catin, mais sa mère...

– Il y en avait partout, du sang, jusque dans l'escalier. Et cette odeur... À mon âge, vous trouvez ça normal ?

– Je suis prête à payer...

Louise avait des économies, elle aurait dû y penser, venir avec de l'argent... L'offre fit plaisir, ça se vit tout de suite.

– C'est gentil, mais pour ça, ils ont été corrects, je veux dire, la famille du docteur. Ils ont envoyé quelqu'un, un notaire ou quelque chose comme ça, ils n'ont pas discuté les frais, ils ont réglé des *dommagements*.

Ça allait mieux, on avait parlé d'argent, évoqué les difficultés avec la clientèle, elle avait prononcé la phrase qu'elle avait sur le cœur depuis près d'un mois et, même si l'expression n'avait pas eu la même efficacité qu'en son for intérieur, elle était soulagée, elle soupira.

Pour la première fois, elle regarda Louise, non pas la créature qui lui avait causé tant de problèmes, mais la jeune femme réelle, confuse et fébrile assise dans le fauteuil d'en face.

– Vous ressemblez tellement à votre maman... Comment va-t-elle ?

– Elle est morte.

– Oh...

Le compteur des années tournait à toute vitesse dans la tête de Louise. Le docteur pouvait-il être son père ?

– Ma mère, vous l'avez connue... quand ?

L'hôtelière plissa les lèvres.

– Je dirais... 1905. Oui, c'est ça, début 1905.

Louise était née en 1909.

Ce qui menaçait de s'imposer lui coupa le souffle. Imaginer qu'elle s'était mise nue devant... C'était impossible.

– Vous êtes sûre que c'est ma mère qui...?

– Ah ça, ma petite, pas l'ombre d'un doute. C'était bien Jeanne votre maman, non?

Louise avait la gorge sèche. Sa mère fréquentant les hôtels, c'était assez difficile à concevoir. Faisait-elle clientèle? À dix-sept ans? Comme si elle était l'accusée elle-même, Louise passa à l'attaque :

– Elle était mineure...

Soudain heureuse, l'hôtelière tapa dans ses mains.

– C'est exactement ce que je disais à mon mari-le-pauvre-paix-à-son-âme. «René, notre établissement n'est pas le genre à recevoir des couples, comme ça, en journée! Pourquoi pas à l'heure, pendant que tu y es!» Mais lui, comprenez-vous, il était ami d'enfance avec le docteur, ils étaient à la communale ensemble, il a insisté, insisté, ça resterait une exception, j'ai dit oui, que voulez-vous, quand on est mariés, il faut faire des *conceptions*...

Cela ne fit pas rire Louise.

– D'ailleurs, poursuivait l'hôtelière, tout se passait très correctement, je n'aurais pas accepté autrement! Ils venaient une fois ou deux par semaine, plutôt deux. Ils arrivaient un peu avant midi, le docteur payait la chambre, ils repartaient en début d'après-midi. Très corrects, rien à dire. Votre maman restait toujours un peu en arrière, elle était impressionnée.

Il ne servait à rien de fuir la vérité, Louise se lança :

– Ils sont venus combien de temps?

– Un an, je dirais... Oui, jusqu'en 1906, en fin d'année, je m'en souviens, c'était au moment du mariage du cousin de mon mari, tout le monde venait de province, nous n'avions plus de chambre disponible. Je me disais, s'ils viennent cette semaine, ils devront aller ailleurs et justement, ils ne sont pas venus. D'un coup, on ne les a plus vus.

Avaient-ils changé d'établissement ? L'hôtelière sembla comprendre la question.

– Ils ne se voyaient plus. Le docteur l'a dit à mon mari. À ce que j'ai cru comprendre, ça lui faisait de la peine, au docteur.

Ce fut un soulagement. Leur relation s'était arrêtée trois ans avant sa naissance. Elle n'était pas la fille du docteur.

– C'est pour ça que je n'ai pas été surprise quand ils sont revenus. En 1912.

Louise devint blême. Sa mère était mariée depuis cinq ans.

– Vous voulez une tasse de thé, peut-être ? ou de café ? Oh non, pardon, je crois que nous n'avons que du thé, le café, c'est diff…

Louise l'interrompit :

– 1912 ?

– Oui. Ils sont revenus comme avant. Mais plus souvent. Le docteur, comme d'habitude très correct, il laissait toujours un pourboire pour les femmes de chambre et votre mère n'était pas le genre dévergondé, si ça peut vous rassurer. On sentait bien que c'était une histoire… romantique, si on peut dire.

Louise avait alors trois ans, c'était autre chose. Ce n'était plus une passion de jeunesse, mais un adultère.

– Finalement, je prendrais bien du thé.

– Fernande !

Ça ressemblait à un cri d'animal, de paon ou de volaille.

Une jeune femme assez forte, en tablier, se montra, visage maussade.

— Madame ?

L'hôtelière passa sa commande en ajoutant « ma petite Fernande », comme elle faisait toujours devant la clientèle.

Louise cherchait à retrouver ses esprits.

— Votre mère ne vous a donc parlé de rien ?

Louise hésita. Répondre, c'était jeter une pièce en l'air, l'hôtelière s'ouvrirait ou se fermerait, c'était un pari, elle se lança :

— Non. Je veux seulement comprendre...

Fausse route, l'hôtelière venait de se refermer, elle regardait ses ongles.

— Sur son lit de mort, ma mère m'a seulement dit : « Je vais tout te dire, j'espère que tu comprendras... », mais elle n'en a pas eu le temps, elle est morte.

Grâce à ce mensonge, Louise venait de rattraper son handicap. L'hôtelière avait la bouche ouverte. Cette histoire de défunte désireuse de confier un secret passionnel à sa fille comblait ses manques les plus profonds parce qu'elle avait épousé un ancien gendarme impuissant, n'avait jamais eu le courage de prendre des amants et, faute de disposer d'une oreille compatissante, n'en avait jamais parlé à personne.

— Ma pauvre petite, dit-elle en se lamentant sur elle-même.

Louise baissa pudiquement les yeux, mais ne perdit pas le nord :

— Ils sont revenus en 1912, dites-vous ?

— Deux ans à nouveau. Après, ce fut la guerre, on pensait à autre chose qu'à la gaudriole. Quelle époque...

Le thé arriva, fade et tiède.

– Quand vous êtes venue, le jour de l'alerte, je vous regardais, je me disais, c'est incroyable ce qu'elle ressemble à la petite Jeanne, quel drôle de hasard (je l'appelais comme ça, «la petite Jeanne», à cause de son âge, comprenez-vous). Deux jours plus tard, quand j'ai vu le docteur arriver, je me suis dit, oh là là, il y a *aiguille sous roche*. Ce qu'il avait vieilli... À peine reconnaissable. Il avait été sacrément bel homme, je peux vous le dire, mais c'est comme ça, moi, mon mari-le-pauvre-paix-à-son-âme, il avait été beau garçon aussi, mais à la fin, il avait tout en double, le menton, le ventre, les cuisses, enfin, voilà... Où j'en étais? Ah oui, le docteur arrive, il demande la chambre 311, comme il faisait autrefois, il met l'argent sur le comptoir, j'étais tellement estomaquée que je lui ai donné sa clé sans mot dire. «Quelqu'un va venir pour moi», il a dit comme ça. J'ai tout de suite pensé à la petite Jeanne. Mais quand je vous ai vue arriver, je me suis dit, mon Dieu, c'est-il donc possible, évidemment non, ça ne pouvait pas être elle, c'était la même exactement que vingt-cinq ans plus tôt, je me suis fait la réflexion : après la mère, voilà la fille.

L'hôtelière buvait son mauvais thé, l'auriculaire vers le plafond, en regardant Louise par-dessus sa tasse. Elle avait quand même replacé sa phrase une seconde fois, elle était contente.


Louise relut les cartes postales de la guerre. Tout maintenant prenait un relief nouveau. Et triste. Mme Belmont avait vécu une aventure passionnée avec le docteur Thirion. Avait-elle jamais aimé son mari ? Peut-être Adrien lui-même ne l'avait-il jamais aimée non plus, allez savoir, leurs lettres à tous deux étaient d'une telle banalité.

Louise était blessée parce qu'elle était le fruit d'une histoire plate, terriblement conventionnelle, mais aussi parce qu'elle n'avait jamais imaginé sa mère en amoureuse, ça lui semblait incongru. Comme s'il était question de deux femmes distinctes. Elle devinait maintenant quel continent la dépression de Mme Belmont avait masqué. Un mystère demeurait. Ce qu'elle venait d'apprendre n'expliquait pas le geste du médecin venu, vingt-cinq ans plus tard, se suicider devant la fille de son ancienne maîtresse. Pas plus que...

Louise se figea, prit une profonde inspiration. Était-il possible que...

Elle posa les cartes postales, enfila son manteau, quitta la maison et entra d'un pas résolu à La Petite Bohème. Mais, au lieu de se diriger vers le bar où M. Jules essuyait les verres, elle tourna sur sa gauche et s'installa à la table du docteur.

De là, à travers la vitrine, on voyait la façade de la maison de Louise.

La maison de Jeanne Belmont.

M. Jules souffla, balaya le zinc de son torchon mouillé, il était seize heures, il n'y avait personne dans la salle, il prit son temps.

Louise, assise et serrée dans son manteau, ne bougeait pas. M. Jules alla jusqu'à la porte d'entrée, l'ouvrit, jeta un œil dehors comme s'il était soudain curieux de voir la rue, le voisinage, qu'il trouvait cela passionnant à observer, puis enfin, il referma la porte, retourna l'écriteau annonçant d'un côté « Ouvert », de l'autre « Fermé », et d'un pas traînant vint s'asseoir en face de Louise.

– Bon... Faut qu'on parle, c'est ça que tu veux ?

Louise ne répondit pas. M. Jules regardait ici et là, la salle vide, le comptoir...

– Tu vas me demander... Bon, qu'est-ce que tu vas me demander ?

Elle l'aurait giflé.

– Vous savez tout depuis le début et vous ne m'avez jamais rien dit...

– Je sais tout, je sais tout... Je sais une ou deux choses, pas plus, Louise !

– Alors, vous allez commencer par me raconter tout ça.

M. Jules traversa la salle. Du comptoir, il demanda :

– Tu prends quelque chose ?

Comme Louise ne répondait pas, il revint en face d'elle en tenant son verre de vin du bout des doigts comme un bien précieux.

– Quand le docteur est venu s'installer là (d'un sourcil, il désigna la table), on était en quoi... 21 ? 22 ? T'avais treize ans ! Tu me vois te dire : « Ma petite Louise, le monsieur que tu vois là, qui vient tous les samedis, eh bien, c'est l'ancien amant de ta mère ! » Franchement...

Louise ne bougeait pas, ne cillait pas, fixait M. Jules d'un regard froid, du genre qui ne pardonne rien. Il lampa une gorgée de vin.

– Et puis après... Le temps passe, tu grandis, il continue de venir ici toutes les semaines, c'est trop tard.

Il poussa un grognement d'ours, comme si ce « trop tard », à lui seul, résumait sa propre vie.

– Ta mère et le docteur, vois-tu, c'était une vieille histoire. Ça remonte à quand on avait, quoi, seize ans ans, dix-sept...

M. Jules avait toujours habité le quartier, ses parents

logeaient rue Ordener. Jeanne Belmont et lui avaient fréquenté la même école. M. Jules devait avoir deux ou trois ans de plus.

– Oh là là, ce qu'elle était belle, ta mère… Comme toi, tiens ! Plus souriante, c'est tout. Le docteur Thirion avait son cabinet en bas de la rue Caulaincourt, tout le quartier venait chez lui. C'est comme ça qu'ils se sont connus. Et tout le monde a été drôlement surpris. Ta mère avait son brevet élémentaire et, au lieu d'aller à l'école d'infirmières comme on pensait qu'elle ferait, voilà-t-il pas qu'elle devient bonne à tout faire et entre au service de la famille du docteur ! Bon, j'ai mieux compris quand j'ai su ce qui se passait entre eux. Au début, j'ai cru que le docteur voulait simplement faire comme les autres, sauter la bonne, c'est tellement fréquent. Mais voilà, c'était pas ça, il était amoureux. En tout cas, c'est ce qu'elle prétendait. Il avait vingt-cinq ans de plus qu'elle ou pas loin. Je lui disais : « Mais enfin, Jeanne, te voilà domestique par amour, quel avenir tu peux avoir avec cet homme-là ? » Rien à faire, elle était amoureuse aussi, en tout cas, c'est ce qu'elle croyait. C'était une romantique, ta mère, tu comprends ? Elle avait lu des romans, c'est jamais bon ces choses-là, ça déforme la tête.

Il but une nouvelle gorgée de vin en remuant la tête, l'air de dire quel gâchis. Louise se souvenait de la bibliothèque de sa mère, des livres lus et relus sans doute, *Jane Eyre, Anna Karénine*, des choses de Paul Bourget, de Pierre Loti…

– C'est tout ? demanda-t-elle.

– Comment ça, « c'est tout » ? Qu'est-ce que tu veux de plus ? Ils étaient amoureux, ils ont couché ensemble, la belle affaire !

M. Jules s'était mis en colère sans se souvenir que

Louise était l'être au monde qui le connaissait le mieux. Elle savait très exactement ce que valait un de ces mouvements d'humeur dont il régalait habituellement sa clientèle.

– Ce que je veux de plus, dit-elle calmement, c'est savoir pourquoi ils se sont quittés au bout de deux ans. Et pourquoi, cinq ans plus tard, ils se sont retrouvés. Comprendre pourquoi, pendant toutes ces années, chaque samedi, il est venu s'installer à cette table. Ce que vous m'avez dit, je le savais déjà, c'est le reste qui m'intéresse.

M. Jules gratta son béret.

– Pour ce qui est de son habitude de venir ici, je ne lui ai jamais demandé de comptes, t'imagines bien... Mais bon (ils se tournèrent vers la vitre, tous deux regardèrent la façade de la maison des Belmont), on devine. Sans doute qu'il voulait la voir, peut-être même qu'il la guettait. Comme elle ne sortait jamais et qu'elle passait son temps à regarder dans la cour, mais de l'autre côté...

Cette image serra le cœur de Louise. Imaginer ces deux êtres, pendant vingt-cinq ans à deux cents mètres l'un de l'autre, regarder tous deux dans des directions opposées en pensant à la même chose donnait le vertige et la plongeait dans une tristesse infinie.

M. Jules s'éclaircit la gorge et poursuivit pour montrer qu'il ne s'était aperçu de rien :

– Quand il est revenu s'asseoir ici, il y a belle lurette qu'il avait déménagé son cabinet. Je ne pensais plus du tout à lui, j'ai même mis un bon moment avant de le reconnaître, mais moi, tu me connais, jamais un mot plus haut que l'autre, pour moi, c'était un client, alors, doigté et discrétion.

Il siffla d'un coup le reste de son verre de vin.

– Je me demandais bien ce qu'il venait foutre là, mais comme il s'asseyait toujours à cette table, la seule qui permette de voir ta maison, enfin, celle de Jeanne, enfin, celle de ta mère... je me suis dit qu'il venait la guetter.

– Et vous n'avez pas pensé à lui dire que le docteur venait là, chez vous, qu'il... ?

– Mais bien sûr que si, enfin, pour qui tu me prends ?

Sa colère, cette fois, n'était pas une posture commerciale. Mais le souvenir de la circonstance le rendit aussitôt morose, comme s'il était fâché contre lui-même.

– Je suis allé lui dire que le docteur venait le samedi. « Qu'est-ce que tu veux que ça me fasse ? » elle m'a répondu, comme ça, du tac au tac. C'est moi qui avais l'air d'un con ! On m'y reprendra à rendre service...

Louise avait fait sa communion avec un an de retard, à treize ans, c'est cette année-là que sa mère s'était installée à la fenêtre et n'en avait quasiment plus bougé. Au moment où M. Jules lui avait appris la présence du docteur. De la fenêtre où elle s'était installée, elle tournait le dos à La Petite Bohème.

Le docteur n'était pas venu pour regarder la maison, mais pour attendre Jeanne.

– Comme elle n'allait pas le voir, j'ai pensé qu'il finirait par se décourager, mais je t'en fiche ! Samedi après samedi, il était là, avec son journal. Ça me faisait triste au début et puis je me suis habitué, je n'y ai plus pensé. Jusqu'à ce qu'il te parle. J'ai bien vu qu'il se passait quelque chose, mais comme tu ne voulais rien me dire... Qu'est-ce que...

Un temps. Puis, comme cette question le taraudait depuis le début :

– Qu'est-ce qu'il t'a demandé exactement, le docteur ? Je veux dire… qu'est-ce qui s'est passé dans cet hôtel… ?

Il n'avait pas d'intention suspecte, il voulait seulement savoir jusqu'où Louise avait souffert. Alors elle raconta, la proposition, l'acceptation, l'argent, la chambre, le coup de feu.

– Bon Dieu, dit M. Jules, quel malheur. C'est pas toi qu'il voulait revoir, c'est ta mère, bien sûr, mais quand même…

Il posa sa main sur celle de Louise.

– C'était bien méchant de te faire une chose pareille… Si je le tenais celui-là !

– Du temps qu'ils étaient ensemble, qu'est-ce qu'elle vous disait du docteur, maman ?

– Bah, elle me disait ce qu'une femme peut dire à un homme quand c'est pas avec lui qu'elle couche !

Louise ne put s'empêcher de sourire.

– Et vous, monsieur Jules, vous avez couché avec elle ?

– Non, mais c'est vraiment parce qu'elle n'a pas voulu…

Il tapota ses poches.

– Vous ne m'avez pas tout dit, monsieur Jules, je me trompe ?

– Quoi, quoi, je t'ai pas tout dit ? Bien sûr que je t'ai tout dit, tout ce que je sais !

Louise s'approcha de lui. Elle l'aimait, cet homme, parce que c'était un grand cœur, un cœur simple. Il n'arrivait pas à lui mentir, il essayait, mais il ne savait pas le faire. Elle ne voulait pas lui faire de mal, elle lui prit la main et la porta à son cou, comme pour la réchauffer.

M. Jules ne savait plus quoi faire. Peut-être à cause de ce qu'il allait lui révéler, parce qu'il allait lui faire encore de la peine ou qu'il allait livrer un secret qui ne lui appartenait pas,

il avait le cœur lourd, mais se contenta de renifler bruyamment.

Elle l'encourageait du regard, comme elle faisait en classe
avec les élèves timides qui hésitaient à se lancer.

– Louise… Ta mère… elle a eu un bébé avec le docteur.

# 17

– Arrête-toi, bon Dieu !

Raoul pila rageusement. La voiture s'arrêta au milieu de la chaussée. Gabriel se retourna. Le couple portugais avait disparu depuis longtemps.

– Bon, voilà ! dit Raoul. Tu vas faire quoi maintenant, hein ?

Autour d'eux, le paysage était plat, morne.

– T'en as pas assez comme ça dans les bottes ? Tu veux te retaper vingt bornes à pied ?

Gabriel, tenant son mouchoir serré sur sa joue, regarda les terres agricoles à perte de vue. Ils étaient sur une route secondaire. On distinguait de loin en loin de grandes fermes perdues dans l'immensité. Quelques bois disséminés ajoutaient à la désolation du paysage.

– Regarde-les…, dit Landrade en désignant des réfugiés qui passaient en charrette, à vélo, certains à pied. Ça va être chacun pour soi maintenant. Si tu ne comprends pas ça, tu n'iras pas bien loin, autant t'asseoir sur une borne et attendre les Boches.

Raoul avait démarré.

– Allez, dit-il en se marrant, c'est pas grave, sergent-chef, tu vas pas nous en faire une pendule !

– On a volé leur voiture ! On pouvait leur demander de nous emmener !

Raoul éclata d'un rire sonore et désigna de la tête le siège arrière encombré de valises et de cartons. Gabriel rougit et, pour prendre une contenance, tourna le rétroviseur afin de mesurer la progression de l'hématome. Sa lèvre inférieure avait enflé.

La faible densité de la circulation donnait l'impression d'aller dans la mauvaise direction. Il y avait une carte dans la boîte à gants, Gabriel s'orienta, ils roulaient vers l'est.

– Tu veux aller où, toi ? demanda Raoul.

– Retourner au Mayenberg...

– Tu rigoles ? Il y a longtemps que les Frisés sont passés par-dessus.

Gabriel repensa à la débandade de son unité. Avoir essayé, avec des moyens dérisoires, d'arrêter une colonne allemande surarmée lui semblait maintenant un geste de folie suicidaire. Ça n'avait servi à rien. Avaient-ils retardé les Allemands de plus d'une heure ? Ça changeait quoi ? Il revit le corps du gros soldat aux lacets flotter sur la rivière, puis observa à la dérobée le profil de Landrade concentré sur la route. Quoique truqueur, menteur et tricheur, lui aussi avait voulu se battre...

Comment tout cela était-il possible ?

L'armée française avait-elle été si mal préparée que cela ?

– On nous répétait qu'ils ne pouvaient pas passer par là, que c'était impossible...

– Quoi ?

Un mot vint à l'esprit de Gabriel :

– On est déserteurs ?

C'était un mot terrible, dans lequel il ne se reconnaissait

pas. Landrade ne partit pas de son rire habituel, agaçant et sonore. Il se frotta le menton, pensivement.

– M'est avis qu'une bonne partie de l'armée est dans le même cas.

– Il y en a quand même bien qui se battent, non ?

Il voulait dire, des gens comme nous, sur le pont de la Tréguière, mais ça n'était pas un exemple bien édifiant parce qu'ils étaient dans une voiture volée en train de s'enfuir le plus loin possible de l'ennemi qu'ils étaient censés combattre. Il avait honte. Landrade lui-même n'avait pas l'air fier de lui.

– Qu'est-ce qui s'est passé ? demanda Gabriel.

– On a été trahis, voilà ce qui s'est passé ! La cinquième colonne, les communistes.

« Trahis, comment ? » voulut demander Gabriel, mais il se tut. Il repensa à ce qu'avait affirmé le soldat à la moustache blonde, des Allemands déguisés en officiers français auraient donné l'ordre de la retraite... Il aurait donc suffi de si peu pour mettre en déroute toute l'armée du pays ? C'était peu croyable. Ce que Gabriel avait vu, c'était des hommes mal équipés, mal armés, dirigés par des officiers mal préparés en quête d'ordres d'un état-major étonnamment absent.

– Il faudrait retourner sur Paris. Se mettre à la disposition de l'état-major.

Raoul se fit évasif :

– L'état-major, oui, bon, on verra. En tout cas, Paris, ça me va. Cela dit, on n'en prend pas le chemin...

Les rumeurs de bataille, sur leur gauche, s'éloignaient. Gabriel observa la carte.

– Si les Boches vont vers l'ouest, on devrait pouvoir repiquer nous aussi un peu plus loin et rejoindre la route de Paris.

Raoul resta silencieux un long moment puis il alluma une cigarette et regarda le ciel bas, cette lumière qui déclinait, le paysage sinistre.

– Qu'est-ce qu'ils doivent se faire chier...

– Qui ça ?

– Les gens, ici... Finalement, pour eux, ici, la guerre, c'est une distraction...

Il avait l'air de le penser réellement.

À la première pause, il entreprit la visite du véhicule. Gabriel s'éloigna pour pisser. Quand il revint, les valises étaient éventrées, les cartons ouverts... On n'en voyait pas le détail parce que la nuit maintenant était tombée, mais il y avait jusque dans le fossé des brassées de vêtements, d'objets de toutes sortes, des couvertures, un bric-à-brac de choses modestes, du genre que l'on rencontrait partout. Bien qu'au cours des deux jours précédents Gabriel ait vu mille fois pire, la vue de ces effets personnels lui serra le cœur.

– Rien à tirer de tout ça, grognait Raoul en balançant les valises vides.

Gabriel laissa faire, la fatigue l'avait saisi, il ne tenait plus sur ses jambes, il rentra s'asseoir dans la voiture. Raoul reprit le volant.

– Toi, mon coco, va falloir que tu dormes... C'est sergent-chef, mais ça a une santé de pucelle.

Il rigolait. Ce type était inusable.

Ils roulèrent longtemps, Gabriel s'abandonna au ronronnement du moteur. Il se sentait obscurément reconnaissant à Landrade de conduire, d'avancer pour deux, lui en était incapable.

– Bordel !

Gabriel sortit brusquement de sa torpeur. La voiture

s'était arrêtée. Raoul amorça une marche arrière jusqu'à une minuscule route sur la droite bordée de peupliers.

– Ça sent bon, tu crois pas ?

Gabriel plissa les yeux, il ne voyait pas ce que l'amorce de cette voie goudronnée qui se perdait dans la nuit avait de si prometteur. Avec l'intuition sans faille des voleurs de grand chemin, Raoul avait flairé le filon, une demeure vaguement aristocratique, assez prétentieuse, un parc planté d'arbres immenses, une grande bâtisse au bout d'une allée dont on devinait le volume massif à travers les deux larges battants du portail en fer forgé devant lequel la voiture s'immobilisa. Les lieux semblaient déserts.

– Je crois qu'on a tiré le gros lot, mon gars.

Raoul sortit la boîte à outils, tenailles, pinces, marteau, dont Gabriel aurait été incapable de se servir. Il tapa et tordit la ferraille, cela faisait un bruit terrible.

– On va se faire repérer, dit Gabriel qui scrutait les environs, mais avec cette nuit noire, on n'y voyait pas à trois mètres.

Un quart d'heure plus tard, le portail céda, accompagné d'un cri de victoire :

– Je l'ai eu, cet enfoiré ! Allez, en voiture Simone !

Les phares éclairèrent bientôt la façade, le gravier crissait sous les roues, les marches du perron devaient servir pour les photos de mariage. Toutes les fenêtres étaient fermées par de lourds volets en bois sombre.

Le temps pour Gabriel de découvrir le chèvrefeuille et les rosiers qui grimpaient à l'étage, Raoul avait rouvert sa boîte à outils et entreprenait de fracturer la porte en grommelant entre ses dents toutes sortes d'insultes qu'il adressait à la serrure, au battant, à la maison, à ses propriétaires et plus généralement à tout ce qui lui résistait et qui le mettait dans une rage folle.

La serrure céda enfin.

Le hall d'entrée était plongé dans la pénombre. Sans hésiter, comme s'il était déjà chez lui, Raoul fila dans le couloir, on l'entendit fourgonner sur la gauche et d'un coup la pièce s'éclaira, il ne lui avait pas fallu deux minutes pour trouver le compteur électrique.

C'était une grande maison de famille en sommeil dans l'attente du retour des propriétaires, fauteuils et canapés recouverts de draps blancs donnant aux meubles des formes mystérieuses et inquiétantes, tapis roulés le long des plinthes comme des insectes en sommeil. Raoul se planta devant une toile, portrait en pied d'un homme ventru, important, avec des favoris qui lui dévoraient les joues, la main posée sur l'épaule d'une femme assise, à l'air hautain et résigné.

– Mords un peu l'ancêtre ! Il a dû en essorer des générations d'ouvriers agricoles et de saisonniers pour se faire construire une baraque pareille, ce salaud-là...

Il attrapa le bas du tableau, tira violemment, le cadre bascula par-dessus lui. Il le tint à bout de bras comme une nappe dont il allait couvrir la longue table du salon, puis, en quatre ou cinq coups sur les dossiers de chaise, il éventra la toile, brisa le châssis et acheva les montants en les cognant sur les arêtes du buffet, Gabriel était soufflé.

– Pourquoi tu...

– Bon, dit Raoul en se frottant les mains, c'est pas le tout, on va voir ce qu'il y a à bouffer, je crève de faim, moi.

Le voyant, quelques minutes plus tard, improviser un repas avec du lard trouvé dans le garde-manger, des conserves de viande, des oignons, des échalotes, du vin blanc, Gabriel se dit que Raoul Landrade était un homme bien plus adapté à la guerre que lui (du moins pour cette guerre-là qui ne ressemblait à aucune autre). Seul, il aurait mâché du lard fumé toute la soirée, alors que Raoul dressa une vraie table de cérémonie, avec vaisselle de Limoges et verres en cristal.

– Va voir nous chercher des chandeliers, ça doit être par là...

C'était là. Lorsque Gabriel revint avec ses chandelles, Raoul avait débouché un vin vieux qu'il avait versé dans une carafe (« Faut que ça s'aère, tu comprends ! »), il s'asseyait et, tout sourire, disait :

– Mon sergent-chef, te voilà servi comme un prince ou je ne m'y connais pas.

Était-ce la lumière des bougies, l'atmosphère de cette maison bourgeoise, l'épuisement provoqué par les heures qu'ils avaient vécues, peut-être cette sorte de solidarité idiote, mécanique que l'on ressent vis-à-vis des gens avec qui on a partagé une expérience, sans doute tout cela à la fois, mais Raoul Landrade ne semblait plus le même homme. Dévorant comme jamais, Gabriel, malgré sa lèvre qui lui faisait mal, le regardait et ne retrouvait pas le truqueur au bonneteau, le trafiquant de vivres, le soldat brutal et expéditif qu'il connaissait. Celui-ci happait la nourriture à grandes fourchettes et souriait comme un enfant.

– « L'ordre est de défendre nos positions sans esprit de recul ! » dit-il en admirant son verre de vin, le bras tendu.

Gabriel ne souriait pas, mais se laissait servir. Lorsqu'il voulut se lever, Raoul dit « Laisse... » et partit à la recherche du moulin à café et de la chaussette en tissu.

– T'es de Paris, alors ? demanda-t-il.

– J'étais en poste à Dole.

Raoul fit une petite lippe, il n'en avait jamais entendu parler.

– C'est en Franche-Comté.

– Ah…

Ça ne lui disait rien non plus.

– Et toi ?

– Oh moi, j'ai bourlingué pas mal…

Il fit un clin d'œil et son visage changea à nouveau, ressemblant à celui qu'il avait au Mayenberg quand, revenant au camion après avoir estampé un boucher ou un restaurateur, il disait : « On l'a bien niqué, celui-là aussi… »

Il était tard. Raoul rota bruyamment. Gabriel se leva pour débarrasser.

– T'emmerde pas, dit Landrade.

Il balança à la volée toute la vaisselle de Limoges dans le large évier en grès. Verres et assiettes s'y écrasèrent avec un bruit sinistre. Gabriel esquissa le geste de le retenir, mais c'était fini, Raoul disait déjà :

– Maintenant qu'on a bouffé, on va visiter. Allez, viens.

À l'étage, un couloir distribuait cinq ou six chambres et une salle de bains. Landrade poussait les portes les unes après les autres.

– Ça, c'est la chambre des vieux.

C'était dit sur un ton rancunier. Il fit quelques pas à l'intérieur, calmement, mais on aurait dit qu'il était sous pression, prêt à tout casser. Il retourna aussitôt dans le couloir.

– Oh, la vache ! dit-il.

Gabriel entra à sa suite dans une chambre de jeune fille, il y avait du rose, un ciel de lit, une table, une chaise, une bibliothèque de romans sentimentaux, des gravures naïves.

Landrade avait ouvert les tiroirs de la commode peinte, en avait exhumé des sous-vêtements qu'il faisait glisser entre ses doigts. Il évalua un soutien-gorge, les bras tendus.

– Ça, c'est le format que j'aime bien...

Gabriel reprit le couloir, trouva une chambre d'amis et sans même se déshabiller s'écroula sur le lit. Le sommeil le terrassa.

Pas longtemps.

– Remue-toi, viens par ici, demain, on sera pressés.

Gabriel avait déjà perdu la notion du temps et de l'espace, il émergea comme d'un rêve lourd, suivit mécaniquement le caporal-chef dans le couloir puis dans une chambre, celle des propriétaires sans doute, qui comprenait de grandes armoires.

– Tiens, dit Landrade, essaye ça.

Devant le regard interrogatif de Gabriel, il ajouta :

– Bah quoi ? Tu veux continuer à te balader en uniforme ? Si les Fridolins te chopent... Je sais pas ce qu'ils feront des prisonniers. M'est avis qu'ils préféreront les fusiller que les nourrir...

C'était évident, mais pour Gabriel le cap était difficile à franchir. Ils avaient volé une voiture, mais pouvaient encore s'en séparer. En revanche, revêtir des vêtements civils, c'était quitter l'état du soldat de bonne foi et basculer dans celui du déserteur qui se cache, qui tente de passer à travers les mailles du filet, avec toutes les conséquences. Landrade, lui, n'avait pas hésité.

– Ça me va, non ?

Il portait un costume sombre, légèrement trop court aux manches, mais qui pouvait faire illusion.

Gabriel sortit à son tour un pantalon en toile, une chemise

à carreaux, un pull-over et les essaya, le cœur lourd. Il se regarda dans la glace et ne se reconnut pas. Landrade n'était plus là.

Il le trouva sur le seuil de la grande chambre parentale en train de pisser sur le lit.

# 18

La maison du docteur Thirion, à Neuilly, était une de ces grosses bâtisses carrées donnant sur une rue paisible et qui constituent la part de leur fortune que, depuis le XIXᵉ siècle, les bourgeois acceptent de rendre visible. Louise passa devant une première fois, aperçut le perron, les rideaux aux fenêtres, les cimes des grands arbres au-dessus du toit, le parc devait être derrière, une belle surface. Elle imagina une serre à orchidées, un bassin avec une fontaine, des statues, ce genre de choses...

Elle poussa jusqu'au carrefour et revint sur ses pas.

Le quartier n'était pas si fréquenté qu'elle ne finisse par se faire repérer, une femme faisant les cent pas dans la rue ici, ce serait vite une curiosité, alors elle s'arrêta devant la grille de fer forgé, il y avait une chaînette, une poignée, elle la saisit, le bruit aigrelet de la cloche ressemblait à celui de l'école qui signalait la récréation.

« Mort-né », avait dit M. Jules.

Louise en était restée bouche bée. La nouvelle lui avait coupé la respiration.

M. Jules s'était rassis et se massait le menton. Les confidences sont comme un collier de perles, quand le fil cède, tout défile.

« Je lui disais : "Mais enfin, Jeanne, il va bien falloir que tu l'élèves, cet enfant ! Tu imagines la vie que tu vas avoir ? Et la sienne ?" Elle était d'accord, mais qu'est-ce que tu veux, elle avait dix-neuf ans, elle était perdue, sa mère lui faisait des scènes pas possibles, qu'est-ce que vont dire les voisins… Mais elle ne voulait pas le faire passer. »

Accablé par le souvenir d'une situation pénible, M. Jules avait baissé la voix.

« Ils l'ont envoyée chez sa tante Céleste, la sœur de sa mère. »

Louise se souvenait très vaguement d'une petite femme sèche et nerveuse qui n'ôtait sa blouse bleue que pour courir à la messe et d'une maison basse dans un quartier ouvrier du Pré-Saint-Gervais. Céleste était morte vers la fin de la guerre, sans mari, sans enfants, exemple même de ces existences qui n'avaient valu que pour elles-mêmes et ne laisseraient aucune trace dans la mémoire de quiconque.

« C'était quand ?

– 1907. Au printemps. »


La bonne descendit les marches et vint jusqu'à la grille.

Jeanne Belmont, jeune fille, avait-elle porté elle aussi ce tablier blanc en demi-lune, ces chaussures noires sans talons, cette tenue d'opérette ? et regardé les étrangers avec la même suspicion ?

– C'est pour quoi ?

Avait-elle eu cette voix métallique, apprêtée, condescendante ?

– Je voudrais voir Mme Thirion.

– Vous êtes... ?

Louise donna son nom.

– Je vais demander...

Était-elle repartie elle aussi d'un pas lent, presque nonchalant, le genre de domestique qui s'identifie à ses maîtres ?

Louise attendit à la grille, comme une employée, sous le soleil, il faisait vraiment chaud, la transpiration filtrait sous son chapeau.

– Madame n'est pas disponible.

La domestique ne ressentait pas de plaisir à l'annoncer, mais s'appliquait à une certaine fermeté, elle avait des ordres.

– Je peux repasser quand ?

– On ne sait pas.

Ce « on », bien détaché, soulignait une hiérarchie qui commençait avec elle, se poursuivait avec ses patrons et montait jusqu'à Dieu ou au paradis de la lutte des classes, selon la façon dont on voit le monde.

Louise battit en retraite et reprit le boulevard, soulagée de ne pas en apprendre davantage, ce qu'elle tenait de M. Jules était déjà suffisamment triste. Oui, soulagée. Elle ne saurait jamais rien de plus que ce que M. Jules et l'hôtelière lui avaient dit, c'était bien suffisant.

Les autobus fonctionnaient de manière chaotique, mais le métro était loin, elle attendrait à l'arrêt.

Elle observa, dans le flux de la circulation ordinaire, les voitures chargées de caisses et de valises jusque sur le toit, on aurait dit que la moitié de la ville déménageait. Les aspirants à l'autobus arrivaient, se lassaient, repartaient, Louise restait là, son manteau sur le bras, sans projet ni lassitude, pensant à sa mère en domestique. C'était étrange de servir la famille de l'homme qui était son amant. Était-ce une demande du docteur ? Elle imagina sa mère, à dix-neuf ans, apprenant qu'elle était enceinte. Elle qui avait perdu un enfant, comment avait-elle vécu la période où sa fille était devenue folle de n'avoir pas de bébé ? Louise chercha à retrouver les mots de consolation qu'elle avait prononcés, mais sa mémoire était troublée, même le visage de sa mère disparaissait, la femme qu'elle avait connue n'avait rien à voir avec celle qu'elle découvrait.

Enfin, l'autobus ne venant pas, ce fut son tour d'abandonner, elle marcherait, mais non, elle s'arrêta en voyant Mme Thirion sortir de chez elle.

Elles étaient surprises de se trouver face à face, à quelques mètres l'une de l'autre.

Mme Thirion fut la plus rapide. Redressant la tête, elle passa très vite devant l'arrêt, mais c'était trop tard, l'accident de la rencontre avait eu lieu, Louise, sans réfléchir, s'était placée dans son sillage. Elles marchèrent ainsi un moment, en s'épiant. N'y tenant plus, Mme Thirion se retourna.

– Que mon mari se suicide, ça ne vous a pas suffi ?

Comprenant aussitôt combien sa réaction était bête, elle reprit son chemin, mais le cœur déjà n'y était plus. Elle s'en voulait, ça se voyait à son pas moins ferme, à quelque chose d'elle qui s'était affaissé et se préparait à la défaite.

Louise se contentait de marcher derrière elle, ne comprenant ni pourquoi elle le faisait, ni comment la situation allait tourner. Un scandale ? Ici, dans la rue, à trois cents mètres de chez elle ?

– Que voulez-vous enfin ? dit Mme Thirion en se retournant à nouveau.

C'était la bonne question. Louise n'en savait rien.

Devant le mutisme de la jeune femme, Mme Thirion reprit sa marche, mais s'arrêta de nouveau. Elle ne s'imaginait pas poursuivre ce jeu plus longtemps, supporter une situation aussi ridicule était au-dessous de sa condition. Elles n'allaient pas non plus discuter ainsi, sur un trottoir, comme des concierges...

– Venez, dit-elle d'une voix autoritaire.

Elles entrèrent un peu plus loin dans un salon de thé.

Mme Thirion, rigide, fermée, acceptait de parler avec Louise, mais tenait à montrer à quel point ce serait expéditif.

– Un thé. Avec un nuage de lait.

Elle passa commande sur le ton qu'elle devait utiliser avec sa bonne. Louise chercha dans le visage anguleux aux arêtes marquées, dans ces yeux vifs, le souvenir qu'elle avait conservé de cette femme éplorée croisée dans le bureau du juge Le Poittevin. Elle n'en trouvait plus trace.

– La même chose, dit Louise.

– Bien, dit Mme Thirion. Au fond, ça n'est pas plus mal. Il se trouve que j'ai, moi aussi, des questions à vous poser.

Sans attendre d'être interrogée, Louise raconta tout avec simplicité, posément, comme elle aurait fait pour un fait divers qui ne l'aurait pas concernée. Elle décrivait l'hôtel, la chambre, mais c'est l'image de Jeanne Belmont qui remontait à la surface, une jeune fille de dix-sept ans venant, comme elle, dans un hôtel pour une affaire de sexe avec le même homme, à quelque trente ans de distance.

Mme Thirion se servit du thé sans en proposer à Louise. La ligne de démarcation entre leurs territoires respectifs passait au milieu de la table.

– Mon mari avait plus de quarante ans lorsqu'il a rencontré Jeanne.

Elle entama sa propre histoire, elle aussi, sans que Louise le lui demande.

– Comment admettre une chose pareille ?

Les mains croisées devant elle, le regard fixé sur sa tasse, ce n'était plus ni la veuve éplorée dans le bureau du juge, ni la bourgeoise autoritaire qui avait consenti à cette conversation, mais une femme blessée par le comportement de son mari, une épouse.

– Je n'acceptais pas cette liaison, mais je la comprenais. Notre mariage avait sombré depuis longtemps, nous ne nous sommes jamais aimés, en vérité, ça n'était pas surprenant qu'il...

Elle haussa les épaules avec fatalisme.

– Je préférais cette situation au ridicule de voir mon mari coucher avec mes amies. Mais j'ai très vite vu que ce n'était pas simplement une affaire de coucherie, ça, je m'y étais faite. Mais... être la spectatrice d'une passion, c'est autrement plus douloureux. Plus humiliant. Je craignais toujours de les surprendre ici ou là, dans une pièce, je ne voulais pas que ma fille soit témoin d'une chose pareille. J'ai décidé de mettre Jeanne à la porte, ils se verraient à l'hôtel, Dieu sait où, je ne voulais plus en entendre parler.

Du regard, elle chercha la serveuse, prit son sac sur ses genoux.

– Les derniers temps, mon mari avait beaucoup vieilli, c'est arrivé d'un coup. Un jour, c'était un médecin à la retraite passionné d'histoire, de littérature, de botanique, le lendemain, c'était un vieillard, sa démarche s'est ralentie, il faisait moins attention à lui, il oubliait des choses, il se répétait. Il ne m'en a jamais parlé, mais je sais qu'il se rendait compte de la dégradation de son état. Il a voulu en finir, il avait conservé toute sa dignité. Il a refusé de donner le spectacle de son naufrage, il a choisi de mourir. Je ne pensais pas qu'il déciderait de le faire ainsi... J'imagine très bien à quel point ce fut pénible pour vous... C'est pourquoi j'ai refusé de porter plainte.

Elle regardait le comptoir pour appeler la serveuse.

– Il ne voulait pas vous faire de mal, j'en suis certaine.

C'était inattendu de l'entendre ainsi disculper cet homme qu'elle n'avait pas aimé, qui l'avait trompée et l'avait traînée malgré elle devant un juge d'instruction.

La serveuse était arrivée avec la note, Mme Thirion tira son porte-monnaie. Louise l'arrêta d'un mot :

– Et ce bébé ?

Mme Thirion suspendit son geste. Elle s'était pensée quitte avec cette confidence, ce ne serait pas suffisant.

– Tenez, dit-elle en congédiant la serveuse avec un billet.

Elle ferma les yeux, cherchant un peu de courage, les rouvrit, baissa la tête.

– Mon mari ne s'y attendait pas, quoique médecin. Jeanne refusait de... enfin, elle voulait le garder. Cette fois, c'était trop. J'ai donné le choix à mon mari, c'était elle ou moi.

Louise sentit la détermination rageuse devant laquelle le docteur avait dû céder.

Depuis le début de la conversation, elle disait «Jeanne» comme si la jeune femme à qui elle s'adressait n'avait pas été sa fille, mais une voisine, une connaissance.

– Elle n'avait pas le choix. Elle n'avait pas vingt ans, pas de situation. Elle s'est accrochée à cette grossesse pour tenter de faire fléchir mon mari...

Son regard devint dur.

– Je peux vous dire qu'elle en a fait des pieds et des mains !
Mais elle n'y est pas parvenue.

Retrouvant sans doute quelque chose de la détermination,
de l'intransigeance qu'elle avait manifestées à ce moment-là,
elle faisait non de la tête. Il y eut un silence.

Beaucoup de choses durent se jouer à cet instant précis.

Que serait cette histoire si Louise, au lieu de prendre sur
elle et d'opposer à Mme Thirion un visage aussi impassible
qu'elle le pouvait, avait demandé de quelle manière cet
enfant était mort ? Mme Thirion aurait sans doute improvisé
une réponse à laquelle Louise aurait pu croire. Qui n'avait eu
dans son entourage, à plus forte raison l'épouse d'un médecin de ville, un enfant mort-né pouvant servir d'exemple ?
Mme Thirion aurait dévidé quelques lieux communs, trop
heureuse de s'en tirer à si bon compte.

Mais à ce jeu de dupes, Louise remporta une victoire douloureuse.

Elle laissa courir un silence long et lourd auquel
Mme Thirion finit par céder :

– L'enfant a été abandonné à sa naissance. Mon mari y a
veillé. J'ai exigé qu'il vende son cabinet, nous nous sommes
installés ici, je n'ai jamais eu de nouvelles de Jeanne et je n'ai
pas cherché à en avoir.

– Abandonné…

– À l'hospice, oui.

– Une fille, un garçon ?

– Un garçon. Je crois.

Elle se leva.

– Ce que vous avez vécu a sans doute été difficile, mademoiselle, mais vous l'avez fait pour de l'argent. Moi, je

n'avais rien demandé, je voulais seulement protéger ma famille. Vous m'avez contrainte à me remémorer des événements pénibles. J'espère ne plus vous revoir.

Sans attendre la réponse, elle quitta le salon de thé.

Louise resta là un moment, elle n'avait pas touché à son thé. L'enfant que sa mère avait eu avec le docteur était vivant, quelque part.

# 19

– La France se rassure enfin…

Ce n'était que justice ! Depuis que Désiré Migault faisait l'admiration du Continental par sa capacité à racler les fonds de tiroirs en faisant de la plus minuscule nouvelle un grand message d'optimisme, il était temps qu'il soit récompensé par une information indiscutablement enthousiasmante. Il aurait pu plastronner, mais ce n'était pas son style. Les mots d'ailleurs suffisaient.

Il repoussa de l'index ses lunettes jusqu'à la racine de son nez.

– … car après l'entrée du maréchal Pétain au gouvernement comme ministre d'État, vice-président du Conseil, c'est au tour du général Weygand de prendre la tête de l'état-major de la Défense nationale, d'être nommé commandant en chef de l'ensemble des théâtres d'opérations. Le vainqueur de Verdun et le disciple de Foch sont aujourd'hui aux commandes. La France respire : au calme olympien et à la force de caractère du premier sont désormais alliés la sûreté de jugement et le sens inné du commandement du second. Nul ne doute maintenant que celui qui, en novembre 1918, fit lecture aux Allemands des conditions d'armistice qui leur étaient imposées rejoue ce rôle dans quelques semaines.

M. de Varambon, dressé au fond de la salle comme la statue du Commandeur, observait deux fois par jour la prestation de Désiré, cherchant à percer le mystère de ce jeune homme tombé du ciel sur qui il était si difficile de trouver des éléments biographiques.

Après lecture du détail des positions françaises en différents endroits du front où l'avancée allemande était « partout contenue », chacun eut l'occasion d'admirer une fois de plus la virtuosité de Désiré Migault, lorsqu'un journaliste osa l'interroger non sur la nomination du général Weygand, mais sur l'évincement de son précédesseur, le général Gamelin, dont plus personne ne parlait.

– La lumineuse certitude de la victoire passe d'une main dans l'autre, monsieur, voilà tout. Le général Gamelin a fait de l'armée française un mur infranchissable face à la poussée allemande, le général Weygand va se charger de faire progresser ce mur pas à pas, mètre après mètre, jusqu'à ce que l'ennemi, acculé, soit définitivement écrasé. Les deux hommes, des héros l'un et l'autre, partagent la même volonté et disposent des trois qualités indispensables à un chef militaire : savoir commander, prévoir et organiser. « Toute troupe qui ne pourrait avancer doit se faire tuer sur place plutôt qu'abandonner la parcelle du sol natal qui lui a été confiée. » Cet ordre formel du général Gamelin sera reconduit par son successeur. Nous allons apprendre à l'Allemagne comment se font les miracles.

M. de Varambon, comme tout le monde, était admiratif, mais chez lui l'estime pour autrui se transformait toujours en rancune. Il avait d'abord assiégé le sous-directeur en le

bombardant de questions concernant son jeune protégé,
mais, la situation militaire se dégradant, la nécessité de trouver des mots rassurants dans une période où les mauvaises
nouvelles tombaient comme à Gravelotte rendait Désiré
indispensable et, dès lors, intouchable.

L'effet des nominations de Pétain et Weygand n'avait permis hélas qu'une brève éclaircie. S'il ne faisait de doute pour
personne que les soldats français se donnaient corps et âme à
leur mission de défendre le territoire, tout le monde constatait que les Allemands continuaient d'avancer et que leur
stratégie d'enveloppement était en passe de rafler la mise.

Ils avaient d'abord créé un front sur la Belgique, puis,
profitant de ce que l'armée française s'y précipitait pour les
contenir, ils étaient passés par les Ardennes et, à l'issue d'un
coup de faux qui entrerait dans les annales militaires, menaçaient d'acculer les forces françaises et alliées dos à la Manche
du côté de Dunkerque.

Avec ça, allez donner le moral aux Français...

On avait beau seriner «les troupes alliées tiennent solidement», tous les observateurs comprenaient que voir les
Allemands fondre sur Amiens, sur Arras, n'était pas encourageant. Il fallait tout le talent d'un Désiré Migault pour
donner un semblant de lustre à ce qui s'annonçait comme
une déculottée historique. C'est à quoi ses *Chroniques de
M. Dupont* sur Radio-Paris s'employaient quotidiennement.

– Bonsoir à tous. Madame V., de Bordeaux, me demande
«pour quelle raison l'armée française rencontre un peu plus
d'adversité que prévu pour repousser la tentative d'invasion
allemande». – *Musique.* – La véritable cause des difficultés
françaises, c'est la cinquième colonne, c'est-à-dire la présence, sur notre sol, d'agents embusqués dont la mission est

de saper l'action de l'armée française. Savez-vous que l'Allemagne a parachuté récemment, dans le nord de la France, près de cinquante jeunes filles (moins voyantes que des hommes) chargées d'adresser des signes aux forces allemandes grâce à des miroirs, mais aussi par des fumées, comme chez les Indiens, pour leur indiquer les positions françaises ? Elles ont été arrêtées, mais le mal était fait. On a la preuve que des paysans infiltrés disposent leurs vaches dans les champs de manière à montrer leur chemin aux soldats allemands. Quelle n'a pas été la surprise des officiers français qui ont découvert des chiens dressés par des traîtres à aboyer en morse ! Il y a moins d'une semaine a été abattu un avion allemand rempli d'œufs de sauterelles qu'il s'apprêtait à larguer sur nos récoltes ! Mais cette cinquième colonne est aussi composée de communistes qui ont infiltré la Poste, par exemple, pour, en perturbant le courrier, démoraliser les Français. Les sabotages dans les usines sont innombrables. La cinquième colonne. Voilà, madame V., le principal ennemi de la France.

On ignorait si cette chronique constituait un mode de diversion efficace pour restaurer le moral des Français, mais on avait au moins la sensation de faire quelque chose et on savait gré à Désiré de ses efforts patriotiques.


M. de Varambon, lui, passait ses journées à tenter de vérifier chaque ligne du seul document dont il disposait concernant Désiré, le bref curriculum vitae que le jeune homme avait remis au sous-directeur lors de son arrivée au Continental.

– Voyez ! Il est indiqué ici : « Études en 1933 au lycée de Fleurine (Oise). » Ne trouvez-vous pas étrange que ce jeune homme ait été élève d'un lycée français dont les archives ont brûlé en 1937 ?

– Vous supposez que c'est lui qui a mis le feu ?

– Certes non ! Mais cela rend la chose invérifiable, comprenez-vous ?

– Si c'est invérifiable, cela ne signifie pas que c'est faux !

– Tenez, ici : « Secrétaire particulier de M. d'Orsan, membre de l'Académie des sciences », il est mort l'an dernier, toute sa famille vit aux Amériques, on ne sait pas où se trouvent ses papiers… !

Le sous-directeur n'estimait pas très probant ce faisceau d'éléments principalement constitué d'informations absentes.

– Mais que lui voulez-vous, à la fin !

Littéralement électrisé par les obstacles, de Varambon, à l'image de bien des obsessionnels, avait un peu perdu de vue la raison de sa recherche.

– On va trouver…, répondait-il en repartant avec son volumineux dossier bourré de pièces manquantes, se promettant de revenir à la charge très bientôt.


Le sous-directeur avait beau trouver de Varambon exaspérant, un léger doute l'avait saisi, il aurait préféré être rassuré. Il convoqua donc Migault dans son bureau.

– Dites-moi, Désiré, comment était-il, ce M. d'Orsan dont vous avez été le secrétaire ?

– Un homme très aimable, mais hélas bien malade, répondit Désiré. Je ne suis resté à son service que quatre mois.

– Et… en quoi consistait votre travail ?

– J'étais chargé de réunir la documentation sur une question de mécanique quantique. La restriction de la mesurabilité des grandeurs non commutables.

– Vous… vous êtes donc aussi mathématicien ?

Le sous-directeur était sidéré. Désiré cligna nerveusement des yeux sous ses gros verres.

– Pas vraiment, mais c'était assez amusant à faire. En fait, la loi de réciprocité d'Heisenberg prévoit que…

– Bon, bon, bon, c'est très intéressant, mais ça n'est pas le moment.

Désiré fit un geste, à votre service, et tendit la feuille sur laquelle il avait écrit le texte de son prochain communiqué : « Énormes pertes allemandes dans les Flandres, brillantes actions locales de nos troupes sur la Somme », etc.

Le jeune homme savait qu'aussi solidement préparé qu'il soit, son itinéraire universitaire et professionnel ne tiendrait pas éternellement et que l'entêtement de M. de Varambon finirait par porter ses fruits. Mais il ne s'en alarmait pas. Il faisait le pari de rester en poste jusqu'à la déconfiture totale de l'armée française, qui était imminente.


Jour après jour le Reich progressait, l'héroïsme des soldats français et alliés chargés de résister trouvait sa limite dans la position stratégique des deux camps. Tôt ou tard, on serait face aux Allemands et dos à la mer. Ce serait un massacre ou une déroute, peut-être les deux, plus rien alors ne s'opposerait à l'invasion du reste du pays, Hitler pourrait être à Paris en quelques jours. Désiré en aurait fini avec la guerre. En attendant, il travaillait.

– Bonsoir à tous. Monsieur R., de Grenoble, me demande ce que nous savons « sur l'état réel des dirigeants du Reich ».

– *Musique*. – Si l'on en croit Radio-Stuttgart, Hitler est aux anges. Nos services d'espionnage et de contre-espionnage nous livrent, eux, des informations autrement plus gênantes pour le Reich. D'abord, Hitler est très malade. Il est syphilitique, ce qui n'a rien d'étonnant. Même s'il a tout fait pour le cacher, Hitler est homosexuel, il a d'ailleurs attiré auprès de lui quantité de jeunes hommes pour assouvir ses fantasmes, personne n'a jamais eu de nouvelles d'eux. Il ne dispose que d'un seul testicule et souffre d'une impuissance irréversible qui l'a rendu fou. Il mord les tapis, arrache les rideaux, reste prostré pendant des heures. Du côté de son état-major, la situation n'est pas meilleure. Ribbentrop, disgracié, s'est enfui avec le trésor des nazis. Goebbels sera bientôt jugé pour trahison. Faute de chefs lucides et sains d'esprit, l'armée allemande est condamnée à faire la seule chose qui ne demande pas de réflexion : foncer droit devant elle. Nos chefs d'armée l'ont parfaitement compris, qui la laissent s'épuiser dans cette course folle et la stopperont dès qu'elle n'offrira plus de résistance, ce qui ne saurait tarder.

# 20

Quoique les bruits de bataille se soient rapprochés dans la nuit, Gabriel avait dormi comme une souche. Il n'y avait que de l'eau froide, mais il trouva un peu de réconfort à faire enfin une toilette complète dans la salle de bains des propriétaires toute de grès et de céramique. Puis il s'habilla et descendit. Raoul avait tenté une razzia dans la maison.

– Tu parles, ils se sont barrés avec tout ce qui avait de la valeur, ces enfoirés...

À se voir ainsi, l'un en pantalon de toile, l'autre dans un costume mal taillé pour lui, Gabriel renoua avec son malaise.

– Cette fois, nous sommes bien des déserteurs...

– On est des soldats en civil, mon sergent-chef.

Raoul désigna une valise en carton.

– Là-dedans, il y a nos uniformes. Si on retrouve un bout d'armée française prête à la bagarre avec au moins un chef compétent, on renfile la tenue et on va leur foutre sur la gueule, à ces cons-là. En attendant...

Il sortit de la maison, monta en voiture et fit chauffer le moteur. Y avait-il autre chose à faire ?

Gabriel se rassura en pensant qu'ils étaient maintenant en

chemin pour Paris. Landrade ferait ce qu'il voudrait, lui irait se mettre à la disposition de l'état-major.

Il consulta la carte. Ils ne connaissaient pas exactement leur position, ne savaient pas ce qui se passait ailleurs, ils apercevaient seulement là-bas, à quoi, trente, quarante kilomètres, les rougeoiements des combats. On entendait les hurlements des avions, mais impossible de savoir s'il s'agissait des envahisseurs ou des Alliés.

À la sortie du parc, ils rencontrèrent des réfugiés, bien plus nombreux que la veille, qui, par toutes sortes de moyens de locomotion, suivaient une ligne vaguement sud-ouest qu'ils empruntèrent à leur tour. Les échos des combats traduisaient-ils une forte avancée allemande ? Jusqu'où ? N'allait-on pas se jeter dans la gueule du loup ? Il était logique de suivre le mouvement général des réfugiés, mais avancer ainsi en aveugle rendait Gabriel de plus en plus nerveux.

– On va aller aux renseignements, dit Raoul en freinant.

Gabriel comprit aussitôt pourquoi il s'arrêtait là plutôt qu'un kilomètre plus tôt. Deux femmes avançaient à vélo.

Dès qu'elles s'arrêtèrent, on vit que Raoul était déçu, elles n'étaient pas bien jolies. Elles venaient de Vouziers, allaient vers Reims. Les nouvelles qu'elles colportaient étaient aussi mauvaises que confuses. Les Allemands, qui avaient « fait un carnage à Sedan », se dirigeaient vers Laon, ou vers Saint-Quentin, ou vers Noyon, on ne savait pas réellement. Ils détruisaient tout, « ils ont passé des villages entiers par les armes, femmes et enfants compris », il y avait beaucoup d'avions et « des milliers de chars », on avait vu des parachutistes dans le ciel du côté de Rethel, des centaines... Les deux femmes étaient de la région voisine, ils purent se repérer sur la carte, ils étaient à la hauteur de Monenville.

– Bon, dit Raoul, on se taille.

Une demi-heure plus tard, le visage de Raoul s'était fermé. Ce n'était pas les informations qui l'inquiétaient, c'était l'essence.

– On va pas aller bien loin, c'est fou ce qu'elle consomme cette bagnole ! Si ça se trouve, on va tomber en rade avant d'avoir trouvé à bouffer, j'ai les crocs, moi, je boufferais un cheval.

Il roulait de moins en moins vite. La carte indiquait qu'ils pourraient rejoindre la route nationale vers Paris à une dizaine de kilomètres. S'ils devaient tomber en panne, il valait mieux que ce soit sur une voie passante qu'au milieu de nulle part.

La jauge était au plus bas lorsque Raoul freina doucement puis s'arrêta.

– C'est un chameau ? demanda-t-il, perplexe.

– Un dromadaire, non ? répondit Gabriel.

Devant eux, un grand animal fauve traversait la route d'un long pas dolent, mâchant lentement, sans même tourner la tête. Ils le virent passer le fossé et s'éloigner comme dans un rêve, ils se regardèrent. Sur la gauche, des bosquets masquaient le champ. Raoul arrêta le moteur et tous deux descendirent de voiture.

Derrière la haie s'étendait un terrain pelé où gisaient à l'abandon trois roulottes, dont l'une avait la grille relevée. C'était certainement de celle-là que l'animal était sorti. Sur la paroi de la deuxième roulotte, une affiche montrait un clown hilare avec des cheveux jaunes et des lèvres rouges. Raoul fut tout de suite très enthousiaste.

– J'adore le cirque, pas toi ?

Sans attendre la réponse, il grimpa les quatre marches de la première roulotte, tourna la poignée, la porte s'ouvrit sans effort.

– Il y a peut-être quelque chose à bouffer, dit Raoul.

Gabriel le suivit, prudent et anxieux. Ça sentait fort. Une odeur qu'il ne connaissait pas, un peu sauvage. Il y avait quatre lits retenus aux cloisons par des chaînettes, recouverts d'affiches, de trousses, de vaisselle, tout avait été jeté à la hâte dans la précipitation du départ. À moins que ce ne soit la conséquence d'un pillage. Les portes des placards et des coffres étaient ouvertes. Des vêtements partout. L'atmosphère qui régnait là n'avait rien à voir avec le cirque, on se serait cru dans le repaire d'un clochard. Dans les tiroirs, rien, tout avait été ratissé. Ils allaient repartir lorsqu'ils perçurent un léger mouvement sur la gauche. Raoul avança le bras, arracha une couverture écossaise et éclata de rire.

– Un nain ! J'en avais jamais vu de près !

C'était un homme avec une grosse tête et des petites épaules, roulé en boule, ouvrant une bouche immense, ses yeux étaient près de pleurer, il brandissait un bras, une main en éventail devant lui pour se défendre. Raoul se mit à rire de plus belle.

– Laisse-le…, dit Gabriel en tirant Landrade par la manche.

C'était inutile, Landrade était captivé par cette découverte.

– Quel âge il peut avoir ?

Il se tourna vers Gabriel, épaté.

– On peut pas savoir avec eux, hein ?

Il l'empoigna sous les aisselles pour le soulever.

– Ça doit être poilant de le voir courir...

Gabriel resserra sa pression sur son bras, mais Raoul s'était figé. Le nain, paralysé par la peur, gardait un bras serré contre lui, il dissimulait quelque chose. Raoul le saisit brutalement.

– Putain, dit-il en riant, c'est qu'il est fort, ce con-là !

Gabriel le tirait toujours, répétant « Laisse-le, laisse-le », mais ça ne servait à rien. Raoul l'avait quasiment sorti de sa cachette, il le relâcha brutalement.

– Bordel, t'as vu ça ?

C'était un singe, tout petit, qui tremblait comme une feuille, l'air terrifié, on le devinait chaud comme un croissant, avec un pelage très doux, de très grandes oreilles et des yeux ronds qui cillaient à toute vitesse. Raoul n'en revenait pas. Émerveillé, il le tenait contre lui et regardait avec admiration ses mains minuscules.

– Il est maigre, dit-il, mais c'est peut-être normal, les chiens aussi, même bien nourris, on leur sent les côtes.

Raoul descendit les marches de la roulotte, le singe s'était blotti contre lui pour se protéger du soleil et il s'agrippa à lui quand il fut aveuglé par la lumière. Raoul le fourra sous sa chemise où il ne bougea plus.

Gabriel restait les bras ballants, que fallait-il faire ? Il se tourna vers le nain qui masquait son visage.

– Je vais... Vous avez besoin..., commença-t-il, mais sans achever.

Hagard, désorienté, il se précipita hors de la roulotte.

Landrade avait disparu.

Gabriel s'entendit appeler avec dans la voix quelque chose d'inquiet :

– Raoul !

Il alla jusqu'à la voiture, personne, se tourna d'un côté, de l'autre. S'il devait repartir seul... Il ne savait pas conduire une automobile, il serait coincé là. De toute manière, il n'y avait plus d'essence. L'anxiété lui serra la gorge.

– Hé, sergent-chef ! hurla soudain un Landrade au comble de la joie.

Il chevauchait un vélo de cirque, un tandem sans équipement, juste un guidon, des pédales, il freina brutalement en rétropédalant, l'engin se coucha, Raoul continuait de rire.

– Putain, tu vas voir, c'est pas si facile qu'on croit !

Gabriel hochait la tête, non, non, pas question.

– C'est le mieux, je t'assure. Cette bagnole va nous lâcher dans moins de dix bornes, on fera quoi, on va marcher ?

Il faisait chaud. Dans la voiture, toutes fenêtres ouvertes, il ne s'en était pas rendu compte, mais maintenant qu'ils étaient sur ce terrain pelé, il constata que le soleil tapait dur. C'était un temps convenable pour un petit singe, mais pour eux... L'animal formait une bosse sous la chemise de Raoul qui avait redressé le vélo.

– Tu préfères marcher sous le cagnard ?

– Et nos uniformes ?

Le petit singe montra sa tête apeurée comme s'il avait la réponse.

– Il est marrant, hein !

– Il faut lui rendre son singe, commença Gabriel en désignant la roulotte, mais Raoul était remonté sur le vélo.

– Bon, tu fais quoi ?

Gabriel tourna la tête de droite, de gauche et se résigna à l'enfourcher à son tour. Raoul lui avait laissé la place à l'avant. Les manivelles étaient très courtes, il était malcom-

222

mode de pédaler. Landrade riait comme au manège. Le tandem tangua, mais tant bien que mal parvint à prendre de la vitesse, un semblant d'équilibre. Ils dépassèrent la voiture, arrivèrent sur la route départementale et se mirent à rouler un peu plus vite, plus droit.

Landrade sifflait, il était en vacances.

– « Que la pensée de notre patrie nous inspire une inébranlable résolution ! » hurlait-il, hilare.

Gabriel, lui, ne se risquait pas à se retourner, mais il était persuadé que Raoul ne pédalait pas et se laissait porter, quand tout à coup, on ne sait pourquoi, le petit singe prit peur.

– Aïe ! hurla Raoul en faisant tanguer le vélo. Il m'a mordu, ce con-là !

Il attrapa le singe par la tête et le balança loin de lui, comme un déchet. Gabriel vit la petite silhouette voler dans les airs et atterrir dans le fossé. Il s'arrêta aussitôt, coucha le tandem. Raoul regarda sa main et la porta à sa bouche.

– Putain de macaque !

Gabriel courut au fossé. Là, il avança prudemment, il ne voulait pas l'écraser, mais le bas-côté de la route n'était plus entretenu depuis longtemps, les herbes étaient hautes, les ronces empêchaient tout accès. Rien ne bougeait, il fit un pas, comprit que son effort était vain. Il se tourna vers la route, Raoul s'était éloigné en poussant le tandem, il était déjà loin. Gabriel regarda le fossé, impuissant, et prendre conscience qu'il avait, à cet instant précis, envie de pleurer à cause d'un petit singe de deux cents grammes redoubla son chagrin. Il retrouva Landrade planté au milieu de la route qui débouchait sur la nationale.

C'était comme si, d'un coup, le rideau s'était levé sur un nouveau spectacle. Le contraste les cloua sur place.

Il y avait là des centaines d'hommes, de femmes, d'enfants, de vieillards marchant dans le même sens, interminable défilé de visages concentrés, consternés, apeurés. Machinalement, Gabriel se saisit du vélo et ils s'avancèrent à leur tour, se fondant dans le mouvement.

– La vache ! dit Raoul en tendant le cou vers l'avant, admiratif, comme devant une performance sportive.

Le hasard les avait placés près d'une charrette tirée par un cheval, près de laquelle marchait une famille entière, dont une jeune fille brune aux cheveux courts et au visage marqué par la fatigue.

– Vous venez d'où comme ça ? lui demanda Raoul, souriant.

La mère, mécontente, dit à sa fille :

– Réponds pas, viens ici !

Raoul leva les mains, comme vous voulez, ça n'avait pas entamé sa bonne humeur.

Ils marchèrent. Dépassèrent une ambulance militaire en panne poussée dans le fossé et deux fantassins isolés qui reprenaient leur souffle, assis sur des bornes, l'air découragé.

Cette marée était un amas de voitures et de tombereaux tirés par des bœufs, de carrioles, de vieillards hallucinés, ici un infirme sur des béquilles avançait plus vite que tout le monde, là un groupe, une classe entière aurait-on dit bien qu'il y eût des enfants de tous les âges, l'école au complet, allez savoir, l'instituteur ou le directeur criait sans cesse qu'il fallait se tenir les uns aux autres, ne jamais se lâcher, sa voix chevrotait dans les aigus, on ne savait qui avait le plus peur, des gamins ou de lui ; des cyclistes portaient des valises sur le cadre, les femmes serraient contre elles un bébé, parfois deux, et les vagues successives de cette cohue butaient les unes contre les autres, alors on s'invectivait, on s'entraidait parfois, mais juste un geste parce que ensuite on recommençait à penser à soi, on se bousculait. Un homme qui s'était arrêté pour donner la main à un paysan dont la carriole avait versé se relevait, éperdu, criant « Odette ! Odette ! » en se tournant dans tous les sens, sa voix traduisait son désespoir.

Ce qui frappa Gabriel fut la sensation d'accablement quasiment palpable qui se dégageait des groupes disparates composant cette foule. La présence de quelques soldats isolés, hagards et résignés, désarmés, l'uniforme débraillé, traînant les pieds, achevait de donner à cet ensemble une allure de naufrage et de renoncement. À l'affolement des populations jetées sur les chemins par l'offensive allemande s'ajoutait la débâcle de plus en plus patente de leur armée.

Le flot buta soudain sur un carrefour de quatre routes, goulot d'étranglement où venaient converger et se fracasser les uns contre les autres des groupes hétéroclites composant un cortège qui dessinait sur la route à perte de vue une ligne discontinue d'insectes au pas pesant, mécanique et entêté. Dans cette atmosphère de foire aux bestiaux, des beuglements fusaient de partout. Personne ne voyait personne, pas d'officier pour commander, pas de gendarme pour protéger ; un petit caporal gesticulait, mais ça ne servait à rien, ses ordres étaient couverts par les bruits des moteurs ronflants, des vaches mugissantes qui tiraient des tombereaux de meubles, d'enfants et de matelas. Aspiré par cette foule, Gabriel ne savait où donner de la tête. Un motocycliste klaxonnant suivi d'une Citroën se fraya un passage dans la foule. On s'écarta. Derrière la vitre fermée, Gabriel aperçut un uniforme et des galons d'officier supérieur.

On passa enfin le carrefour, la ligne de réfugiés s'étirait maintenant en accordéon sur une trajectoire qui disparaissait au loin.

Raoul, aussi à l'aise sur cette route que dans une fête foraine, interpellait les uns, les autres. Tous fuyaient les colonnes allemandes avançant vers l'intérieur du pays, semant la panique, rasant les villages, disait-on, décimant les populations. Raoul demandait à manger, grappillait ici ou là un fruit, un morceau de pain, c'était loin de suffire. La fatigue se faisait sentir, la soif aussi, or l'eau était difficile à trouver, chacun n'avait guère que sa provision et, sous ce soleil, personne ne se montrait bien partageur. Il n'y avait pas un village sur cette longue route sinistre.

– On va tenter notre chance par là, dit Raoul en désignant un panneau indiquant Anancourt.

Gabriel hésitait.

– Allez, allez, insista Raoul.

Ils enfourchèrent le vélo, zigzaguèrent un moment, puis retrouvèrent une vitesse de croisière.

Seul un camion militaire les dépassa, avec sept ou huit bonshommes en uniforme sur le plateau arrière.

Il leur fallut une vingtaine de minutes pour rejoindre Anancourt, un village aux maisons basses, toutes fermées, barricadées par leurs propriétaires en fuite, comme les commerces cadenassés dont les volets étaient tirés. Les deux soldats avancèrent dans ce décor de fin du monde, à croire qu'ils étaient les uniques survivants de la catastrophe.

– Ah, ils sont beaux les Français ! disait Raoul.

L'exclamation choqua Gabriel.

– Nous aussi, on s'enfuit…

Raoul s'arrêta en plein milieu de la rue déserte.

– Pas du tout ! Et c'est toute la différence, mon petit père. Les civils s'enfuient, les militaires, eux, font retraite, nuance !

Ils marchaient au milieu de la chaussée. Quelques rideaux frémirent à leur passage. Une femme courut en longeant les murs comme une souris et rentra dans une maison en claquant la porte. Un homme déboucha à vélo et disparut presque aussitôt. Le flux des réfugiés passait au loin, ici aussi une grande partie des habitants avaient déserté.

Déjà la sortie du village se profilait devant eux, à quelques centaines de mètres, comme si la départementale ne traversait Anancourt que par inadvertance et était pressée d'en partir. Se guidant sur le clocher de l'église, ils prirent une rue sur la gauche, une autre sur la droite, et se retrouvèrent sur une minuscule place que le parvis occupait quasiment à lui seul. En face, si la boulangerie-pâtisserie était indemne, le café-tabac avait vu son rideau de fer forcé, tordu et partiellement relevé.

– Non, allez ! supplia Gabriel, mais déjà Raoul s'était courbé et était entré.

Gabriel, en soupirant, alla s'asseoir sur les marches en pierre. La fatigue lui serrait le cœur. Il se cala contre la porte de l'église. Le soleil lui faisait du bien, la somnolence le gagna.

Une vibration le réveilla. Combien de temps avait-il dormi ? Un véhicule lourd approchait. Devant lui, de l'autre côté de la place, le rideau de fer bâillait. Le bruit de moteur se rapprochait, il se leva, courut, se baissa et se glissa dans la boutique plongée dans la pénombre. Sur le petit comptoir gisaient des boîtes et des cartons éventrés. Flottait une forte odeur de vin.

Gabriel tourna vivement la tête. Il comprit que le camion débouchait sur la place. Il s'avança, tremblant.

– Ah mon vieux…, dit Raoul d'une voix rauque.

Il était allongé, totalement ivre, près de la porte de la cave restée ouverte, les lèvres rouges, les yeux dans le vague, des cigares dépassaient de ses poches gonflées de paquets de cigarettes.

Gabriel se pencha, lève-toi, faut pas rester là, mais le camion s'arrêtait – le propriétaire ?

Il y eut du mouvement sur la gauche, un bruit métallique comme si un échafaudage s'effondrait.

Le rideau de fer venait d'être relevé en force dans un cri déchirant, trois soldats français se précipitèrent, bousculèrent Gabriel, soulevèrent Raoul, les collèrent tous deux violemment au mur, les tenant à la gorge.

– Pilleurs ! Voilà ce que vous faites pendant que les autres se battent ! Salauds !

– Attendez…, commença Gabriel.

Il fut aussitôt frappé sur la tempe et en perdit la vue quelques instants.

– Embarquez-moi cette racaille…, ordonna un officier.

Les soldats ne se le firent pas dire deux fois et projetèrent les deux hommes vers la sortie, où ils s'affalèrent et furent roués de coups de pied. Ils furent relevés de force, Raoul titubant, trébuchant, Gabriel tentant de se protéger la tête avec ses bras.

Ils furent traînés jusque sur le trottoir, propulsés sur le plateau du camion à coups de crosse de fusil, trois soldats braquèrent leurs armes sur eux, les autres les mitraillaient avec leurs godillots.

– Ça va comme ça, les gars, dit l'officier, mais sans y croire vraiment. Allez, en route.

Tandis que le camion démarrait, les soldats, se tenant aux ridelles, continuaient de savater les deux hommes qui se recroquevillaient, les mains sur la nuque.

# 21

Louise s'était accoutumée étonnamment vite à l'idée que sa mère avait eu un enfant avant son mariage. Des histoires de filles engrossées, d'avortements clandestins couraient partout, on en apprenait de belles dans les familles, à l'occasion de décès, d'héritages, elle ne voyait pas pourquoi les Belmont auraient été à l'abri. Non, ce qui lui restait en travers de la gorge, c'était l'abandon. Une boule d'angoisse l'oppressait, liée à son désir d'enfant. Que sa mère ait été capable d'un tel geste la hantait, mais elle se rendit rapidement compte que ce n'était pas tant le visage de Mme Belmont qui lui trottait dans la tête que celui de la veuve Thirion. Trois jours plus tard, son regard gris, hautain, acéré ne cessait de s'imposer à son esprit. Elle revivait sans arrêt la conversation sans mettre le doigt sur ce qui la tracassait.

« Ah bon ? avait dit M. Jules en apprenant la vérité. Abandonné ? »

C'est à ce moment-là que Louise avait compris la vérité, parce que, contrairement à Mme Thirion, M. Jules était totalement sincère. La femme du docteur l'avait assurée que l'enfant avait été abandonné. Louise était certaine que cette phrase ne disait pas tout.

Elle courut à la mairie.

La ville était fébrile, inquiète. En pleine journée, des magasins s'étaient repliés frileusement derrière leurs rideaux de fer comme à l'annonce d'une manifestation. Louise revit des passants porter des étuis avec des masques à gaz, courant à pas pressés. Un crieur hurla : « Attaques acharnées des Allemands dans le Nord ! » Un marchand de primeurs chargeait des valises dans sa camionnette.

À cette heure-ci, la mairie aurait dû être ouverte, mais elle était fermée.

Louise entra dans un café, demanda les annuaires du téléphone, ressortit, descendit dans le métro. Il était quinze heures, les rames étaient bondées, le train s'arrêta soudainement entre deux stations, la lumière s'éteignit, il y eut des cris de femmes, des voix d'hommes qui se voulaient rassurantes. La lumière revint sur des visages blancs, tendus, on fixait les ampoules qui clignotaient, un murmure s'éleva, tout le monde chuchotait comme dans une église, la chaleur de cet été parisien semblait s'être engouffrée tout entière dans la rame, chacun cherchait un peu d'espace. « Ma belle-sœur hésite à partir à cause de son grand qui doit passer ses examens », dit une femme en confidence à une autre, qui répondit : « Mon mari dit qu'il faut attendre la fin de semaine, mais on est déjà jeudi… » Le train, en redémarrant, ne provoqua pas de soulagement, il transportait les inquiétudes d'une station à l'autre.

L'hospice des Enfants assistés était situé au 100, rue d'Enfer, on se demande parfois où l'administration a la tête…

C'était un vaste bâtiment en fer à cheval. Avec sa cour intérieure, son alignement de fenêtres identiques et ses lourdes portes, il ressemblait à une gigantesque école. Deux manutentionnaires chargeaient des cartons scellés dans un camion bâché, la guérite du concierge était fermée, l'ensemble donnait une étrange impression de vide. Louise s'avança dans le hall d'une hauteur de cathédrale, entendit le pas sonore et lugubre des employés dans les escaliers, lut les affichettes d'information truffées de flèches et d'instructions péremptoires, croisa une infirmière, quelques religieuses. L'une d'elles lui désigna le bureau des archives, dans l'aile sud réservée à l'administration.

– Je ne sais pas s'il y a encore quelqu'un...

Comme Louise levait les yeux vers la grande horloge placée au fronton du bâtiment et qui indiquait que l'après-midi venait à peine de commencer, elle ajouta :

– Beaucoup de fonctionnaires ont demandé leur congé. (Elle sourit d'un air entendu.) Ils sont même un certain nombre à être partis sans le demander.

Louise monta les marches d'un large escalier sonore dans lequel elle ne croisa personne. Au troisième étage, situé sous les combles, la chaleur était suffocante, quoique toutes les fenêtres aient été ouvertes. Elle frappa, n'entendit pas de réponse, poussa la porte et entra. L'employé se tourna vivement vers elle, surpris.

– C'est interdit au public !

Louise, en un instant, jaugea la situation et fit ce qu'elle détestait. Elle sourit pour plaire. Il avait une vingtaine d'années et portait haut les stigmates d'une adolescence qui n'en finissait pas. Le genre de garçon monté en graine, aux gestes gauches, dont on était certain, sans la connaître, qu'il ressemblait à sa mère. Le sourire de Louise lui fit monter le rose aux joues. À sa décharge, dans ce décor sombre qui croulait sous la poussière, le papier et l'ennui, ce sourire vivant dessinait comme une tache de lumière dans un océan de chagrin.

– Si vous voulez m'aider, vous en avez pour deux minutes, dit Louise.

Sans attendre la réponse, elle s'approcha, sentit son odeur de transpiration, posa une main sur le comptoir, le fixa et ajouta à son sourire une nuance de supplication et de remerciement qui en aurait transpercé bien d'autres. Le jeune homme chercha un recours autour de lui, mais n'en trouva pas.

– Je voudrais consulter le registre des abandons en juillet 1907.

– Pas possible ! C'est interdit !

La réponse avait soulagé le jeune homme qui, pour montrer que la conversation était close, entreprit de retirer ses manches de lustrine.

– Comment ça, interdit ?

– C'est la loi ! Personne ne peut les voir, personne ! Vous pouvez faire une demande écrite au ministère, mais il refuse toujours, il n'y a pas d'exceptions.

Louise pâlit. Son désarroi fit du bien au jeune archiviste, c'était une agréable revanche sur le trouble qui l'avait saisi. Mais alors qu'il aurait dû désigner la porte à Louise, il lissait machinalement du tranchant de la main ses manches maintenant pliées sur le comptoir en bois et bougeait la tête comme un perroquet mouillé ; ses lèvres remuaient lentement, paraissant répéter : « C'est la loi, c'est la loi... » Louise avança la main. Le cruel rapprochement entre le tissu gris et ces doigts féminins aux ongles délicieusement bombés ébranla le cœur du garçon.

– Qui le saura ? dit Louise très doucement. La plupart de vos collègues ont déjà déserté leur administration !

– C'est pas question de ça, je serais renvoyé !

L'argument était définitif. Il respirait de nouveau. Personne ne pouvait lui demander de faire une chose qui mettrait en péril son travail, sa carrière, son avancement, son avenir, sa vie.

– Mais bien sûr ! s'exclama aussitôt Louise.

L'archiviste passa du soulagement à la joie, celle d'être compris par cette jeune personne qu'il pouvait maintenant détailler à loisir puisqu'il était à l'abri. Quel visage, quel charme, et cette bouche, et ces yeux, ce sourire... Parce qu'elle continuait à lui sourire ! Il se joignit à elle, ah, comme il aurait aimé l'embrasser... Ou la toucher, tiens, juste ça, poser un doigt sur ces lèvres qui étaient un monde entier à elles seules, il en aurait pleuré.

– Le public n'a pas le droit, dit Louise, mais vous... Ça ne vous est pas interdit, à vous.

Le garçon, stupéfait, ouvrit la bouche, le soupir qui s'en échappa ressemblait à un râle.

– Vous consultez le registre et vous lisez à voix haute ! Il ne vous est pas interdit de parler, tout de même !

Louise comprenait parfaitement ce qui se déroulait dans la tête de ce garçon. La même chose à peu près que dans son esprit lorsque le docteur lui avait fait sa demande, mélange de raisons logiques, d'aveux d'impuissance et d'envies de transgression.

– Seulement l'année 1907, dit Louise d'une voix de confidence. Juillet.

Elle avait toujours su qu'il se rendrait, mais en le voyant s'éloigner la tête basse, elle eut honte d'une victoire qui ne lui faisait pas honneur. Jusqu'où serait-elle allée pour consulter ce registre ? Elle frissonna en entendant le pas traînant du jeune homme arpenter les rayonnages. Quelques minutes plus tard, il apportait un énorme livre portant sur la couverture un « 1907 » écrit dans les règles de la majestueuse calligraphie administrative et l'ouvrait avec une lenteur de scaphandrier sur des pages divisées en colonnes. Le jeune homme n'avait plus dit un mot. Il feuilletait le volume sans paraître comprendre ce qu'il devait faire ou dire.

Le réflexe professionnel vint à son secours lorsque Louise demanda :

– La colonne « matricule », qu'est-ce que c'est ?

– Le numéro de matricule permet de retrouver les dossiers complets.

Il se montra soudain heureux, comme sous le coup d'une révélation.

– Et ils ne sont pas ici !

C'était une vraie victoire.

– Ils sont dans le bâtiment de l'Assistance publique !

Il désignait de l'index une direction, du côté de la fenêtre. La victoire se transformait en fierté.

Louise se concentra sur le registre.

– En juillet, il y en a trois, dit l'archiviste en suivant son regard.

Se souvenant qu'il avait accepté de lire à voix haute, il commença d'une voix brisée :

– « 1er juillet – Abélard, Francine. »

– C'est un garçon que je cherche…

Il n'y en avait qu'un. C'était donc lui.

Celui que Louise cherchait :

– « 8 juillet – Landrade, Raoul. Matricule 177063. »

Puis il referma le registre.

Un nouveau monde venait de s'ouvrir devant Louise. Elle se répétait ce prénom de Raoul qu'elle n'avait jamais aimé, mais qui revêtait soudain une couleur différente. Ce devait être un homme de trente-trois ans. Qu'était-il devenu ? Peut-être était-il mort maintenant... Cette idée la heurta comme une injustice. Elle avait vécu une enfance solitaire, regrettant de n'avoir eu ni frère, ni sœur, ni cousin. Ce garçon qui avait à peu près son âge et partageait la même mère lui avait été caché. Et s'il était mort, jamais elle ne le connaîtrait.

– Le bâtiment de l'Assistance publique, dites-vous ?

– C'est fermé.

Il n'y croyait pas vraiment, il se débattait. Louise n'eut pas même besoin de répondre, il baissa la tête, confus.

– J'ai la clé, avoua-t-il d'une voix à peine audible, mais les dossiers ne peuvent pas sortir du service, comprenez-vous.

– Je comprends parfaitement, monsieur. Mais il ne vous est pas interdit d'y aller et aucun règlement écrit ne vous interdit explicitement d'être accompagné...

Le pauvre jeune homme était découragé.

– Les personnes étrangères au service ne peuvent pas...

– Mais je ne suis pas une « personne étrangère »..., dit Louise précipitamment en posant sa main sur la sienne. Nous sommes un peu amis, vous et moi, non ?

Longeant les interminables couloirs vides de l'administration, le jeune archiviste avait le pas lourd de l'animal marchant vers l'abattoir.

Ils n'eurent pas besoin de passer par la cour, il connaissait les lieux comme sa poche, tournait ici et là, ouvrait des portes, évitait des couloirs, empruntait un escalier. La porte s'ouvrit après deux tours de clé. Un mur tapissé de tiroirs. Le jeune homme fit passer Louise, qui d'un pas décidé s'avança. «Labi – Lape». Elle ouvrit. La convention selon laquelle il lirait à sa place avait fondu au cours du voyage. Le jeune homme resta sur le seuil, dos à la porte, comme pour empêcher d'entrer une foule imaginaire, pendant que Louise tirait un dossier peu épais et l'ouvrait sur une table.

Il commençait par le «Procès-verbal concernant un enfant présenté au bureau ouvert» :

> L'an mil neuf cent sept, le *8 juillet*, à *10 heures du matin*, s'est présentée devant nous au bureau de l'Assistance publique, une personne de sexe *masculin* pour abandonner un enfant. Conformément aux instructions...

Le docteur Thirion était bien venu lui-même déposer l'enfant. Sur ce point, sa veuve n'avait pas menti.

> 1. Quels sont les nom et prénom de l'enfant ?
> *Landrade, Raoul.*
> 2. Quelle est sa date de naissance ?
> *8 juillet 1907.*
> 3. Quel est le lieu de sa naissance ?
> *Paris.*
> 4. Commentaire :
> *La personne qui m'a remis l'enfant se déclare être un médecin qui a refusé de me donner son nom. Il m'assure que l'enfant n'a pas été déclaré en mairie et n'a pas été baptisé. C'est moi, conformément à la loi et en pareil cas, qui lui ai attribué ses nom et prénom.*

Louise regarda le calendrier mural. Le 7 juillet était la Saint-Raoul, le lendemain la Sainte-Landrade, le fonctionnaire n'avait pas cherché bien loin, on se demandait comment il s'y prenait le jour où il avait deux abandons sur les bras.

Le procès-verbal précisait : « L'enfant porte une brassière en laine tricotée de couleur blanche. Il ne présente aucun signe particulier et semble en bonne santé. »

Louise se reporta à la fin du document :

> « Vu la loi du 27 juin 1904,
> vu la circulaire ministérielle du 15 juillet suivant,
> vu le règlement départemental du 30 septembre 1904,
> il résulte du procès-verbal susvisé que l'enfant *Landrade, Raoul* remplit les conditions pour être classé parmi les enfants *abandonnés*. »

Il ne restait dans le dossier qu'un document administratif intitulé : « Procès-verbal de remise d'un enfant pupille de la nation à une famille. »

Louise sentit ses muscles se tendre.

Le petit Raoul, au lieu d'être confié à un orphelinat, avait été remis à une famille le 17 novembre 1907.

> « Sur ordre de M. le Préfet de la Seine et vu les articles 32... »

Louise tourna la page :

> « l'enfant Landrade Raoul, pupille de la nation, est remis à la famille Thirion demeurant à Neuilly, 67, boulevard Auberjon... »

Louise ne croyait pas ce qu'elle venait de lire.

Elle relut une fois, une seconde fois, referma le dossier, anéantie. Le docteur Thirion, après avoir, au nom de Jeanne, abandonné l'enfant, l'avait recueilli. Et sans doute élevé.

Louise se mit à pleurer sans comprendre encore pourquoi. Elle mesurait l'ampleur du mensonge. Elle avait nourri une rancune contre sa mère pour avoir abandonné son bébé : quand on a la chance d'en avoir un, on ne l'abandonne pas à l'hospice. Mais elle comprenait soudain l'effroyable injustice dont Jeanne avait été victime. Elle avait, toute sa vie, cru son enfant abandonné alors qu'il avait été recueilli et élevé par son père.

Et son épouse.

Elle referma le dossier, marcha vers la porte que le jeune homme ouvrit. Voir pleurer cette jeune femme lui retournait l'âme.

Louise fit un pas dans le couloir, se retourna, elle voulait le remercier, ce qu'il avait fait pour elle était considérable. Ce qu'elle aurait pu lui dire était insignifiant. Elle prit son mouchoir, s'essuya les yeux, revint vers lui, se haussa sur la pointe des pieds, posa un court baiser sur ses lèvres sèches, lui sourit et sortit de sa vie.


M. Jules lâcha son torchon. Avec une vélocité dont personne ne l'aurait cru capable, il fit le tour de son comptoir, prit Louise dans ses bras.

– Eh bien alors, dit-il. Qu'est-ce qui se passe, mon petit cœur ?

Il avait dit « mon petit cœur » à Louise.

Elle tendit les bras pour le regarder.

Ce gros visage aux traits lourds la bouleversa, elle fondit en larmes.

Pour la première fois de sa vie, elle se mettait à la place de sa mère.

Pour la première fois, elle souffrait pour elle.

# 22

Désiré était longtemps apparu à beaucoup comme un paradoxe. Il était difficile d'imaginer que le jeune homme qui passait d'un pas rapide et nerveux dans les couloirs du Continental en rasant les murs et en clignant fébrilement des yeux lorsque vous lui adressiez la parole était celui qui, chaque jour, d'une voix calme, posée, expliquait aussi parfaitement la situation à tous ceux qui ne la comprenaient pas et se montrait aussi remarquablement informé.

Pourtant, au Continental, l'évolution du contexte militaire avait déplacé les centres d'intérêt et Désiré Migault, considéré unanimement comme un pilier de l'information, n'était plus la préoccupation de personne, à l'exception de M. de Varambon qui poursuivait sa piste avec la résolution têtue d'un fox à poil dur, ça ne surprenait personne, personne ne l'écoutait. M. de Varambon, c'était Cassandre au Continental.

Tous les regards étaient braqués sur le nord du pays, où les troupes françaises et alliées reculaient sous la pression de l'offensive des Allemands, galvanisés par leur succès dans les Ardennes et par la rapidité avec laquelle leurs troupes progressaient, balayant sur leur passage une armée courageuse et vaillante, mais dramatiquement mal préparée à cette issue à laquelle aucun chef d'état-major n'avait cru. Il était de plus en plus difficile de commenter sereinement le contexte à l'intention de la presse. Les reporters du front jouaient le jeu et chantaient les louanges de l'armée française, mais ils ne pouvaient masquer la déroute de Sedan, plus récemment la défaite dans les Flandres et maintenant le « mouvement arrière » (dixit Désiré) en direction de Dunkerque, où les troupes françaises protégeaient courageusement la retraite des Alliés afin d'éviter que tout ce petit monde soit balancé à la flotte. Désiré continuait, impavide, à assurer que « les Alliés luttaient admirablement », « contenaient l'avancée allemande » ou que « nos divisions défiaient les efforts de l'ennemi ». Or on savait pertinemment qu'il y avait plus de trois cent mille soldats en danger de se faire exterminer par l'armée nazie ou de se retrouver au fond de la Manche.

Désiré eut une nouvelle occasion de montrer son extrême lucidité et l'efficacité de sa réflexion lorsque, le 28 mai, on apprit que le roi Léopold III de Belgique renonçait au combat et choisissait de se rendre aux troupes allemandes.

– Quelle catastrophe ! hurla le sous-directeur en se prenant la tête entre les mains.

Son corps se révélait une permanente métaphore de la situation. Il aurait suffi d'un cliché matinal du sous-directeur pour remplacer la conférence de presse que Désiré continuait néanmoins d'assurer d'une voix ferme et conquérante.

– Au contraire, voilà notre chance, répondit-il.

Le sous-directeur releva la tête.

– Il nous manquait une explication plausible pour justifier le recul de nos troupes devant l'offensive allemande. La voici : nous avons été trahis par un de nos alliés.

Le sous-directeur fut frappé par l'évidence de cette analyse. C'était simple comme bonjour, beau comme l'antique.
Imparable. Dès la fin d'après-midi, Désiré développait sa
théorie devant son parterre habituel de journalistes et de
correspondants :

– La glorieuse armée française était en excellente position
pour renverser la situation du tout au tout, enfoncer le front
allemand et repousser l'invasion jusqu'aux frontières de l'Est.
Hélas, la honteuse défection belge redonne, pour quelques
heures seulement heureusement, un court avantage à l'envahisseur.

Les auditeurs de la conférence de presse hésitaient à adhé-
rer à cette explication.

– Les forces belges étaient donc d'une importance si cru-
ciale que leur désertion retourne intégralement la situation ?
demanda un journaliste de la presse provinciale.

Désiré cligna des yeux et hocha la tête à la manière de ces
professeurs déçus de devoir se répéter :

– Toute situation militaire, monsieur, possède son point
d'équilibre. Rompez-le, en quelque endroit que ce soit, tout
change.

C'est dans ces moments-là que même de Varambon était
contraint à l'admiration.

Désiré, sans attendre, enchaîna avec des informations
techniques qui auraient rassuré les plus inquiets :

– Cela pourra vous sembler paradoxal, messieurs, mais on
peut se demander si nous n'avons pas intérêt à voir l'armée
allemande repousser nos troupes jusqu'à la Manche.

Le brouhaha fut immédiat, que Désiré calma d'un geste
souple et généreux.

– Nos alliés possèdent en effet le moyen de transformer

cette apparente victoire en une cuisante défaite. Nos alliés britanniques ont mis en place un système de tuyaux sous-marins capables de répandre du pétrole à la surface de la mer et de l'enflammer à la demande, faisant instantanément de cet espace un gigantesque brasier. Que les navires allemands s'aventurent sur la Manche, leur flotte sera aussitôt incendiée et coulée ! Il suffira dès lors à la marine française de ramener nos troupes sur la terre ferme pour y achever l'œuvre entamée sur les flots, à savoir la destruction totale de l'armée allemande.

– Tenez ! s'écria de Varambon.

Il se dressait de toute sa taille, les reins cambrés sous l'effet du triomphe. Il tendait à bout de bras un document que le sous-directeur, émacié, quasiment évanescent, saisit d'une main pâle. C'était un état nominatif. Il le feuilleta. Passé le cap des neuf nuits sans sommeil, il ne questionnait plus, il attendait les réponses. Celle-ci ne tarda pas, tant de Varambon, lui, était impatient.

– C'est la liste des diplômés de l'École des langues orientales en 1937. Aucune mention de votre Désiré Migault. Pour le cas où se serait glissée une erreur, j'ai complété avec les lauréats de 1935 à 1939 : cinquante-quatre en tout. Pas un seul Désiré Migault !

Sa jubilation n'avait d'égale que sa fierté et sa bêtise.

Désiré, appelé dans le bureau de son supérieur, lâcha un petit ricanement suraigu, sorte de cri d'oiseau ou de grincement de porte, quelque chose de très désagréable, heureusement qu'il riait rarement.

– Burnier.

– Pardon ?

Désiré tendit la main et, d'un index droit comme la justice, il désigna le nom de Burnier sur la promotion 1937.

– Je m'appelle Burnier par ma mère et Migault par mon père. Mon nom complet est Burnier-Migault, mais c'est un peu pédant, vous ne trouvez pas ?

Le sous-directeur respirait. C'était la troisième fois que de Varambon, conséquence de son absurde obsession, était sur le point de le priver de la présence de Désiré, il était las.

Il laissa son protégé regagner les couloirs.

Désiré s'amusait. Retrouver la trace du véritable Burnier, agrégé d'histoire en 1937 et décédé l'année suivante, demanderait beaucoup de temps à de Varambon. Ses efforts pour démasquer Désiré étaient en permanence contrariés par l'état de désordre dans lequel l'administration française s'enfonçait au fil des jours. Le courrier fonctionnait mal. Le téléphone, n'en parlons pas. De Varambon avait obtenu quelques succès mineurs, totalement insuffisants pour mettre en danger la position de Désiré au Continental.

Sans être inquiet, celui-ci ressentait néanmoins un petit picotement dans l'échine sur lequel il ne parvenait pas à mettre de mots. C'est peut-être à cause de l'atmosphère du Continental, se disait-il.

Dans les trois premiers jours de juin, le palace s'était considérablement vidé, comme une entreprise déclarée en faillite. À l'agitation dans le grand escalier, à la turbulence dans les vastes salles, aux appels, aux cris, aux interpellations avaient succédé les chuchotements discrets, les conversations feutrées, les mines inquiètes et les regards flous, on marchait dans les couloirs comme dans les coursives d'un paquebot promis au naufrage. Même les effectifs aux conférences de presse avaient baissé.

Le 3 juin 1940, la Luftwaffe bombarda les usines Renault et Citroën. La banlieue parisienne fut touchée comme en plein cœur. La plupart des deux cents victimes étaient des ouvriers, l'attaque frappa les esprits. Ce n'était pas la première fois que des bombardiers allemands venaient s'égailler au-dessus de la capitale, mais, après toutes les nouvelles qu'on avait apprises sur les Ardennes, les Flandres, la Belgique, la Somme, Dunkerque, on eut l'impression d'être cernés.

Ce n'étaient plus les autres qui étaient visés, mais soi-même.

Ce fut une volée de moineaux. Des centaines, des milliers de Parisiens prirent la route vers le sud.

Désiré était d'autant plus indispensable au sous-directeur que ses troupes s'étaient clairsemées.

Un événement curieux survint au même moment, qui, si l'on peut dire, solda l'affaire.

Désiré, qui se rendait au Continental de très bonne heure, fut arrêté à quelques dizaines de mètres de l'entrée du palace par ce qu'il interpréta d'abord comme une danse. Au centre, un pigeon. Autour, des corneilles, ces oiseaux au plumage noir et brillant que l'on confond parfois avec des corbeaux. Désiré comprit bien vite qu'il s'agissait en réalité d'une curée : les corneilles sautillantes attaquaient à coups de bec un pigeon blessé qui claudiquait en tâchant de s'abriter. Il y avait autour de lui une véritable meute menée par un chef. La corneille la mieux placée s'avançait, donnait un violent coup de bec au pigeon, laissant aussitôt sa place à la suivante. La lutte était si inégale, le meurtre si évident, que Désiré chassa les corneilles à coups de pied. Elles s'éloignèrent prudemment. Dès qu'il fit un pas vers le Continental, elles revinrent vers leur proie. Il les chassa de nouveau, elles revinrent, le pigeon n'avait pas d'issue, il boitait bas, le cou tendu, les plumes folles, les coups l'avaient estourbi, il tourna lentement sur lui-même comme s'il espérait s'enfoncer dans le bitume du trottoir.

Désiré comprit alors qu'il ne servirait à rien de poursuivre la lutte. C'était fini. Le pigeon serait achevé, les corneilles avaient déjà gagné.

Ce qui n'était qu'un minuscule événement étreignit pourtant Désiré de manière poignante. Cette curée prit dans son esprit une importance démesurée. Il n'eut ni la force de s'y opposer ni celle d'assister à la cérémonie de mise à mort. Sa poitrine se serra, il regarda devant lui la porte à tambour de l'hôtel, s'avança, mais, à l'instant de prendre à droite pour entrer au Continental, il prit à gauche. Vers le métro.

On ne le revit plus.

Le sous-directeur fut terrassé par cette désertion. Pour lui, la guerre venait de s'achever sur une défaite humiliante.

# 23

Elle l'avait trouvée facilement, la chance arrive parfois. La fille du docteur n'avait pas changé de nom, elle figurait dans l'annuaire téléphonique. Il n'y en avait qu'une, Henriette Thirion, avenue de Messine.

Tout se passa simplement, Louise pénétra dans l'immeuble, demanda l'étage à la concierge, monta, sonna, Henriette ouvrit la porte, reconnut Louise et ferma les yeux. Ce n'était pas, comme chez sa mère, un réflexe d'agacement ou d'impatience, mais un mouvement d'accablement devant une tâche redoutée dont l'échéance arrive enfin.

– Entrez…

Voix lasse. L'appartement, de dimensions modestes, ouvrait, quoique d'un peu loin, sur le parc Monceau. Le salon était entièrement occupé par un piano quart de queue disparaissant sous des piles de partitions. Dans un coin, un guéridon se tassait entre deux fauteuils recouverts de cretonne.

– Donnez-moi votre manteau… Asseyez-vous, je vais faire du thé.

Louise resta debout. Elle entendit la bouilloire, le tintement des tasses qu'on posait sur un plateau. Cela dura une éternité, puis enfin Henriette revint, prit la place qui devait être la sienne ordinairement, Louise s'installa en face d'elle.

– Pour votre père…, commença-t-elle.

– Avez-vous dit la vérité au juge, mademoiselle Belmont ?

– Tout à fait ! Je…

– Alors, non, ne vous expliquez pas. J'ai lu vos déclarations. Si elles sont vraies, cela me suffit.

Elle souriait légèrement, se voulait rassurante. C'était une femme dans la cinquantaine qui prenait peu de soin de sa coiffure, dans laquelle les mèches blanches gagnaient du terrain. Elle avait un visage aux traits épais, des yeux ternes et des mains de pianiste, larges, « masculines ». Ce mot frappa Louise. Inexplicablement, il la rendit malheureuse.

– Je suis allée voir votre maman.

Henriette sourit douloureusement.

– Ah, la reine mère… Je ne vous demande pas comment les choses se sont passées, vous ne seriez pas ici.

– Votre mère m'a menti.

Louise ne s'était pas voulue agressive, elle essaya de se reprendre, Henriette écarquilla les yeux, stupéfaite. Louise comprit que cette feinte surprise était sa forme d'humour. Elle sourit.

– Pour ma mère, mentir n'est pas mentir. Du thé ?

Elle procéda avec des gestes sûrs et calmes, précis. Cette femme était méthodique jusqu'à la rigueur, Louise en avait un peu peur. Ce devait être un effet habituel de sa personnalité parce qu'elle ne cessait de sourire, comme pour assurer à son interlocutrice qu'elle n'avait rien à craindre, que les apparences étaient trompeuses.

– Voyons, mademoiselle Belmont, que savez-vous de toute cette histoire ?

Louise raconta. Henriette suivit son récit avec intérêt, à la manière d'un fait divers à rebondissements. Elle trancha sur l'épisode de l'archiviste :

– Bon, en clair, vous l'avez séduit.

Louise rougit.

Mlle Thirion se resservit du thé, lentement, sans en proposer, elle n'y pensa pas. Lorsque ce fut son tour de parler, elle posa sa tasse, croisa les mains sur ses genoux, on aurait dit qu'elle attendait qu'une musique emplisse la pièce pour commencer à somnoler.

– Je me souviens très bien de votre maman. On a dû vous dire souvent combien vous lui ressemblez. Je ne suis pas certaine que ce soit bien agréable à entendre ; moi-même, si on me disait la même chose… Voir arriver une nouvelle domestique à la maison n'avait rien d'inhabituel. Le surprenant était que celle-ci soit jeune, sans expérience, et surtout qu'elle reste. Ma mère licenciait les bonnes aussi vite qu'elle les embauchait, c'était assez pénible. Peu de temps après son arrivée, ma mère a cessé de lui adresser la parole, comme si elle n'existait pas. Moi, c'était différent. J'avais treize ou quatorze ans, Jeanne dix-huit, nous n'étions pas si éloignées l'une de l'autre. Sauf qu'elle était la maîtresse de mon père, et ça, il était impossible de l'ignorer, leur relation imprégnait littéralement la maison. Ce devait être assez humiliant pour la reine mère. Il soufflait un vent de passion feutrée, comme si on avait lâché une bombe dans un couloir. À dire vrai, ma mère avait peu de raisons de s'offusquer, elle faisait chambre à part depuis toujours. Une fois son devoir accompli en me mettant au monde, elle s'est estimée quitte de ses obligations conjugales. Ma mère considère les affaires sexuelles comme l'expression de la nature barbare des hommes. Elle ne comprend pas que cela puisse intéresser les femmes (il y a beaucoup de choses que ma mère ne comprend pas). Elle s'est toujours plus intéressée à sa fidélité qu'à son mari. Elle ne pouvait pas se plaindre que mon père ait une liaison, mais il était tout de même surprenant que cela se déroule au domicile conjugal. J'ignore la raison profonde pour laquelle mon père a provoqué cette situation. Peut-être que mes parents se haïssaient plus encore que je le pensais... Au fond, j'admirais votre mère. Il faut une force de caractère peu commune pour supporter, mois après mois, la fausseté d'une situation qui blessait tout le monde. En dehors du cercle familial, personne n'en savait rien. Ni mon père (qui craignait pour la réputation de son cabinet) ni ma mère (qui a toujours considéré son honorabilité comme un joyau de la Couronne) n'avaient intérêt à ce que cela s'ébruite. Et puis voilà qu'au bout de deux ans, soudain Jeanne disparaît. Nous ne sommes pas très loin des fêtes de fin d'année 1906, je me souviens très bien, nous avions des invités, Jeanne n'était pas là, une autre domestique faisait le service. Sous la férule de ma mère, le ballet mensuel des domestiques reprit comme aux plus beaux jours. Ce qui n'arrivait plus depuis longtemps, mes parents parlaient beaucoup ensemble. À voix basse, des chuintements, des murmures qui sentaient la décision trouble, la manigance. J'avais quinze ans, j'écoutais aux portes, mais je ne comprenais pas ce qui se passait. Quelques mois plus tard, mon père m'annonça qu'il avait vendu son cabinet et que nous allions habiter Neuilly. Mais à Neuilly, nous n'étions plus trois, mais quatre. Il y avait un bébé. Un garçon. Raoul. Dans le quartier, voir la famille du docteur recueillir un petit orphelin, tout le monde était admiratif. Ma mère entretint une légende qui eut beaucoup de succès. « Puisque nous sommes des privilégiés, que voulez-vous, nous tâchons de faire un peu de bien autour de nous. » Elle disait cela avec un sourire modeste de madone qui donnait envie de la gifler. Elle en tirait des satisfactions profondes. Le cabinet de mon père était très fréquenté, les bourgeois adorent la morale. L'étrange, c'est qu'à moi, on n'expliqua rien. « Tu es trop jeune pour comprendre… », me répondait ma mère lorsque je posais des questions. Puis un jour, je ne sais pas comment, j'ai fait le rapprochement entre la disparition de Jeanne et l'arrivée de cet enfant. « Bah, bah, bah, qu'est-ce que tu vas chercher là ? » me répondit mon père en rougissant. Au fait, Raoul, c'est votre demi-frère…

Elle resta un moment les yeux dans le vague.

– Au début, mon père s'occupait assez convenablement de lui, mais c'était un homme très pris. Et après quelques mois, sa volonté a fléchi devant celle de sa femme. Il le lui a abandonné. J'ai vite compris que ma mère n'avait pas accepté, mais *imposé* de recueillir cet enfant. Ce n'était pas par devoir moral, mais parce qu'elle le haïssait. Et que personne ne serait mieux placé qu'elle pour faire son malheur. Le recueillir lui permettait de punir tout le monde. Mon père, en ayant sous les yeux le fruit d'un amour qu'il avait perdu. Votre mère, qui fut contrainte d'abandonner son enfant et, sans le savoir, le remit aux mains de la femme qu'elle avait humiliée. Raoul lui-même fut victime de ce que l'on inflige à tous les bâtards pour les punir d'exister.

La lumière, déjà faible, avait sensiblement diminué. Le fond de l'appartement, plongé dans la pénombre de cette fin de journée, impressionna Louise. Le piano évoquait vaguement un échafaud auquel conduisaient les marches faites par les piles de partitions. Au-dessus, le conduit en saillie de la cheminée semblait mener à un invisible couperet.

– On n'y voit rien, dit Henriette. Je vais allumer.

Elle emportait le plateau.

D'autres lampes, une à une, éclairèrent le salon, dissipant les formes menaçantes que Louise avait cru discerner.

Henriette revint avec une bouteille et deux petits verres qu'elle remplit.

– C'est de l'alcool de fruit, dit-elle en tendant un verre à Louise. Vous allez m'en dire des nouvelles.

Dès la première gorgée, Louise fut prise d'une brève quinte de toux et reposa son verre, la main sur la poitrine.

Henriette s'était déjà resservie et sirotait son alcool, les yeux dans le vague.

– Moi, j'avais seize ans. Un bébé dans la maison, vous imaginez !

Louise imaginait très bien. Elle sentit comme des four-millements dans ses doigts, attrapa son verre et fit un effort pour ne pas le vider cul sec.

Dès qu'elle l'eut reposé, Henriette la resservit, en profi-tant pour remplir son propre verre.

– C'était un très beau petit garçon. Rieur. La nourrice, qui était une fainéante, ne demandait pas mieux que de me voir m'en occuper, elle passait la moitié de son temps à lire les journaux dans le jardin en fumant des cigarettes. Elle le changeait le moins possible parce que c'était du travail, il apprit à marcher avec une couche qui pesait des tonnes. Le soir, je devais le talquer et le caresser longtemps pour qu'il s'endorme. Je jouais à la poupée, bien sûr, mais j'étais aussi la seule personne à l'aimer vraiment dans cette maison, les bébés comprennent ces choses-là. Dès que Raoul a marché, la donne a changé. La reine mère est descendue de son Olympe pour « s'en occuper ». Elle a licencié la nourrice pour faire comme avec les domestiques, en changer tous les mois. Rien de pire pour un enfant que ces changements continuels, il perd très vite ses repères, il ne peut pas acquérir d'habitudes. Les soins, c'étaient les nourrices. Ma mère, c'était l'éducation. Elle s'est adonnée à cette tâche avec délectation. Elle avait enfin un rôle à sa mesure en donnant le spectacle ostensible d'une mère qui éduque son enfant tout en jouissant secrètement de le faire échouer. Elle ne lui a jamais laissé aucun répit. Dans tous les domaines. Elle lui imposait la nourriture qu'il détestait au nom de l'hygiène alimentaire, elle lui interdisait les jeux qu'il préférait au nom de l'hygiène éducative. Oui, pour ma mère, tout est affaire d'hygiène, la sienne. Ce qui était imposé à l'enfant, c'était ce qui était bon pour elle, ce qui la soulageait. La vision de cette harpie s'acharnant sur cet enfant a été la grande épreuve de ma vie. Raoul était un gentil garçon, vous savez. Mais les privations de toutes sortes, les interdictions, l'absence d'affection, les manifestations incessantes d'autorité, les plaisirs confisqués, les corrections, les heures dans le cagibi noir où il hurlait de terreur, les devoirs interminables, sans cesse recommencés, les humiliations, les placements dans des pensions les plus répressives, sans compter le mépris, tout cela a eu raison de lui. Il n'avait pas un mauvais fond. J'intervenais en cachette, je cautérisais les plaies dans la coulisse, c'était très éprouvant. Mon père là-dedans ? Ce n'est pas lui faire injure de dire qu'il était un homme faible. Comme tous les pleutres, il avait des courages soudains, des velléités de révolte, mais il finissait toujours par plier devant les risques pour sa réputation, les menaces sur sa carrière, le chantage de ma mère... Il avait définitivement coupé les ponts avec Jeanne. Il aurait fallu lui avouer qu'il avait fait jouer ses relations pour récupérer ce bébé et l'élever sans rien lui en dire, supporter le scandale qu'elle n'aurait pas manqué de faire, le procès qu'elle aurait pu intenter, c'était au-dessus de ses forces. Ma mère avait gagné. Raoul fut d'abord difficile, puis franchement impossible. Menteur, tricheur, voleur, il a fugué de tous les pensionnats, il s'est battu avec tous ses professeurs. Ma mère disait : « Vois comme il est ! C'est une mauvaise nature, voilà tout ! » Tout le quartier la plaignait.

Henriette resta un moment silencieuse.

– Je ne m'en suis pas rendu compte tout de suite… Un jour je me suis aperçue que mon père s'était éteint. C'était un homme vaincu par sa propre histoire. Peu à peu il s'est enfermé dans son monde, il est devenu inaccessible…

Louise avait le cœur serré.

– Vous-même, vous n'avez jamais dit la vérité à Raoul…?

– Dans la famille Thirion, le courage n'est pas notre fort.

– Qu'est-il devenu ?

– Dès qu'il a eu l'âge, il s'est engagé dans l'armée. Il en est sorti avec un diplôme d'électricien. C'est un garçon intelligent, très adroit de ses mains. Il a été mobilisé l'an dernier, il est soldat.

La nuit était tombée. Henriette avait resservi des petits verres, toutes deux avaient siroté. Louise craignait le moment où il lui faudrait se lever, elle n'avait pas l'habitude de l'alcool, allait-elle tituber comme une soûlarde ?

– Vous n'auriez pas une photo de lui ?

L'idée lui était soudain passée par la tête, elle désirait le voir – à quoi ressemblait-il ? Plus tard, elle se demanderait si elle n'espérait pas découvrir une ressemblance, même lointaine, avec elle-même, découvrir un frère... jumeau. On ramène toujours tout à soi-même.

– Oui, je dois avoir ça.

Le cœur de Louise battait à tout rompre.

– Tenez...

Henriette lui tendit un cliché jauni aux bords crantés. Louise le regarda. Henriette était souriante, émue. C'était la photo d'un bébé de dix ou douze mois qui ressemblait à tous les bébés du monde. Henriette voyait dans cette image le bébé qu'elle avait aimé, Louise n'y voyait qu'un bébé parmi d'autres.

– Merci, dit Louise.

– Vous pouvez la garder.

Henriette retourna s'asseoir et plongea dans d'obscures pensées. L'abandon de cette photographie l'avait-elle libérée d'un poids ou, à l'inverse, regrettait-elle son geste ?

L'appartement, la nuit, paraissait différent. Ce n'était plus l'antre d'une femme vivant autour de son piano, mais le refuge d'un être seul, replié sur soi.

Louise remercia Henriette, qui la raccompagna en lui confiant encore :

– Raoul m'écrit quand il a besoin de moi. Je ne m'en formalise pas, il a toujours été ainsi, c'est son côté profiteur... Même soldat, il est resté fidèle à ce qu'il est, un voyou. Moi, je l'adore, mais... Dans sa dernière lettre, il me demande de l'argent et il m'annonce qu'il est à la prison militaire du Cherche-Midi. Il m'assure que c'est une erreur judiciaire, c'est tout à fait lui. Il a dû carotter les médailles d'un général pour les revendre au poids, je n'y fais plus guère attention. Demain, ce sera autre chose.

Les deux femmes se serrèrent la main.

– Oh, dit Henriette, attendez un instant…

Elle disparut et revint avec un paquet noué d'une ficelle.

– Ce sont les lettres que votre mère a écrites à mon père, je les ai retrouvées dans son bureau.

Elle lui tendit la liasse.

En descendant l'escalier, Louise se sentait lourde.

Que le fils de sa mère soit un petit escroc était une grande déception, mais il y avait quelque chose de plus cruel.

Jamais Jeanne Belmont n'avait su la vérité sur l'existence de son fils, ni sur le calvaire de son enfance.

Jamais Raoul Landrade n'avait su qui était sa mère et de quelle histoire il était la tragique conséquence. De quels mensonges il était la victime.

Savait-il seulement que l'homme qui l'avait recueilli était son véritable père ?

Elle enfonça le paquet de lettres dans son sac.

Et retourna pleurer dans les bras de M. Jules.

6 juin 1940

# 24

La rue en avait connu des nuits d'agitation, des 14-Juillet, des mariages, des départs de congés payés, mais cette fois, pas de joie, pas de liesse... Des pères affairés chargeaient des automobiles, des mères couraient, pressant fiévreusement des bébés contre elles, on descendait des matelas, des caisses, des chaises, comme si la rue entière avait décidé de déménager en pleine nuit.

Fernand, en fumant une cigarette à la fenêtre de la salle à manger, observait cette effervescence en ruminant cette question du départ.

Il y pensait sérieusement depuis cette messe à Notre-Dame, trois semaines plus tôt, épisode étonnant.

Sa brigade mobile avait été convoquée pour assurer le service d'ordre sur le parvis. Une foule grave, serrée jusque sur les ponts de la Seine, semblait attendre le Messie. À la place de quoi on vit le vicaire capitulaire de Paris en chape d'or, mitre sur la tête et crosse en main, accueillir le président du Conseil, les ambassadeurs, les ministres d'État et M. Daladier. Fernand trouvait déjà surprenant de voir ces responsables politiques, radicaux, socialistes, francs-maçons, venir en délégation à Notre-Dame prier un dieu auquel ils ne croyaient pas, mais pour lui, le plus inquiétant était la présence d'un nombre considérable de militaires en grand uniforme. En voyant là le gratin de l'état-major, le maréchal Pétain, le général de Castelnau, le général Gouraud, etc., il s'était demandé si, en période d'invasion du pays par l'ennemi héréditaire, ces gars-là n'avaient rien de mieux à faire que de venir prendre un petit bout de messe.

Lorsque les haut-parleurs placés sur le parvis lancèrent vers la foule éplorée les accents du Veni Creator (« Visite l'âme de tes fidèles... »), puis ceux du sermon de Mgr Beaussart (« Venez, saint Michel, qui avez vaincu le démon... ») et qu'enfin monta la voix de M. le chanoine Brot, archiprêtre (« Notre-Dame, priez pour nous ! »), il parut évident que, si le gouvernement et les militaires en étaient arrivés à cette extrémité, c'est qu'ils ne savaient plus à quel saint se vouer.

La messe fut interminable. Fernand s'interrogeait : pendant ce temps, combien de kilomètres ont pu franchir les Panzerdivisionen du général Guderian ?

Les cloches de Notre-Dame sonnèrent à la volée au-dessus de la foule recueillie. En voyant les membres du clergé et ceux du gouvernement quitter la cathédrale à pas lents, il était clair pour tout le monde que Dieu venait d'être nommé chef d'état-major.

Fernand estima alors à deux ou trois semaines le temps que mettrait tout ce beau monde pour prendre le large. Les rumeurs de départ couraient bon train. Rien qu'à la brigade, bien des gars s'étaient déjà volatilisés, même des gradés, sous des prétextes que personne n'avait eu le cœur à examiner de trop près.

Toujours est-il que Fernand, en rentrant à la maison, avait pris la décision, malgré son état de santé, ou plutôt à cause de son état de santé, de faire partir Alice. Elle avait saisi sa main et, de cette voix un peu enrouée qui le faisait frissonner, elle avait répondu :

« Pas question de partir sans toi, mon chéri. »

Mais elle avait été aussitôt saisie d'une intense palpitation cardiaque qui plaidait pour la solution inverse.

Ces épisodes jetaient toujours Fernand dans le désespoir de l'impuissance, car il n'y avait rien d'autre à faire qu'à attendre. Il avait posé sa main sur le cœur de sa femme, frappé par la rapidité de cette cadence qui menait au désastre.

« Pas sans toi… », avait-elle répété.

Sa voix vibrait.

« D'accord, avait consenti Fernand. D'accord. »

Il se reprocha sa lâcheté, il aurait dû insister, décider. Était-ce un effet de la guerre, la santé d'Alice s'était dégradée ces derniers mois. Ses palpitations se faisaient plus fréquentes, plus violentes, les médecins disaient qu'il lui fallait du repos.

Alors, puisqu'elle ne voulait pas partir sans lui, fallait-il partir avec elle ? Devait-il, comme d'autres autour de lui, prendre le train pour la campagne ? Sa sœur habitait Villeneuve-sur-Loire, elle y tenait une petite épicerie. Elle lui avait écrit : « Viens-t'en donc à la maison quelque temps, la guerre n'a pas tant besoin de toi, te crois-tu indispensable ? »

Pas indispensable, certes non, mais plus l'ennemi approchait, plus il se sentait en devoir de l'attendre. S'il fallait défendre Paris, lui, garde mobile depuis vingt-deux ans, avait-il le droit de détaler comme un lapin et de partir se cacher chez sa sœur aînée ? Il s'était donné jusqu'au 10 juin, date de son anniversaire. C'était absurde, on voyait mal pour quelle raison une fuite entamée le jour de ses quarante-trois ans aurait eu davantage de légitimité que la veille ou le lendemain, mais l'époque elle-même était absurde.

C'est le camion à ordures qui l'avait fait changer d'avis.

Pas celui qui passait dans la rue sur le coup de cinq heures du matin et balançait à la volée les poubelles en zinc sur le trottoir, mais celui qui entra le 5 juin, vers huit heures, dans la cour de l'usine d'incinération d'Issy-les-Moulineaux où, à la tête de sa section, il avait été envoyé pour effectuer une surveillance. Surveillance de quoi ? Justement, tout était là. Il n'était pas habituel d'expédier dix gardes mobiles encadrer l'arrivée d'un camion chargé de déchets.

Ordinairement, dans cette usine moderne, les visites étaient plutôt de nature protocolaire, c'était le député en campagne qui venait serrer les cuillères, le sénateur qui faisait visiter « son » usine comme s'il s'agissait d'une succursale de sa permanence, mais quatre inspecteurs cravatés jusqu'à la glotte jetant sur tout le monde des regards suspicieux, ça, Fernand ne l'avait encore jamais vu.

On ne savait pas qui ils représentaient, ils n'avaient rien dit. Arrivés en terrain conquis, ils avaient tout de même marqué une légère hésitation en découvrant cet immense paquebot, avec ses quatre fours gigantesques, ses tapis roulants qui menaient un train d'enfer, cet écheveau de passerelles et d'escaliers métalliques.

Les ouvriers étaient passés devant un fonctionnaire chargé de relever leur identité et de leur faire signer un registre de présence. « Ordre du gouvernement ! » lâcha un inspecteur en desserrant sa cravate, ce qui, paradoxalement, donna du crédit à son exclamation. Tous signèrent.

Fernand dut disposer ses hommes à la surveillance des portes, des tapis roulants et des fours, après quoi s'ouvrit le lourd portail en acier qui laissa entrer un camion. Les ouvriers reçurent l'ordre de le décharger et d'en brûler le contenu.

C'était du papier. Des formulaires, des carnets usagés, des récépissés, des déclarations de toutes sortes, des feuilles d'émargement, des notifications diverses, des certificats et duplicatas périmés, toute une faune de paperasserie dont on ne voyait pas clairement l'urgence de se débarrasser, mais qui avait fait régner dans l'usine une tension électrique, comme si ces inspecteurs risquaient leur carrière.

Les éboueurs passèrent la matinée à pousser jusqu'aux escaliers des charrettes à bras qui couinaient sous le fardeau de sacs estampillés BdF et qui, chacun, pesaient un âne mort.

Les responsables de l'opération, avec leurs blocs-notes et leurs montres, ne cessaient de mesurer, de contrôler, de noter, de commenter, de regarder les ouvriers s'échiner, de quoi faire détester les fonctionnaires. Ils modifiaient sans cesse l'organisation ; visiblement, personne ne savait comment brûler autant de papier dans un délai raisonnable.

Fernand se trouva de garde à l'entrée du tapis qui acheminait les sacs vers les fours. Il salua d'un signe de tête un ouvrier d'une quarantaine d'années, un type aux jambes courtes dont la bedaine passait par-dessus la ceinture, mais d'une force physique inépuisable, et qui, toute la matinée, ouvrit des sacs et en balança le contenu dans les goulottes sans paraître fournir le moindre effort.

On avait compté les sacs dès la sortie du camion, pointé leur numéro à chaque escale, coché les bordereaux à l'arrivée. En fin de matinée, les fonctionnaires partirent en palabrant sur la quantité de personnel nécessaire, l'organisation à revoir, le temps dont ils disposaient, ils tournèrent le dos et sortirent de l'usine sans dire au revoir à personne.

En rentrant chez lui, Fernand avait mis un terme à son indécision. Alice quitterait Paris le plus tôt possible, mais seule, car lui avait du travail du côté d'Issy-les-Moulineaux.

– Quel travail ?

– Du travail, Alice, du travail !

Fernand prononçait le mot avec tant de gravité qu'Alice entendait non pas « du travail », mais « le devoir ». Et elle voyait mal, en cette période troublée, en quoi le devoir pouvait empêcher Fernand de l'emmener loin de Paris.

– Tu vas rester longtemps ? demanda-t-elle, inquiète.

Il ne savait pas. Un jour, deux, davantage, impossible à dire. Comme si elle avait senti sa détermination, elle n'insista pas.

Fernand descendit alors trouver M. Kieffer.

En début de semaine, il l'avait entendu évoquer Nevers où il projetait d'aller trouver refuge chez un cousin, il passerait forcément par Villeneuve-sur-Loire.

Fernand le trouva sur le palier, un carton dans les bras.

M. Kieffer avait penché la tête et rallumé sa gitane maïs. Fernand vit à son regard qu'il réfléchissait, qu'il hésitait.

– Vous êtes tout seul avec votre femme, insista-t-il, vous avez un peu de place, non ?

M. Kieffer était inspecteur à la Poste, belle situation, il avait un fils soldat et une 402, d'occasion certes, mais tout de même, c'est assez vaste, ces voitures-là, quand on est assis à l'arrière, on peut presque allonger les jambes, comme au wagon-restaurant.

– Bah, de la place..., dit M. Kieffer. Pas tant que ça, faut pas croire !

Ça n'était pas un non catégorique, ça ressemblait plutôt à un oui conditionnel.

M. Kieffer, de son côté, pensa longuement à Alice, cette femme qu'on disait malade, mais qui avait de beaux nichons et des fesses faut voir comme.

– Pour les conditions, reprit Fernand, je veux dire pour la nourriture, l'essence et tout ça, bien sûr, vous me dites…

Il avait avancé cela timidement, comme une éventualité à laquelle il n'aurait pas cru réellement lui-même. La relation entre les deux hommes avait toujours été déséquilibrée, parce que Kieffer, qui considérait sa vie comme une réussite, regardait avec condescendance et envie ce garde mobile dont le seul signe particulier était d'avoir l'épouse la plus gironde de l'immeuble. Le regard de M. Kieffer avait plongé dans le vide. La demande de Fernand était bien tentante, emmener une pareille femme… En plus, on lui payait l'essence.

– C'est que… c'est une sacrée responsabilité.

– J'ai pensé à quatre cents francs, avança Fernand.

Ce n'était pas ce qui était espéré, ça se vit tout de suite. Kieffer hocha longuement la tête, tira sur sa cigarette, pensif, un silence ondoyant s'installa entre eux.

– Vous savez…, reprit-il enfin, c'est des frais, un voyage comme ça, on ne se rend pas compte…

– Alors, disons six cents francs, proposa Fernand, inquiet à l'idée que cette somme représentait à peu près tout ce dont il disposait…

– C'est bien parce que nous sommes voisins, hein! Départ demain, milieu de matinée, ça vous va?

Ils se serrèrent la main, mais sans se regarder, chacun avait ses raisons.

Lorsque Fernand l'informa qu'il avait passé un accord

avec M. Kieffer, Alice ne répondit pas. Ce voisin lui jetait des regards concupiscents quand ils se croisaient dans l'escalier, il tâchait toujours de se frotter contre elle comme par accident lorsqu'il s'effaçait pour la laisser passer, mais Alice en avait pris son parti. S'il fallait s'offusquer chaque fois qu'un homme vous dévisageait ou vous glissait une main distraite quelque part, on n'en finirait jamais. Et elle savait Fernand assez soupe au lait pour ne jamais évoquer ce sujet, d'autant qu'elle se sentait parfaitement apte à faire face.

Fernand sortit une carte de France, ils regardèrent le trajet que la voiture devrait emprunter jusqu'à Villeneuve-sur-Loire. Même dans les circonstances actuelles, c'était deux jours de route, pas davantage. On n'évoqua pas la santé d'Alice, mais deux jours de voyage, c'était quelque chose.

– Pourquoi ne pars-tu pas avec moi ?

Alice était ainsi, elle ne désarmait jamais.

Fernand, lui, savait que sa décision était la bonne, mais la vérité était incommunicable. Que penserait Alice s'il évoquait maintenant la Perse et *Les Mille et Une Nuits* ? C'eût été ridicule. Et pourtant...

Ils étaient mariés depuis presque vingt ans. La santé chancelante d'Alice l'avait contrainte à rester au foyer, à se priver d'enfants, mais peu importait, elle n'avait jamais eu l'âme bien maternelle. Ni domestique d'ailleurs, elle faisait le ménage à contrecœur, passait son temps à lire des romans. Non, elle, ce qui lui aurait plu, ce n'était pas la vie de famille avec un garde mobile, c'est de voyager.

L'Égypte, le Nil, voilà ce qu'elle aurait eu envie de voir.

Et plus encore la Perse. Oui, maintenant, il fallait dire l'Iran, mais ça n'était pas pareil, *Les Mille et Une Nuits*, c'était la Perse. Ces contes l'avaient toujours fait rêver. Fernand trouvait d'ailleurs à sa femme des allures de princesse orientale lorsqu'il la regardait lire à demi allongée sur le canapé du salon. Il riait lorsqu'elle évoquait les ottomanes, les meubles incrustés d'or et d'ivoire, les tapis, les parfums capiteux, les bains de lait d'ânesse, mais il riait jaune parce que sa solde ne les autorisait guère qu'à des congés à Villeneuve-sur-Loire. Alice disait que ça n'avait aucune importance, c'était sans doute vrai. Mais pour Fernand, au contraire, plus le temps passait, plus ce projet se révélait essentiel. Le voyage en Perse était devenu un remords, il incarnait toute sa culpabilité de voir l'objet de son amour, mois après mois, fondre sous ses yeux sans pouvoir rien faire.

Le lendemain, Fernand embrassa Alice, installée à l'arrière de la voiture de M. Kieffer entre deux cartons et une valise.

– Ça ne sera pas long, mon amour, vous serez là-bas demain au plus tard, tu pourras te reposer.

Alice lui sourit en lui pressant la main. Elle était très pâle. Fernand ne savait plus que faire, je vais venir très vite, disait-il, on se retrouve chez Francine, mais déjà le moteur ronflait, ultimes recommandations, Fernand fit le tour pour dire à M. Kieffer, je vous la confie, n'est-ce pas, Kieffer répondit d'un sourire suffisant.

Dès que la voiture s'ébranla, Fernand, sur la chaussée, leva la main. La dernière chose qu'il vit, c'est le joli bras d'Alice passé par la portière qui lui disait à bientôt, je t'aime.

Il remonta, harassé de fatigue, anxieux comme jamais, envahi de questions et de scrupules – avait-il bien fait ? N'avait-il pas abandonné Alice ? Était-ce le bon choix ? L'appartement lui parut vain, comme le décor d'une pièce de théâtre qui aurait quitté l'affiche. Il ne dormit quasiment pas.

Le lendemain matin, par la fenêtre, il regardait d'autres véhicules en partance.

Il était cinq heures. L'aube n'allait pas tarder à poindre au fond du ciel au-dessus de Paris, la rue semblait plus vaste, quelques voitures avaient dû s'éclipser au cours de la nuit.

Il s'ébroua, revêtit son uniforme, descendit dans l'arrière-cour où il exhuma des sacs en toile de jute dont le fond était encore tapissé de la terre des patates qu'ils avaient contenues.

Puis il monta sur son vélo.

Son salut maintenant dépendait d'un éboueur.

## 25

La prison militaire du Cherche-Midi se situait entre le pénitencier et la caserne. Du premier, elle avait les cellules léprosées, les cours exiguës et une nourriture aussi indigente que déprimante. De la seconde, elle avait le personnel obtus, rigide jusqu'à l'entêtement, la discipline de fer et l'organisation millimétrée. C'était déjà beaucoup en temps normal et les temps, justement, n'avaient rien de normal. La perspective qui se dessinait chaque jour davantage d'une débâcle massive et sans appel pesait lourd sur les détenus qui incarnaient, aux yeux des matons, toutes les fautes qui avaient conduit à la défaite annoncée.

Se trouvait emprisonnée au Cherche-Midi toute une population de détenus politiques et de réfractaires. Les premiers se recrutaient principalement chez les anarchistes, les communistes, on y trouvait pêle-mêle véritables saboteurs, présumés espions et supposés traîtres. Les réfractaires allaient des déserteurs aux insoumis en passant par les objecteurs de conscience. Et au milieu de tout ça, les militaires auteurs de délits de droit commun, lot hétérogène de pilleurs, de voleurs et de meurtriers. Pour avoir effectué quelques courts séjours en prison, Raoul s'était intégré avec plus de facilité que Gabriel, mais les conditions étaient là pires qu'ailleurs. Il se tournait et se retournait des nuits entières sur une paillasse dont un ours n'aurait pas voulu.

L'ambiance de l'établissement était plus qu'éprouvante. À mesure que l'ennemi approchait, les gardiens du Cherche-Midi nourrissaient pour la population carcérale une détestation qui confinait à la haine. Le pouls de la guerre battait jusque dans les couloirs de cette prison. Le Cherche-Midi était la caisse de résonance des déboires de l'armée française. Que les troupes françaises soient défaites à Sedan, que Calais soit pris par l'ennemi, les mesures punitives et les coups pleuvaient ; qu'à Dunkerque, les Français parviennent à protéger le repli des Alliés, les horaires de sortie dans la cour revenaient à peu près à la normale.

Par deux fois, Raoul et Gabriel avaient été séparés puis réunis. Chaque fois, Gabriel le harcelait pour qu'il témoigne de son innocence.

« T'inquiète pas, ça va se tasser, avait répondu Raoul. Dans un mois, on est dehors. »

Rien n'était moins sûr. L'armée française acceptait sans états d'âme d'envoyer des contingents entiers de soldats se faire massacrer, mais ne supportait pas que l'un d'eux soit un criminel. Ça la vexait, l'armée, elle se sentait salie.

L'optimisme de Raoul tenait au fait qu'il s'était toujours tiré d'affaire. Toujours. Parfois difficilement et au prix de quelques sacrifices, mais il pensait qu'avec ce qu'il avait vécu depuis son enfance, d'autres seraient morts depuis longtemps, alors que lui était « toujours debout ».

Il était parvenu à cantiner en quelques jours. La fascination pour le bonneteau est universelle parce qu'elle prend fond sur le témoignage de nos sens auxquels on a tendance à se fier. Gabriel, bien qu'il s'en défendît, admirait la débrouillardise dont ce type faisait preuve. Ainsi, dès son arrivée, il avait gagné qu'un gardien lui poste une lettre sans passer par la censure. « C'est seulement pour ma sœur », avait-il expliqué. Le gardien était fair-play, il avait perdu au bonneteau, il s'était exécuté.

Il avait aussi tenté de raisonner Gabriel.

« J'exige de voir un avocat ! avait dit ce dernier à l'officier qui avait procédé à son admission.

– Vous exigez…

– Je veux dire… »

Il n'avait pas eu le temps d'ajouter un mot, un coup de crosse dans le ventre lui avait coupé la parole.

« Calme-toi, vieux ! » avait conseillé Raoul.

« Pas bonne, ton affaire…, lui avait dit un soldat arrêté pour avoir donné un coup de couteau à un camarade au cours d'une beuverie. Le pillage, ils n'aiment pas. Je ne sais pas pourquoi, c'est peut-être pas assez militaire… »

Gabriel, terrorisé, avait alors repris le siège de Raoul.

« Quand tu seras convoqué, il faut que tu dises la vérité ! » lui répétait-il sans cesse.

Raoul s'amusait à répondre à cette injonction par des arguments chaque fois différents, Gabriel ne savait pas ce qu'il pensait réellement.

« Quoi, la vérité ? disait Raoul. Je ne peux pas dire que tu étais absent puisque tu as été pris sur le fait.

– Sur le fait ? hurlait Gabriel. Quel fait ! »

À quoi Raoul répondait par un large sourire et une claque dans le dos :

« Je plaisante, sergent-chef, je plaisante ! »

Raoul aimait bien Gabriel. Au pont sur la Tréguière, il

s'était montré courageux. Lui était un colérique, faire exploser un pont était dans son tempérament, toute son enfance il avait dû lutter contre la violence, la bagarre lui était naturelle. Mais de la part de ce petit professeur de mathématiques, c'était plus surprenant, Raoul l'avait trouvé très bien.

Comme souvent les prisons, le Cherche-Midi était l'un des lieux les mieux informés de Paris. Les visiteurs sont très divers, les informations se recoupent naturellement. Et dans les premiers jours de juin, elles étaient plus mauvaises que jamais.

Les événements de Dunkerque avaient ébranlé les convictions les mieux ancrées. Cette période terrible où les forces françaises et alliées résistèrent héroïquement à l'invasion allemande eut des conséquences lourdes sur les détenus. C'est à ce moment-là que l'administration française (entendez, le gouvernement) s'interrogea sur le sort des prisons militaires, dont le Cherche-Midi était l'un des fleurons.

Les administrations avaient reçu, dès les premières tensions avec l'Allemagne, des instructions pour transférer leurs valeurs à l'abri en cas de coup dur. Elles mettaient en caisses, en cartons et en sacs, chargeaient et transbordaient déjà ce qu'il n'était pas question d'abandonner à l'envahisseur. On recensait de nombreuses anecdotes de services qui avaient brûlé des documents en grand nombre ou fait partir des chargements de nuit. Le gouvernement lui-même songeait sérieusement à s'éloigner de Paris. On ne voulait pas risquer qu'il soit fait prisonnier par surprise, et ajouter le ridicule à l'humiliation.

Le cas des prisonniers du Cherche-Midi se posait.

De notoriété d'État, cet établissement était rempli de terroristes, principalement communistes, complices des nazis comme le pensaient tous ceux qui n'étaient pas communistes, et la question se posait du sort qu'on leur réserverait si les choses tournaient mal, ce qui était précisément en train de se passer. On imaginait en haut lieu que ces détenus, majoritairement membres de la cinquième colonne, seraient libérés par les communistes encore en liberté dans Paris et se mettraient au service des troupes allemandes, afin de les seconder dans leur œuvre d'occupation de la capitale et de contrôle de ses habitants.

Cette menace taraudait gardiens et prisonniers. Plus les Allemands se rapprochaient, plus l'ambiance était lourde et les gardiens menaçants, parce qu'ils ne voulaient pas être pris par l'ennemi sous prétexte qu'ils étaient les matons des ennemis de la France.

Le 7 juin, *Le Petit Journal* qu'un gardien fit circuler annonça : « Nos troupes tiennent tête magnifiquement à la ruée allemande. » Le communiqué officiel du GQG confirmait : « Le moral de nos troupes est splendide. » Le lendemain, la presse concéda que l'aviation française devait « se battre à un contre dix ». Le 9 juin : « Entre Aumale et Noyon, la pression allemande s'est fortement accrue. »

Et soudain, le 10 juin, peu après le repas de onze heures, un étrange silence se fit. Personne ne comprenait ce qui se passait. Des bruits commencèrent à courir. « Les Boches vont arriver à Paris », disaient les uns. « Le gouvernement a foutu le camp », assuraient les autres. Les détenus interrogeaient les gardiens, devenus soudain des masques de marbre, ça ne sentait pas bon.

Après deux heures de silence, il était évident pour tout le monde que quelque chose se préparait.

Dans une cellule, quelqu'un lâcha enfin le mot qui était dans tous les esprits :

— Ils vont nous fusiller.

Gabriel faillit se trouver mal. Sa respiration se fit haletante, il manquait d'air.

— Ah non, dit Raoul, tu ne peux pas être fusillé en toussant, ça manque de dignité.

Il était allongé en maillot de corps sur son grabat et tripotait machinalement des osselets qu'il avait échangés avec un autre détenu. Ce jeu, en fait, lui servait de chapelet. Lui aussi était angoissé par la situation, mais il avait l'habitude de dissimuler ses émotions.

Arrêtés par aucun démenti, les bruits poursuivirent leur itinéraire chaotique de cellule en cellule. L'un d'eux disait : « Ils ne peuvent pas fusiller ici, dans la cour, des centaines de détenus, que feraient-ils des corps ? » Un autre répondait : « S'ils nous mettent dans des camions, c'est qu'ils veulent faire ça ailleurs. »

Tout à coup, on entendit :

— Dehors, avec toutes vos affaires !

Ce fut un remue-ménage terrible, les gardiens tapaient sur les barreaux avec leurs matraques, ouvraient les cellules à la volée, malmenaient les détenus pour les faire se grouiller.

— Si on doit prendre nos affaires, c'est qu'ils vont nous transférer, dit Gabriel, pensant que la perspective d'être fusillé s'éloignait.

— Ou ils ne veulent rien laisser derrière eux, répondit Raoul en ramassant en hâte peigne, savon, brosse, biscuits secs et un peu de linge.

Déjà un maton les poussait hors de leur cellule à coups de crosse.

En quelques minutes, tout le monde fut dans la cour. Entre détenus, les questions fusaient, personne ne savait rien.

Dans la rue, des dizaines de tirailleurs marocains et de gardes mobiles, fusil au poing, encadraient des camions militaires bâchés. Un officier hurla :

– Toute tentative de fuite sera punie de mort ! Nous tirerons sans sommation !

On fit monter les détenus à coups de crosse.

Raoul, propulsé dans le camion, se trouva à côté de Gabriel. Il était blanc comme un linge, un pauvre sourire aux lèvres.

– Cette fois, mon sergent-chef, je crois que c'est la fin.

# 26

Pour un milieu de journée, il n'y avait pas grand monde dans le métro, Paris s'était vidé de moitié. Fernand, installé sur un strapontin en bois, son havresac entre ses genoux, prit conscience du curieux effet qu'il devait produire en cette période : un garde mobile en uniforme avec un sac, prêt à partir en voyage… Mais ça n'étonnait personne. Il ignorait tout de la mission pour laquelle il était convoqué à la prison du Cherche-Midi et se demandait s'il serait facile de surveiller ce sac qui, maintenant, lui faisait un peu honte.

Alice était partie depuis quatre jours pendant lesquels il s'était passé tant de choses qu'il ne retrouvait rien de l'état d'esprit et de l'espoir enthousiaste qui l'avaient conduit à la faire voyager dans la voiture de cet abruti de Kieffer. Dès le lendemain, il s'en était mordu les doigts. Ce qu'il attendait n'était pas arrivé. On l'avait envoyé avec son unité gare d'Austerlitz, où des milliers de candidats au départ se disputaient des places dans les quelques trains dont personne ne savait réellement s'ils partiraient. Un wagon plein de monde finissait par rester sur le quai ; un autre, sur le quai d'en face, partait soudainement, mais personne ne savait dire où il allait, Dijon, disait l'un ; pas du tout, Rennes, prétendait un autre. Fernand rassemblait son équipe, envoyait un de ses hommes aux renseignements auprès de la chefferie de la gare, mais personne ne savait qui commandait, le garde revenait bredouille et avait toutes les peines du monde à retrouver son unité, parce que Fernand avait dû se rendre en urgence à l'autre extrémité de la gare où une bagarre était survenue entre des réfugiés belges et des candidats au départ pour Orléans.

Fernand contemplait le désastre. Des milliers de gens répandaient des nouvelles entendues à la radio : « Il paraît que dans sa chronique, M. Dupont a dit que les Boches se promettaient de couper la main droite de tous les enfants qu'ils rencontreraient sur la route de Paris. » La nouvelle s'amplifia. Fernand entendit quelqu'un dire qu'en fait ils ne couperaient pas les mains, mais décapiteraient les mères. Quelle période de merde, se disait-il.

Ce qu'il attendait, ce sur quoi il avait tout fondé, le départ d'Alice, le report de son propre départ, n'arrivait pas, il avait été victime d'un mirage, d'un espoir aveugle, il était un imbécile.

Le vendredi, il parvint à appeler Villeneuve-sur-Loire. L'épicerie de sa sœur avait un téléphone qui servait à tout le quartier et rien ne fonctionnait plus mal que le téléphone en ce moment, à l'exception des trains.

Miraculeusement, il obtint le numéro. Fernand passa d'une inquiétude à une autre. Alice était bien arrivée, elle n'avait mis qu'une grosse journée pour venir de Paris, mais elle était aussitôt repartie.

« Repartie... Où ça ?

– Je vais devoir interrompre, disait déjà l'opératrice.

– Enfin… repartie… Je veux dire, pas vraiment repartie, elle est à la ch…»

La communication fut coupée avant que sa sœur achève sa phrase. De toute manière, téléphone ou pas, elle commençait beaucoup de phrases qu'elle n'achevait jamais.

Enfin, il reçut un ordre de mission pour Issy-les-Moulineaux. Il avait raison de croire un peu en Dieu. Il aurait dansé sur place.

À l'arrivée de Fernand à Issy, il était huit heures, les fonctionnaires étaient déjà là, mais moins nombreux que la fois précédente. Sans doute les surnuméraires réquisitionnés pour contrôler l'opération avaient-ils trouvé plus urgent d'aller voir quel temps il faisait du côté d'Orléans, les bords de Loire, on dit que c'est très joli en juin. Les rescapés de la brusque contagion touristique, blafards, se regardaient, se répartissaient nerveusement les rôles. Les ouvriers (qu'on appelait des boueux), alignés par le contremaître, attendaient sereinement la suite du programme. Il régnait une curieuse ambiance, personne ne comprenait pourquoi on était là un dimanche.

On fit signer des registres de présence aux ouvriers, on vérifia l'identité des gardes mobiles. Tout alla assez bien jusqu'à l'entrée du camion, sauf le moral des boueux qui comprirent que la journée serait harassante en estimant à vue d'œil le monceau de sacs à trimbaler et à brûler à huit ou dix tonnes… Mais le clou du spectacle restait à venir. Il eut lieu une heure plus tard, lorsque, après avoir placé des observateurs à toutes les entrées et sorties, et plusieurs contrôleurs au déchargement des camions, en bas et en haut du monte-charge, dans les couloirs de goulotte, sur la passerelle d'accès et à la gueule des entonnoirs, on passa les premiers sacs.

Ils étaient remplis non de formulaires hors d'usage, mais d'une monnaie tout ce qu'il y a de plus actuel, de beaux billets de cinquante, de cent, de deux cents, de cinq cents, de mille francs, tout le monde en attrapa le vertige.

Fernand échangea un petit geste de la main avec l'ouvrier aux jambes courtes et à la bedaine proéminente qu'il avait vu deux jours plus tôt balancer des tonnes de papier dans les goulottes. Lui aussi était sidéré. Un seul billet de mille francs représentait à peu près un mois de son salaire mensuel, le premier sac qu'il dut se coltiner jusqu'aux tapis pesait dans les quarante kilos, il n'était pas nécessaire d'être bon en maths pour évaluer qu'on allait détruire dans la journée trois ou quatre milliards de francs. Les Allemands approchaient et le gouvernement, réaction pathétique, avait décidé de brûler le butin avant leur arrivée.

Les contrôleurs tous les dix mètres comptaient les sacs.

Les types qui triaient ordinairement des boîtes de conserve, des pompes à vélo et des caisses d'oranges coltinèrent de quoi racheter l'usine entière et payer le personnel pendant cinq générations. Mais on s'habitue à tout. Alors qu'au début les éboueurs avaient eu la gorge serrée de reluquer la fortune à peine imaginable que représentait un seul sac, en milieu de journée, ils vous remuaient des pelletées de billets de banque comme ils auraient touillé de la colle à papier peint. Sans doute s'étaient-ils résignés à voir partir en fumée le capital du pays qui, de toute façon, ne leur avait jamais appartenu.

Fernand était certainement le seul à ressentir une satisfaction, son intuition ne l'avait pas trompé, le précédent chargement n'avait constitué qu'une répétition.

On arriva enfin au bout de la tâche.

L'employé comptable hurla que les chiffres ne correspondaient pas exactement, il manquait un sac.

Un sac sur près de deux cents, qu'est-ce qu'on en a à foutre, avaient l'air de dire les éboueurs, mais les fonctionnaires, eux, avaient une approche différente, ils donnaient l'impression qu'un sac valait plus qu'un sac, c'était un symbole et s'il avait disparu, c'est qu'il avait été volé, le grand mot était prononcé.

Deux inspecteurs, Fernand et deux autres gardes mobiles furetèrent dans l'usine à la recherche de ce satané sac, on compta et on recompta, enfin, on le retrouva. Tombé sous la passerelle qui menait au four. Un sac vide à cet endroit, c'est que son contenu avait été brûlé, on comprit comment l'incident avait pu survenir, on était presque à la fin de la journée. Presque, mais pas tout à fait. Les boueux, épuisés par leur matinée, s'apprêtaient à partir lorsqu'ils furent rappelés, hep vous là-bas, avec l'index replié et un regard d'instituteur... Fernand rassembla ses hommes et assista, sidéré, à un long conciliabule entre les inspecteurs, au terme duquel l'ordre tomba, net et précis : tout le monde à poil.

C'était formulé de manière plus administrative, mais c'était tout de même le message.

Un éboueur commença à râler, un autre se joignit à lui, puis un troisième, on ne va pas se déshabiller comme ça, là, on est juste des ouvriers... Quand les autorités demandèrent à Fernand d'appeler des renforts, tout le monde fut saisi. Ça devenait sérieux.

Fernand fronça les sourcils devant le tour déconcertant que prenait cette journée.

Il se posta devant un ouvrier et lui conseilla calmement de retirer sa veste. De se soumettre. L'ouvrier le fixa de son œil rond et inexpressif, il avait l'air d'un héron. Puis il commença à déboucler sa ceinture, à déboutonner sa braguette. Les autres, un par un, suivirent, en ordre dispersé, sauf un grand couillon qui se mit à bramer, pas question, il n'était pas payé pour ça. Le temps de laisser hurler son indignation, il était le seul encore habillé.

À la demande d'un inspecteur, tous durent se retourner, lever les bras. Ils avaient fait leur service militaire et la promiscuité entre camarades n'était pas une gêne en soi, mais ici, à l'usine, c'était autre chose de se retrouver en caleçon devant des fonctionnaires tout habillés…

Quand ils furent autorisés à remettre leurs vêtements, le grand couillon dansait encore d'un pied sur l'autre, mais il ne criait plus. Il dut se résoudre, dégrafa sa cotte. Tous les regards étaient tournés vers lui, sauf ceux de ses camarades qui se concentraient sur la tâche de se rhabiller comme des enfants appliqués. Le type transpirait abondamment. Il baissa son pantalon avec un soupir douloureux. De son slip dépassait une grosse poignée de billets de cinquante francs.

« Embarquez-le ! » hurla aussitôt le chef.

On se serait attendu à un hurlement collectif de protestation, mais rien ne se produisit. L'ordre tomba comme une pierre dans la stupeur ambiante.

Fernand s'avança et d'une voix douce demanda à l'ouvrier de rassembler le contenu de son slip et de se rhabiller. Un fonctionnaire compta les billets en les tenant du bout des doigts, onze billets de cinquante.

Lorsque l'ouvrier fut rhabillé, ses collègues le regardèrent avec compassion, tandis que la section de Fernand embarquait le contrevenant, les épaules basses. L'usage gouvernemental consistant à ne pas pardonner aux plus pauvres le millième de ce qu'on autorisait aux plus riches était déjà bien établi, il n'empêche, c'était très triste.

Il se passa alors quelque chose de curieux que chacun garda en mémoire assez longtemps. Quelques agents de la Banque de France vinrent serrer la main des boueux alignés sous la passerelle. La petite cérémonie, une fois entamée, ne pouvait plus s'arrêter et tous les agents serrèrent toutes les mains. L'initiative partait sans doute d'un bon sentiment, mais le défilé sonna comme pour des funérailles. La nation reconnaissante remerciait les éboueurs et leur adressait ses condoléances.

L'ouvrier ventru adressa un dernier geste de camaraderie à Fernand puis disparut. L'usine serait fermée par un contre-maître.

Pendant que deux hommes de son unité embarquaient l'éboueur cupide vers le commissariat, Fernand sortit, dit bonsoir à ses collègues, monta sur son vélo, fit un large détour et revint vers l'usine, longea le mur d'enceinte jusqu'à la porte d'un local technique qu'il ouvrit et où il trouva la petite remorque qu'il y avait déposée la veille et dans laquelle avait été déversé précipitamment le contenu du sac manquant, un gros tas de billets de cent francs.

Fernand partagea le paquet en deux sacs, laissa dans un coin le premier, le plus gros, que l'ouvrier ventru viendrait chercher dans la nuit, chargea l'autre sur sa remorque de vélo et reprit son chemin vers Paris.

Arrivé à la maison l'attendait une convocation pour le lendemain à la prison du Cherche-Midi, à quatorze heures. Était joint un ordre de mission à l'« objet : indéterminé », précisant qu'on devait se munir « des effets nécessaires à une courte mission de déplacement ».

En se demandant en quoi elle pouvait bien consister, il monta le sac, renonça à compter. Il y avait là plusieurs millions de francs. Largement de quoi faire découvrir la Perse à son épouse.

La pensée d'Alice le fit mollir. Il se promit de rappeler dès le lendemain.

Sur la table, l'ordre de mission semblait lui adresser des reproches. Devait-il partir en l'ignorant ? Maintenant qu'il avait tout cet argent, n'était-il pas raisonnable de s'en aller à son tour, comme tant d'autres, et de rejoindre Alice ?

Sans affectation, Fernand se serait senti libre de quitter Paris et de la rejoindre à Villeneuve, mais il n'imaginait pas sérieusement ignorer un ordre de mission formel, il savait qu'il se rendrait là où son autorité l'envoyait, c'était dans son tempérament.

Il s'était résolu à remplir un havresac de billets. Il avait enfourné le reste du butin dans une valise qu'il avait descendue à la cave et dissimulée entre deux caisses.

Il était maintenant dans le métro avec entre les jambes son sac bourré de billets.

Il reprit sa convocation et relut une nouvelle fois le lieu de son affectation. Ça ne lui disait rien qui vaille.

## 27

Lorsque Louise arriva devant la prison du Cherche-Midi, la rue était bloquée par des barrières qui empêchaient d'approcher du portail d'entrée. Des femmes se tenaient là, nerveuses, agitées.

– Ils ont suspendu les visites, disait l'une, je suis ici depuis midi…

On sentait de l'anxiété dans sa voix.

On voyait, là-bas, aller et venir des uniformes. Sporadiquement, les femmes montaient le ton, interpellaient les militaires. «Les visites, c'est à quelle heure?» criaient-elles. «Alors, c'est pour aujourd'hui ou pour demain?» «On vient de province, nous!» Et même un: «On a des droits!», qui tomba comme une pierre dans un puits.

Ces cris avaient été superbement ignorés, mais la petite foule massée à l'extrémité de la rue du Cherche-Midi voulait se faire entendre. Louise sentait bien que les gendarmes s'en inquiétaient (ou étaient-ce des gardes mobiles, elle, les uniformes…), les regards se tournaient régulièrement vers ces femmes. Risquaient-elles de renverser les barrières? Allait-on devoir les disperser? Sous les képis, les yeux disaient l'embarras d'avoir peut-être à refouler des femmes manu militari.

Sortant du métro, d'autres gardes mobiles arrivaient seuls ou par petits groupes, portant un baluchon léger, une serviette, presque rien. Lorsqu'ils arrivaient à leur hauteur, les femmes les haranguaient, les questionnaient : «Vous savez ce qui se passe ? », «Pourquoi les visites sont suspendues ? », mais les uniformes défilaient, certains baissant la tête comme sous une volée de cailloux, d'autres, raides et dignes, le regard droit pour signifier leur inflexibilité. Les plus jeunes ouvraient la bouche, les plus anciens les faisaient taire d'un geste, tous franchissaient les barrières et s'éloignaient pour rejoindre leurs homologues devant la prison. La plupart entraient, quelques-uns, auparavant, fumaient une dernière cigarette en tournant ostensiblement le dos au groupe des visiteuses pour souligner leur indifférence.

– Adjudant-chef ! cria une femme qui connaissait les grades. Vous pouvez nous dire ce qui se passe ici, on ne sait rien !

Celui-là portait un sac dans son dos, c'était un homme prêt au voyage, visiblement ; s'il était ainsi équipé, c'est qu'il savait quelque chose.

La femme s'interposa, Fernand s'arrêta.

– Vous allez les emmener ? demanda-t-elle.

De qui parlait-elle ?

– On a le droit de savoir ! dit une autre.

Des prisonniers sans doute. Fernand regarda au loin ses collègues qui discutaient et le fixaient avec curiosité.

– Je n'en sais pas plus que vous, je suis désolé.

Son regret semblait sincère. Louise le vit forcer le passage en avançant légèrement l'épaule puis s'éloigner.

– Si même eux ne savent rien, alors…, dit quelqu'un.

Mais personne n'eut le temps de répondre, parce que, de

l'autre bout de la rue, surgirent les autobus, roulant lentement, collés les uns aux autres. Leurs moteurs faisaient réson-
ner la pierre et trembler le pavé, leur lenteur impressionnait.
D'un mouvement commun, comme s'il s'était agi d'un hôte
de marque, toutes les visiteuses s'effacèrent pour les laisser
passer.

C'étaient des véhicules de la TCRP, la régie des transports
parisiens, mais leurs vitres obscurcies à la peinture bleu
foncé leur donnaient une allure fantomatique et menaçante.
Il y en avait une dizaine qui avancèrent jusqu'à la porte de la
prison, restant ainsi en attente, pare-chocs contre pare-
chocs. Tous les militaires qui jusque-là attendaient devant le
grand portail entrèrent précipitamment. Ne restèrent là que
les bus, figés comme des oiseaux de proie.

Et une poignée de femmes à les regarder.

# 28

Ce qui tuait tout le monde, c'était l'attente. Elle tuait ceux qui avaient peur comme ceux qui faisaient peur. Près de trois cents détenus arrachés de leurs cellules frissonnaient d'anxiété dans la cour. Autour d'eux faisaient les cent pas, fusil en main, une soixantaine de gardes mobiles et deux pelotons de tirailleurs marocains inquiets eux aussi des instructions qui n'arrivaient pas ou incomplètes.

Le capitaine Howsler – un homme très grand d'une maigreur de chevalier errant sans la naïveté, avec des traits figés qui figuraient au rang de ses vertus militaires – refusait de répondre, même à ses hommes.

Fernand avait rassemblé son unité. Ils devaient être six, ils n'étaient que cinq, Durozier avait prévenu la veille qu'il partait, sa femme était enceinte de huit mois, il devait la mettre à l'abri. Fernand aurait préféré que l'absent soit son caporal-chef Bornier, cet abruti. Il y a les alcooliques que leur vice fait grossir et les soiffards que leur vice assèche. Bornier était de ceux-là, étique, la peau sur les os, animé d'une énergie folle, on ne savait pas où il la puisait, c'est sans doute pour ça qu'il ne semblait jamais ivre; il devait brûler les calories au fur et à mesure à courir tout le temps comme ça, il ne tenait jamais en place. Il était le genre d'alcoolique que l'on voit au bal danser tout seul avec sa bière devant l'orchestre en se contorsionnant. Avec ça, nez pointu, esprit obtus, toujours prêt à l'incandescence. Dans cette enceinte de prison, il avait l'air plus excité encore que d'habitude, si c'était possible.

Le capitaine Howsler fit procéder à un appel puis parquer dans un angle de la cour six hommes de tous âges gardés par deux fois plus de soldats.

– Les condamnés à mort, souffla Raoul à l'oreille de Gabriel.

L'unité de Fernand fut chargée de la surveillance d'un groupe de droits-communs, une cinquantaine d'hommes. Aussitôt, au lieu de se camper calmement devant les prisonniers rangés trois par trois, le caporal-chef Bornier fit des allées et venues incessantes, tripotant nerveusement son fusil, le regard partout, aiguisé et suspicieux, ce qui décuplait l'inquiétude des détenus qui murmuraient entre eux.

– Silence ! ordonna Bornier, à qui personne n'avait rien demandé.

Dès qu'il s'éloignait, les chuchotements reprenaient.

On disait que Daladier voulait évacuer les prisons militaires, qu'est-ce que ça signifiait exactement ? « Ça veut dire transférer », chuchota quelqu'un. C'est le mot qui circulait le plus parce qu'il rassurait. L'autre était « fusiller ». Personne n'arrivait à y croire, mais l'encadrement était tellement sur les nerfs… « C'est à cause des ordres qui n'arrivent pas ? Ou à cause de ce qu'ils vont devoir faire, nous tirer dessus ? » Quelqu'un évoqua les fossés de Vincennes. Gabriel crut défaillir. Dix fois depuis son arrivée au Cherche-Midi, il avait crié son innocence, mais qui ne le faisait pas ? Il n'y avait que des innocents dans cette prison, sauf les communistes, tout le monde les trouvait coupables, ceux-là.

D'ailleurs, c'étaient eux, le nœud du problème, comme l'expliqua à voix basse le capitaine Howsler aux sous-officiers groupés autour de lui :

– On sait avec certitude que les communistes ont le projet de cambrioler les armureries, de s'emparer des armes dans les dépôts pour se livrer à des attentats. L'ordre aurait été donné hier soir et aurait même commencé à être exécuté. Ici, les communistes risquent de se soulever et d'entraîner avec eux les anarchistes, les saboteurs... Il n'y a ici que des ennemis de la France.

Fernand regarda dans la cour. Pour le moment, les ennemis de la France, épaules basses, mains tremblantes, observaient les uniformes avec une visible anxiété. Tout ça ne présageait rien de bon.

– Et... que va-t-on faire d'eux ? demanda Fernand.

Le capitaine Howsler se raidit.

– On vous le dira en temps utile.

Il exigea que l'on procède à l'appel une nouvelle fois.

Fernand posa son sac contre le mur de manière à le surveiller et appela : « Albert Gérard, Audugain Marc... » Chacun devait hurler « Présent », un garde mobile lui indiquait alors une place où il se rendait, Fernand faisait une croix dans la case correspondante.

Gabriel, blanc comme un linge, se retrouva deux rangs derrière Raoul Landrade, qui n'en menait pas large non plus.

Tout le monde se raidit brusquement lorsque des moteurs se firent entendre dans la rue.

Le ronronnement des diesels coupa court à toute conjecture, les rumeurs gelèrent sur place, un type pissa dans son pantalon et tomba à genoux, les tirailleurs marocains l'attrapèrent sous les aisselles et le tirèrent brutalement en direction des condamnés à mort, mais ils le lâchèrent avant d'y arriver, il resta là, allongé au sol, à gémir.

– En colonne par deux ! hurla le capitaine.

Ce que le caporal-chef Bornier, tendu comme un arc, répéta un ton plus haut. Fernand s'approcha pour lui demander d'attendre les ordres en silence, mais il n'en eut pas le temps. Les files de prisonniers frémissaient, les portes s'entrebâillaient, découvrant les premiers véhicules. Ces autobus aux vitres peintes en bleu ressemblaient à des corbillards.

– Toute tentative d'évasion sera punie de mort ! annonça le capitaine. Nous tirerons sans sommation !

Bornier ouvrit la bouche, mais la circonstance lui cloua le bec à lui aussi.

Le petit groupe des condamnés à mort ne serait pas du voyage. On les laissa là, en cercle, à genoux, les mains sur la tête, avec autant de fusils tendus qu'il y avait de nuques à pointer.

Fernand enfila les lanières de son sac, le hissa sur son dos et braqua son fusil comme ses collègues. Les détenus commencèrent à avancer au milieu d'une double haie de tirailleurs marocains et, un à un, furent poussés dans le bus.

– Aucun arrêt jusqu'à destination, ordre formel de rouler quoi qu'il arrive.

Gabriel fut littéralement propulsé d'un coup de crosse, tomba, se releva précipitamment et courut s'asseoir. Il vit Raoul Landrade à l'autre extrémité du véhicule. Personne ne parlait. Tous avaient les mains crispées, la nuque raide, la gorge serrée.

La vision de la file des détenus coupa le souffle aux visiteuses, toujours massées près des barrières.

Toutes tendirent le cou, scrutant les silhouettes qui, à peine apparues, s'engouffraient dans les autobus aveugles. Elles entendaient, sans les déchiffrer, les cris des militaires, dont les crosses poussaient les prisonniers dans les reins sans ménagement.

– Ils s'en vont ! hurla une femme.

Louise s'était trouvé une petite place parmi les visiteuses. Elle était la seule à ne pas savoir qui elle devait regarder. Chaque silhouette, qui, au loin, s'engouffrait dans le bus pouvait être l'homme qu'elle cherchait, ce frère inconnu. Lequel était-ce ? Tout allait si vite, tout se passait si loin. À peine le temps de scruter cette file de prisonniers et c'était fini. Elle n'avait rien vu.

Déjà, le premier bus venait de démarrer et roulait lentement dans leur direction, précédé par deux uniformes qui marchaient au pas de gymnastique. À leur approche, les femmes tentèrent de se masser au milieu de la rue, mais les barrières furent brutalement rejetées vers les trottoirs, le bus accéléra, il fallut s'écarter. On ne pouvait rien distinguer de ce qui se passait à l'intérieur. Puis le deuxième arriva et les visiteuses, les bras ballants, virent défiler un à un les véhicules emportant les détenus. Leur impuissance faisait peine à voir. Plus personne ne criait, les voix auraient été couvertes par le bruit des moteurs.

La rue fut soudain déserte.

Les femmes se regardèrent.

Serrant son sac contre sa poitrine, chacune y alla de son commentaire, qui s'achevait sur la même question lancinante : « Où est-ce qu'on les emmène ? »

Quelques hypothèses fusèrent, mais s'éteignirent bien vite, la réponse était dans toutes les têtes.

– Ils ne vont pas les fusiller, tout de même ? risqua enfin une femme dans la cinquantaine, au bord des larmes.

– C'est bizarre, ces autobus...

Louise pensa que cela protégeait l'anonymat de l'opération, mais elle n'en dit rien. La rue était vide, les portes de la prison fermées, il n'y avait plus rien à faire. Sans même se parler, les femmes, marchant d'un pas lourd, se dirigèrent vers l'angle de la rue. Un cri les fit se retourner.

L'une d'elles venait de voir s'ouvrir la petite porte enchâssée dans le grand portail de la prison et en sortir un homme en complet.

– C'est un gardien, dit une femme, je le connais !

Toutes se précipitèrent. Louise, à son tour, pressa le pas et les rejoignit. Lorsqu'il vit fondre sur lui ces femmes résolues, l'homme se figea. Bientôt assailli par un flot de questions et d'invectives, il lâcha :

– Un transfert...

Le silence se fit.

– Transfert où ça ?

Il n'en savait rien, sa sincérité ne faisait de doute pour personne. Le groupe presque menaçant qui s'était précipité sur lui était maintenant une petite assemblée d'épouses, de mères, de sœurs et de fiancées terrorisées. Le gardien, qui avait cinq filles, en fut ému.

– J'ai entendu dire vers le sud, ajouta-t-il, mais où, ça...

À l'inquiétude de les imaginer fusillés, succéda celle de les avoir perdus. Orléans était sur toutes les lèvres. Les milliers de Parisiens qui chaque jour prenaient la tangente n'avaient qu'une direction, la Loire. On estimait que, passé Beaugency, l'armée allemande serait battue. Ou épuisée. Ou démotivée. Ou, mieux encore, que l'armée française serait parvenue à organiser un front de résistance ou, pourquoi pas, une contre-offensive, le fantasme s'enchaînait au cauchemar. Tout cela était inepte, mais l'idée, parce qu'elle avait son utilité, avait fait son chemin, s'était généralisée, la nouvelle Jérusalem, c'était Orléans.

Louise fut l'une des premières à se diriger vers le métro. Raoul Landrade, depuis qu'elle connaissait son nom, avait pris dans son esprit sinon une existence (elle ne savait pas à quoi il ressemblait aujourd'hui), du moins de l'épaisseur, une certaine densité. Devait-elle renoncer à le retrouver ? Fallait-il attendre des jours meilleurs, des temps moins difficiles ?

– Des jours meilleurs ?

M. Jules fit une moue explicite, celle dont il abreuvait la clientèle quand il voulait manifester son scepticisme.

– Bon, d'abord, c'est qui ce gars-là ?

– Le fils de ma mère.

À sa réaction, on aurait juré que M. Jules n'y avait jamais pensé. Il leva les yeux au plafond.

– Admettons. Et pourquoi tu veux le retrouver ? Il est quoi dans ta vie, hein ? Rien du tout ! Sans compter que c'est un prisonnier militaire, on voit tout de suite le lascar ! Qu'est-ce qu'il a fait pour être là-bas ? Il a tué son général ? Il a pactisé avec les Boches ?

Quand M. Jules avait un os à ronger, rien ne l'arrêtait. La plupart des clients fermaient les écoutilles et attendaient que l'orage passe. Pas Louise.

– J'ai des choses à lui dire !

– Ah oui ! Des choses, quelles choses, vu que tu sais rien de cette histoire, rien d'autre que ce que t'a raconté la veuve Thirion ! Il doit en savoir plus que toi !

– Alors, c'est lui qui me racontera.

– Je suis désolé, ma petite Louise, mais tu es complètement folle !

Il compta sur ses doigts. Il adorait marteler ses arguments. C'était, selon lui, la stratégie la plus efficace pour terrasser l'adversaire. Il brandissait d'abord non le pouce, mais l'index, qu'il estimait plus catégorique :

– Primo, tu ne sais pas si ce gars-là n'est pas un danger public ! Vu qu'il est en taule, on a le droit de se poser la question. S'il est promis à la guillotine, tu vas réclamer sa tête pour la faire empailler ? Deuzio (là, l'index, rejoint par le majeur, dessinait un V annonçant l'inévitable victoire dialectique), tu ne sais pas où ils sont partis ! Orléans, c'est une hypothèse, mais pourquoi ils seraient pas à Bordeaux, à Lyon ou à Grenoble ? Ça, mystère. Tertio (les trois doigts pointaient vers l'adversaire comme le trident de Lucifer), comment tu vas y aller ? Tu comptes t'acheter un vélo et rejoindre une colonne militaire avant la nuit ? Quatro…

C'était toujours là que M. Jules tombait en panne, le « quatro » était le plus difficile à trouver. Il refermait alors la main et la relâchait le long du corps à la manière d'un homme préférant le renoncement vu la quantité d'arguments dont il disposerait.

– Bon, dit Louise, merci monsieur Jules.

Le cafetier la retint par l'épaule.

– Je ne te laisserai pas faire cette connerie, ma petite ! Tu ne sais pas dans quoi tu t'engages ! Il y a des milliers de réfugiés et de fuyards sur les routes !

– Vous préférez quoi ? Attendre les Allemands à Paris ?
Hitler a dit qu'il serait là le 15 !

– M'en fous, j'ai pas rendez-vous avec lui ! Tu ne pars pas,
c'est tout.

Louise dodelina de la tête, il était épuisant cet homme-là.
Elle se dégagea lentement de son emprise, traversa la salle
du restaurant et sortit.

Que devait-elle emporter ?

Tandis qu'elle fourrait en désordre des vêtements dans
une valise, les raisons opposées par M. Jules faisaient peu à
peu leur chemin dans son esprit. Elle décrocha le calendrier
des Postes, regarda la carte de France, la ligne de la Loire,
elle n'avait pas la moindre idée de la manière de s'y rendre.
Le train était exclu, tout le monde disait que les gares étaient
prises d'assaut. Elle observa longuement la descente sinueuse
de la nationale qui conduisait à Orléans. Elle ne devait pas
être la seule à chercher un véhicule, la majorité des Parisiens
n'avaient pas de voiture et la plupart parvenaient tout de
même à quitter la ville ! Je verrai, se dit-elle, mais les arguments de M. Jules avaient mordu dans sa belle résolution.

Elle continua d'enfourner ses vêtements dans sa valise en
sachant déjà qu'elle resterait là.

Et quand bien même elle parviendrait à le retrouver, que
lui dirait-elle si tout à coup elle était devant cet homme :
« Bonjour, je suis la fille de votre mère » ? C'était un peu
ridicule.

Elle imagina soudain un homme en costume de bagnard,
au visage patibulaire, comme dans les romans-feuilletons.

Découragée, elle s'assit à côté de sa valise. Elle demeura ainsi un long moment, accablée, perdue, impuissante.

Elle alla allumer la lumière, descendit voir l'heure, passa devant la fenêtre et là, s'arrêta net.

Puis elle remonta aussi vite qu'elle put, attrapa sa valise, y enfourna tout ce qui était abandonné sur le couvre-lit, dégringola l'escalier, saisit son manteau et ouvrit la porte.

Devant la maison, M. Jules, en costume et souliers vernis, astiquait le capot de sa vénérable Peugeot 201 qui n'avait pas quitté le garage depuis près de dix ans.

– Bon, faudra trouver à regonfler les pneus...

De fait, elle paraissait prête à rouler sur les jantes. La carrosserie, autrefois bleue, était terne comme un miroir de deuil.

Lorsqu'ils dépassèrent La Petite Bohème dont le rideau de fer était baissé, Louise aperçut un écriteau : « Fermé pour cause de recherche familiale. »

# 29

À côté de lui, un jeune homme très maigre tremblait des pieds à la tête et n'avait pas l'air en bonne santé, Raoul ne donnait pas cher de son avenir. Le genre à détaler soudainement et à prendre une balle dans le dos.

Des gardes mobiles étaient postés dans la travée centrale de l'autobus, tous les trois mètres, fusil en main, le chef surveillait l'ensemble depuis sa place sur la plate-forme.

Les premières minutes furent très éprouvantes. Les détenus regardaient les gardiens en se disant qu'ils allaient peut-être, dans une demi-heure, les exécuter sans autre forme de procès.

Le temps s'écoula lentement.

Les vitres avaient été badigeonnées de peinture, mais Raoul parvint, sans se contorsionner trop visiblement, à regarder par un minuscule espace qui avait miraculeusement échappé aux coups de brosse. Il reconnut la place Denfert, le bus s'arrêta un court instant, un crieur de journaux hurla : « *Paris-Soir* ! Les Allemands à Noyon ! Demandez *Paris-Soir* ! »

Il ne se souvenait pas clairement de l'emplacement de Noyon, c'était en Picardie, à cent kilomètres de Paris, cent cinquante peut-être. L'ennemi allait rapidement se trouver aux portes de la capitale. Il y avait forcément un lien avec leur départ du Cherche-Midi.

Du fait de la circulation intense, on roulait souvent au pas. Les gardiens furent bientôt fatigués de se tenir debout. Fernand les autorisa à se caler sur les strapontins.

Raoul lorgnait principalement du côté du caporal-chef qui surveillait sa travée. Son animosité ne lui disait rien qui vaille, il paraissait le personnage idéal pour ce genre de cauchemar, tout à l'emporte-pièce. Raoul, dans l'armée, avait connu des gars comme celui-ci, des excités, spontanés jusqu'à l'effervescence, totalement dépourvus de sang-froid, des caractères haineux qui finissaient par confondre leur uniforme avec un passe-droit. « Bornier », avait-il entendu. Il s'en méfierait comme de la peste.

Son chef, l'adjudant, était un homme d'une cinquantaine d'années, au physique lourd mais charpenté, avec un visage grave au front dégarni, de grosses moustaches de phoque et des favoris comme on n'en portait plus depuis longtemps. Le plus calme de tous. Raoul retenait tous ces signes, la posture des gardiens, les gestes des uns et des autres, tout, un jour, pouvait se révéler utile. Vital.

L'hypothèse que l'on quittait Paris prenait corps. La perspective des fossés de Vincennes qui s'éloignait et le refus d'imaginer une issue fatale firent qu'on resta tendu mais moins fébrile à mesure que les minutes s'égrenaient. L'atmosphère s'allégea un peu. Raoul se permit même de se tourner brièvement vers Gabriel pour lui adresser un court regard, mais le garde mobile qui surveillait le remit en place d'un violent coup de crosse sur le dossier du siège. Plus de peur que de mal. Cet autobus était régi par les mêmes codes que la prison. Raoul attendit, le dos rond, que l'attention du gardien soit appelée ailleurs, puis il risqua un œil vers la plateforme.

Fernand, lui, tentait de se montrer calme, mais ne l'était pas réellement. Depuis que le capitaine lui avait remis sa liste de détenus, il s'interrogeait : que ferait-il s'il fallait les fusiller, ces « ennemis de la France » ? Il n'avait pas fait carrière dans les gardes mobiles pour finir responsable d'un peloton d'exécution. S'il refusait, que se passerait-il ? Serait-il accusé de trahison ? Est-ce lui alors que l'on fusillerait ?

Ce qui souciait Fernand aussi, c'était le contenu de ce satané sac. Les circonstances l'avaient contraint à l'emporter parce qu'il ne savait pas s'il reviendrait à Paris, ni quand, ni s'il retrouverait ce qu'il y avait laissé, il ne pouvait pas faire autrement, il se répétait cela sans cesse, tu ne pouvais pas faire autrement.

Lui aussi avait entendu le crieur annoncer l'avancée allemande. En cas d'invasion, tous les appartements disponibles seraient investis, son magot disparaîtrait. Il sourit légèrement à l'idée du Boche qui trouverait dans sa cave une valise remplie de billets. Serait-ce un Boche exemplaire qui rapporterait tout ça à son autorité ou un débrouillard qui composerait avec la situation ? Bref. Il avait déposé son sac dans le portebagages situé au-dessus des détenus. Tenter de le couvrir de son manteau d'uniforme revenait à poser dessus l'écriteau « Sac contenant des valeurs, ne pas approcher ! ». Il n'avait le choix qu'entre des mauvaises solutions. Il était somme toute celui qui avait emporté le moins de choses puisque les billets à eux seuls prenaient la place du linge, il ne disposait même pas des « effets nécessaires à une courte mission de déplacement » recommandés par son ordre de mission.

Confusément, cet autobus apparaissait à tous ses occupants comme une métaphore du moment. Pendant que le pays prenait l'eau de toutes parts, ce véhicule aveugle avançait vers une destination inconnue dont personne n'était certain de revenir en se frayant un chemin pénible entre les files de Parisiens affolés qui tous se sauvaient dans la même direction...

L'autobus gagna de la vitesse, tant bien que mal. Tout le monde, détenus comme gardiens, était soulagé de fuir et d'échapper au pire, à la fusillade en série, à l'atrocité. Chacun se repliait sur sa vie.

Fernand pensa à Alice. En cas d'attaque cardiaque, sa sœur Francine saurait-elle ce qu'il fallait faire ? Y avait-il des médecins compétents à Villeneuve qui ne s'étaient pas encore débinés ?

Fernand et Alice s'étaient rencontrés vingt ans plus tôt. Peut-être parce qu'ils étaient tous deux enfants uniques ou que l'amour jusqu'alors ne les avait pas comblés, ils s'étaient enroulés l'un autour de l'autre comme des lierres, encouragés par l'absence d'enfants, ce qui n'avait manqué ni à lui ni à elle. Alice était l'horizon indépassable de Fernand. Fernand était le grand amour d'Alice.

Un matin – c'était en 1928 –, Alice avait été prise d'une sorte de malaise, quelque chose de lourd et obscur lui serrait la poitrine, se propageait en elle comme une inquiétude, lui faisait le visage pâle et les mains froides ; elle regardait Fernand sans le voir. Lui la fixait et soudain elle tomba à ses pieds. Leur existence, à cet instant, se fendit du haut en bas, comme un vase qui tenait, mais devait être l'objet de soins permanents, jaloux et angoissés. Leur vie tourna alors autour du risque, de la maladie, de la disparition et plus encore de l'angoisse d'être séparés.

Fernand était croyant mais n'avait jamais beaucoup pratiqué. Sans le dire à Alice, il était retourné à l'église. Dans son esprit, le lui dire aurait été déchoir, donner le spectacle d'une faiblesse. Il continua de fumer sa cigarette sur la terrasse lorsqu'il l'emmenait à la messe et il s'y rendait lui-même en catimini sur le trajet qui le conduisait à la caserne. La fréquentation de Dieu était son mensonge de couple.

Besoin de se rassurer, il regarda une nouvelle fois son sac dans le porte-bagages, puis la travée où ses hommes se maintenaient en éveil et en équilibre malgré les cahots du bus. Et enfin, les prisonniers. Il consulta sa liste. Il y avait les noms des détenus, la date de leur emprisonnement, leur situation judiciaire et le motif de leur incarcération. Cinquante hommes. Il ne compta que six communistes, le reste de son contingent était composé de voleurs, violeurs, pillards, criminels en tout genre. Une belle racaille, selon lui.

Par l'interstice dans sa fenêtre, Raoul aperçut le panneau « Bourg-la-Reine ». Les rues étaient de plus en plus encombrées, le bus devait klaxonner sans cesse pour se frayer un chemin. Devant les pavillons, les gens chargeaient des ballots sur le toit des voitures, dans les rues des policiers gesticulaient aux carrefours pour tenter de drainer un flux qui n'allait que dans un seul sens. Fernand autorisa l'ouverture des fenêtres, on respira un peu. Et on entendit mieux encore les cris, les moteurs impatients, les avertisseurs excédés des automobilistes.

Lorsque la nuit commença à tomber, la faim et la soif se

firent ressentir. Personne évidemment n'osa se manifester. En revanche, pour pisser, il fallut bien que quelqu'un se décide, ce fut le voisin de Raoul, le jeune homme qui avait cessé de trembler des pieds à la tête, mais qui présentait un visage blanc aux traits tendus par l'inquiétude. Il leva le doigt comme à l'école. Le petit garde mobile alcoolique qui s'était assoupi, bercé par le ronronnement du moteur, fut debout dans l'instant, le fusil tendu.

– Qu'est-ce que tu veux, toi ?

L'adjudant-chef s'était aussitôt levé lui aussi, il tendait les mains en signe d'apaisement.

– Faut que j'aille pisser…, articula le prisonnier.

Rien n'était prévu pour cela. On pouvait toujours dire aux détenus de patienter, mais personne ne savait quand il serait possible de se soulager. Et les ordres étaient formels : on ne s'arrête pas.

Fernand tourna la tête, on avait quitté Paris, la banlieue, la route était maintenant plus dégagée… Il donna des instructions à voix basse à ses hommes. Commença alors le défilé vers la plate-forme arrière des détenus qui vinrent pisser sur la chaussée, le fusil dans les reins.

Cet intermède constitua une diversion.

Les prisonniers commencèrent à murmurer. Sur un geste pondéré de Fernand, les gardiens renoncèrent à intervenir. Revenu à sa place, le jeune homme se pencha vers Raoul.

– T'es là pour quoi, toi ?

– Pour rien !

C'était venu tout seul, comme une vérité première.

– Et toi ?

– Distribution de tracts et reconstitution d'organisation dissoute.

C'était le motif principal d'incarcération des communistes. Il l'avait déroulé avec de la fierté dans la voix.

– T'es un vrai con…, dit Raoul en rigolant.

Le bus roulait maintenant tous feux éteints, la nuit tombait. On avançait plus vite depuis qu'on avait dépassé Étampes, on doublait les files de réfugiés.

Vers dix-neuf heures, parce que la faim commençait à se faire sentir, Fernand s'inquiéta du ravitaillement. Le capitaine n'avait parlé de rien. Ce départ précipité, ces ordres vagues, cette impression d'improvisation annonçaient une mission assez compliquée. Il voyait mal pour quelle raison, dans un pays en plein naufrage, cette opération serait la seule à être convenablement préparée et à se dérouler de la bonne manière.


On aborda enfin Orléans. Il était vingt heures.

Les autobus s'arrêtèrent sur le parking de la prison centrale et furent abandonnés à la surveillance des gardes mobiles. Le capitaine Howsler rassembla les sous-officiers.

– Nous voilà arrivés, annonça-t-il d'une voix qui révélait son soulagement. Organiser le transfert de nos prisonniers vers l'intérieur de l'établissement pourrait prendre un peu de temps. Question de sécurité. En attendant les consignes, vous surveillez vos véhicules et tout ira bien. Exécution.

Il alla sonner à la porte de la prison comme un visiteur occasionnel. La meurtrière s'ouvrit, il entra en discussion avec l'agent posté de l'autre côté, on n'avait pas l'impression qu'il était attendu. Sentant le regard de ses subordonnés, il se retourna, furieux.

– Allez, allez, qu'est-ce que je vous ai dit ?

Fernand regagna son véhicule. Il le sentit aussitôt, en son absence le niveau d'instabilité était monté d'un cran. Les détenus se tournèrent vers lui d'un seul mouvement, tout comme l'encadrement. Cet arrêt avait pris tout le monde par surprise.

Le caporal-chef Bornier lui adressa un regard fiévreux.

– On prépare le transfert ! lança Fernand à la cantonade.

Puis il passa dire un mot à chacun de ses hommes :

– Ça va sans doute durer un peu, on ne se relâche pas.

L'inquiétude s'étant un peu calmée, il redescendit et s'appuya contre le montant de la plate-forme pour allumer une cigarette. Quelques collègues des autres bus avaient eu la même envie, ils furent bientôt cinq à fumer pensivement en contemplant le portail de la prison obstinément fermé. Bornier ne tarda pas à les rejoindre. Comme l'alcoolisme mobilisait l'essentiel de son activité, lui ne fumait pas. Allez savoir par quel stratagème il parvenait à picoler pendant son service sans que personne jamais ne le surprenne. Avait-il emporté quelques bouteilles ? se demanda Fernand. Lui-même transportait bien un petit million en grosses coupures, la période ne rendait rien impossible.

– C'est quoi ce bordel ? demanda Bornier.

Fernand ne se souvenait pas de l'avoir entendu parler calmement, posément. Il y avait toujours, dans la moindre de ses phrases, quelque chose d'offensif, de quérulent, comme s'il ne cessait de demander réparation pour les injustices dont il s'estimait victime.

– C'est forcément un peu long, ces affaires-là, risqua un collègue.

– Vous allez voir qu'ils vont nous planter ici avec notre cargaison de racailles ! dit Bornier.

Tous se tournèrent vers la silhouette massive, inhospitalière du bâtiment plongé dans la pénombre.

– Je te fusillerais tout ça, moi...

L'étonnant était qu'il ne soit pas contredit. Personne n'avait envie de fusiller personne, mais cette nuit étrange, cette fuite de Paris, ces véhicules aveugles, ce portail obstinément fermé, l'incertitude sur la suite des événements, tout cela renvoyait chacun à une lassitude qui ne poussait pas à s'expliquer.

– C'est quoi ?

Un collègue désignait le livre qui dépassait de la poche de Fernand.

– C'est rien, c'est...

– Tu as le temps de lire ? demanda Bornier.

Il y avait un reproche tapi au fond de toutes ses phrases.

– Alors, c'est quoi ? insista le collègue.

À contrecœur, Fernand extirpa le petit volume. *Les Mille et Une Nuits.* Ça ne disait rien à personne.

– C'est le tome 3, ça veut dire que t'as lu les deux premiers ?

Fernand, gêné, écrasa sa cigarette.

– J'ai pris ce qui me passait sous la main, c'est seulement pour m'endormir...

Bornier ouvrait la bouche lorsqu'ils entendirent du tumulte venant de leur véhicule. Le caporal-chef se précipita, mais Fernand hurla :

– Bornier, tu restes là !

Il l'attrapa par l'épaule, comme il devait le faire périodiquement, et lui asséna la même phrase que toujours :

– Tu attends les ordres !

À la manière d'une machine qui emmagasine de l'énergie,

de quart d'heure en quart d'heure, la population carcérale s'était de nouveau gonflée d'une frayeur sourde qui avait trouvé à exploser lorsqu'un garde mobile, à bout de fatigue, avait extirpé de son sac un saucisson et une miche de pain. Jamais saucisson n'avait déclenché agitation plus spontanée.

Fernand fut sur lui en deux pas.

– Range-moi ça tout de suite ! ordonna-t-il en serrant les dents.

– Et nous, alors, on bouffe quand ?

Le temps de se retourner, impossible de savoir d'où venait ce cri, sauf qu'il était partagé. Un frémissement collectif parcourut les bancs, donnant l'impression qu'une émeute était possible. Aussitôt les gardes mobiles qui s'étaient précipités dans le véhicule braquèrent leurs fusils vers les prisonniers. Leur collègue, rouge de confusion, enfourna précipitamment son sandwich dans son sac.

Personne n'avait rien bu ni rien mangé depuis plus de six heures. Ajoutez à ça que les corps devaient être ankylosés, l'épuisement guettait. Pour Fernand, ça ne sentait pas bon.

– Ça ne va plus tarder ! cria-t-il. En attendant, on va vous donner à boire.

Le cliquetis des armes imposa le silence. Fernand descendit.

– Il y a de l'eau quelque part ?

Personne ne savait.

– T'as la Loire de ce côté, dit Bornier. Si tu veux les noyer, le plus simple, c'est de passer le bus par-dessus le pont.

– Oui, on devrait les faire boire, intervint un collègue. Les miens aussi ont commencé à râler, faudrait pas que ça dégénère…

Fernand s'avança jusqu'à la porte de la prison, sonna,

attendit, la meurtrière s'ouvrit, un visage apparut dans la pénombre.

– Vous savez si ça va être encore long ?

– À mon avis, non, ça devrait plus tarder.

– Ah ! Tant mieux, répondit Fernand, parce que…

Il risqua un petit rire censé détendre l'atmosphère.

– C'est que là-bas… il fait soif !

– Eh ben, c'est pas fini…

Comme pour lui donner raison, la porte s'ouvrit, laissant sortir le capitaine Howsler. Les six sous-officiers le regardèrent, inquiets.

– Bon, ça ne se passe pas tout à fait comme prévu…

Il hésitait.

– Qu'est-ce qui était prévu ? risqua Fernand.

Ordinairement, le capitaine Howsler était un homme sûr de soi, il avait fait l'École militaire, il n'était pas du genre à douter. La circonstance, cette fois, l'avait ébranlé. Il avait déjà remarqué que depuis quelques semaines les événements n'obéissaient que partiellement aux vues de l'état-major. Ce soir, qu'une vulgaire prison de province refuse d'accueillir le contingent de prisonniers envoyé par sa hiérarchie achevait de lézarder la calme certitude qui l'avait jusqu'ici habité.

– Bah rien, justement, dut-il confesser. J'avais l'ordre de les transférer ici, mais il paraît qu'il n'y a pas de place.

– Et pour le ravitaillement ? demanda quelqu'un.

– C'est du ressort de la région militaire, dit le capitaine, heureux de connaître la réponse. Ils devraient livrer dans la soirée…

On comprit aussitôt qu'il en serait du ravitaillement comme du transfert des détenus à la prison d'Orléans, rien ne se passerait comme prévu.

Le capitaine consulta sa montre. Vingt et une heures.

La meurtrière claqua dans leur dos.

– Un câble pour le capitaine Howsler ! hurla une voix sortant de la prison

Le capitaine se précipita. Les sous-officiers se regardèrent.

– Moi, dit Bornier en désignant les autobus, je ne vois pas pourquoi on tergiverse. On finira de toute manière par les fusiller. Ça serait que de moi…

Fernand voulut répondre, mais déjà le capitaine réapparaissait, son câble à la main, enfin satisfait, victorieux.

– Ordre nous est donné de nous replier sur le camp des Gravières.

Personne ne savait de quoi il s'agissait.

– C'est loin ?

Mais avant que le capitaine réponde, un autre demandait :

– Et côté ravitaillement… ?

– Tout est prévu ! Allez, en route ! ordonna le capitaine.

– On pourrait tout de même leur donner à boire, hasarda Fernand.

– Vous, ne m'emmerdez pas ! Les Gravières, c'est à quinze kilomètres, ils vont bien attendre un quart d'heure de plus !

Cette fois, l'adjudant-chef ne fournit pas d'explication, même à ses subordonnés, il n'avait pas l'air dans son assiette. On le vit remonter dans le bus, s'asseoir après avoir, d'un signe de tête, ordonné au chauffeur de démarrer. On repartait, cette valse-hésitation incessante pesait sur les nerfs.

– Tu penses qu'on va où ? demanda le jeune communiste à voix basse.

Raoul n'en avait aucune idée.

Lorsque, une demi-heure plus tard, le bus commença à ralentir, par l'interstice de sa fenêtre, il distingua la campagne plongée dans une nuit assez claire pour deviner les fermes, les chemins vicinaux. Après un large demi-tour, le véhicule s'arrêta face à des chevaux de frise, des barbelés...

L'adjudant-chef fut le premier à descendre. Après avoir glissé son sac sous le châssis de l'autobus, il distribua ses consignes.

Les détenus sortirent un à un du bus en annonçant leur nom et leur matricule qu'un garde mobile cochait sur sa liste.

Raoul, une fois dehors, se trouva près de Gabriel.

Tous deux regardèrent les soldats annamites rangés comme pour une haie d'honneur, mais qui braquaient leurs fusils dans leur direction. Et là-bas, tout au bout, à l'entrée, une autre rangée de soldats armés, des soldats français.

On plaça les prisonniers en colonne par trois avant de leur donner l'ordre d'avancer au pas. Le premier qui trébucha reçut un coup de baïonnette dans la cuisse, deux autres qui voulaient le retenir furent martelés de coups de crosse aux cris de « Salauds, fumiers, sales Boches »...

Raoul, qui comptait profiter de l'occasion pour réclamer à boire, n'y pensa plus.

– « Notre glorieux passé nous montre la voie ! » glissa-t-il.

Mais il ne riait pas comme il le faisait ordinairement quand il reprenait les slogans martiaux de l'état-major.

Devant eux, l'alignement des baraquements rappelait celui des tombes dans les cimetières militaires.

# 30

Depuis le départ, Louise se demandait s'ils ne seraient pas allés plus vite à pied. La voiture commença à hoqueter avenue de Saint-Ouen.

– C'est les bougies, dit M. Jules, elles vont se décrasser.

La Peugeot était un modèle 1929 à deux portes, qu'il avait sortie quatre fois, la première pour la ramener du garage, il avait accroché un camion de lait au premier carrefour, on compte le retour au garage comme la deuxième fois. Il l'avait ressortie pour le mariage d'une arrière-cousine qui s'était tenu à Gennevilliers l'année suivante. C'était donc sa quatrième sortie. Quoique la peinture soit devenue terne au fil du temps, tous les quinze jours, M. Jules allait l'astiquer. Pour une raison obscure, il maintenait toujours le réservoir et le radiateur pleins et veillait à la roue de secours.

On le sentait à sa conduite, M. Jules manquait de pratique. Dès le départ il avait échangé ses chaussures vernies contre ses charentaises, ça ne facilitait peut-être pas les choses.

Louise aurait voulu renoncer, mais le cafetier crispait les mains sur le volant, conduisant cette voiture comme un tracteur agricole, il suffisait d'attendre la panne ou l'accident, ça ne pouvait pas tarder.

Au terme d'une interminable attente ils parvinrent à faire regonfler les pneus. Ils prirent alors la route vers la sortie sud de Paris, la circulation était dense, on roulait au pas.

– On a bien fait de prendre un jerrican, hein ?

La voiture sentait l'essence.

À partir de l'avenue d'Orléans, le flux n'allait plus que dans un sens, vers le sud, des voitures pleines de gens, de valises et de cartons avec des matelas sur le toit.

– Ils t'ont dit « vers le sud », c'est ça ? demanda M. Jules.

C'était la dixième fois qu'il posait la question et, après la réponse de Louise, la dixième fois qu'il répétait :

– Ça va pas être facile de les trouver.

Cette fois, il ajouta :

– Nous, on roule au pas, eux, ils doivent tracer ! Tu parles, un convoi comme ça, ça ne reste pas coincé dans les embouteillages.

Louise était de plus en plus consciente que cette démarche était vouée à l'échec. M. Jules avait raison. Non seulement ils se traînaient dans un flot qui roulait de plus en plus lentement, mais, en plus, ils n'avaient pas la moindre idée de leur destination.

– Le sud, si ça n'est pas Orléans, qu'est-ce que c'est ? demanda Louise.

Chose étrange chez un stratège militaire de son calibre, les notions de M. Jules en géographie étaient approximatives. Il se contenta de hocher la tête avec une moue sceptique, manière d'exprimer qu'il n'en pensait pas moins. Il alluma une cigarette et frotta l'aile gauche de la voiture sur un poteau en ciment.

Ce projet de courir sur les routes après les détenus du Cherche-Midi n'avait rien de raisonnable, mais il suffisait de regarder le flot des voitures qui occupaient trois files sur la chaussée pour comprendre que faire demi-tour était maintenant quasiment impossible.

On roulait la plupart du temps en seconde, parfois même en première. Les voitures commençaient à souffrir. Vers vingt heures, la longue caravane fut déviée, puis stoppée. Louise en profita pour descendre. Toutes les voyageuses cherchaient un coin à l'abri des regards, le moindre bosquet se transformait en toilettes publiques devant lesquelles une file de femmes attendaient patiemment en vérifiant du coin de l'œil que leur automobile ne venait pas à démarrer soudainement, ce qui n'arrivait jamais.

Louise utilisa cette attente pour interroger autour d'elle. Avait-on vu un cortège de bus de la TCRP avec des vitres peintes en bleu ? La question était incongrue. On imaginait mal pourquoi des autobus destinés à de courtes distances à l'intérieur de la capitale se trouveraient sur une route nationale, et cette histoire de vitres bleues... Louise n'obtenait que des non, des regards surpris, personne n'avait vu quoi que ce soit de pareil. Ne se décourageant pas, au lieu de remonter en voiture, elle longea la file des véhicules, interrogeant les conducteurs, les passagers, obtenant toujours la même réponse.

Elle revint sur ses pas et rejoignit la voiture à l'instant où elle redémarrait.

– Je m'inquiétais, moi ! lança M. Jules.

Elle monta, mit le bras à la portière.

– C'est vous qui cherchez des bus de la TCRP ? demanda une femme depuis la voiture d'à côté. Ils nous ont dépassés en début de journée. On était au Kremlin-Bicêtre. Il devait être quoi, trois heures. Oui, dans la direction d'Orléans.

Il était vingt et une heures passées. L'instruction de rouler tous feux éteints circula de voiture en voiture, on craignait les bombardements ennemis. La caravane s'éteignit lampe après lampe comme une guirlande. Peu habitué à circuler dans la pénombre, M. Jules accrocha son pare-chocs arrière à un camion-benne qui transportait quatre familles et leurs meubles.

Le cortège des prisonniers avait plus de six heures d'avance et, au train où allaient les choses, on ne serait pas à Orléans avant deux jours...

M. Jules arrêta la voiture sur le bas-côté, descendit ouvrir la malle. Il revint vers Louise avec un panier en osier plein de victuailles, du saucisson, une bouteille de vin, du pain. Passant le talus, il étendit une nappe épaisse, blanche, sur l'herbe déjà mouillée. Louise sourit.

La fuite de Paris, pendant une heure, ressembla à un pique-nique nocturne à la campagne.

# 31

Il y avait des gardes mobiles, des militaires, parmi eux des tirailleurs coloniaux annamites et marocains, chaque groupe avait l'air d'être là pour une raison différente. Le point commun entre tous était la nervosité. Fernand sentit cette tension dès sa descente de l'autobus. La ligne de soldats rangés à l'entrée du camp, fusil en main, donnait la désagréable impression que l'ensemble du convoi était indésirable, prisonniers comme gardes mobiles.

En fin d'après-midi, on avait vu, haut dans le ciel, des escadrilles allemandes. La perspective d'être rejoints par les troupes ennemies, de se faire mitrailler dans un endroit pareil, sans défense, agitait les gardiens qui tenaient pour responsable cette racaille de prisonniers pour lesquels ils n'avaient pas envie de mourir.

Le capitaine Howsler, toujours raide comme la justice militaire, s'entretint avec son homologue qui encadrait un contingent de détenus provenant de l'annexe de la Santé et comprit qu'arrivé là le dernier, il prendrait ce qui restait : six bâtiments sans toilettes cernés par des barbelés. Ces baraquements aux fenêtres mal éclairées, de loin, ressemblaient à des blockhaus. Howsler s'enquit du nombre de prisonniers présents dans le camp.

– Avec les vôtres, ça nous en fait un bon millier.

Lorsqu'il l'apprit, Fernand fut affolé.

Mille prisonniers à garder jusqu'à quand ?

Le capitaine fit procéder à un nouvel appel doublé, à présent, d'une fouille au corps conduite par des Annamites. C'étaient les instructions de l'état-major.

Un par un les détenus, une fois fouillés, entrèrent dans le bâtiment. Seuls les vingt-cinq premiers disposèrent d'une couchette, les autres rassemblèrent des ballots de paille eux aussi en nombre insuffisant. Raoul et Gabriel se résolurent à aménager un coin où dormir. Le jeune militant communiste vint frileusement se coucher à un mètre d'eux. Il grelottait. Gabriel lui donna sa capote.

– Eh ben, Coco, demanda Raoul, Staline vous fournit pas les couvertures ?

Malnutrition ? Épuisement ? Maladie ? Le jeune homme était vraiment mal en point.

Fernand ordonna d'aller chercher des seaux d'eau. Bornier se contenta d'en rapporter quatre, ce qui provoqua aussitôt des disputes. L'expérience soufflait à Fernand qu'il valait mieux ne pas intervenir et il avait raison. Un grand type appela tout le monde sinon à la solidarité, du moins à l'organisation. Il n'était pas certain que ce qui fonctionnait pour l'eau marcherait aussi bien pour la nourriture.

– C'est la région militaire qui doit livrer le ravitaillement ? alla demander Fernand.

Howsler se frappa le front du plat de la main, ah oui, il y a cette question. Il retourna aux renseignements auprès de son homologue et revint bredouille, personne n'en savait rien. La

dernière livraison avait eu lieu la veille, d'ailleurs très insuffisante pour sept cents prisonniers, on avait évité l'émeute en
tirant des coups de feu en l'air...

Fidèle à son habitude, Raoul Landrade profita de l'intermède de l'emménagement pour aller discuter avec les uns et
les autres et, comme il disait, « faire connaissance ». Signe que
les choses basculaient dans le mauvais sens, le jeu de bonneteau n'intéressa personne. La faim, la fatigue prenaient toute
la place, les badauds du genre de Raoul n'étaient pas les bienvenus.

C'est un élément qui n'avait pas échappé à Fernand, pour
qui la manière dont s'étaient rassemblés les prisonniers était
un autre sujet d'inquiétude. Les communistes méprisaient
les anarchistes qui haïssaient les espions présumés qui eux-
mêmes vomissaient les insoumis, ajoutez à ça la position
respective des saboteurs, des réfractaires, des défaitistes
et supposés traîtres qui tous exécraient les droits-communs
qui eux-mêmes faisaient clairement la différence entre les
voleurs, les escrocs, les pilleurs et les assassins qui pour rien
au monde ne se seraient mélangés avec les violeurs. Ah oui, il
y avait aussi quelques spécimens d'extrême droite qu'ici tout
le monde appelait les « cagoulards », pas nombreux, quatre,
dont un journaliste partisan du rapprochement franco-
allemand, un nommé Dorgeville, Auguste, qui était le chef de
groupuscule parce qu'il avait vingt ans de plus que les trois
autres.

Fernand et ses subordonnés avaient hérité d'une pièce
contiguë au dortoir à peine plus confortable que celles des
détenus. Du moins les gardes avaient-ils chacun une
paillasse. Fernand cala son sac de voyage sous son châlit. Il

était presque vingt-trois heures, personne n'avait dîné et il n'y avait plus rien à espérer pour ce soir-là. Il organisa un quart de surveillance du dortoir en s'inscrivant pour la première faction afin de permettre aux autres de se reposer un peu.

La faim commençait à le travailler. Il fallait tenir jusqu'au lendemain matin où un ravitaillement ne manquerait pas d'arriver, mais, en attendant, transcendant les catégories sociopolitiques et les détestations claniques, il y avait le problème des chiottes. En rentrant de sa cigarette du soir, Fernand surprit un détenu en train de balancer une grosse poignée de paille par la fenêtre entrouverte, l'odeur ne laissant aucun doute sur l'origine du geste. Il fallait trouver une solution, faute de quoi l'atmosphère deviendrait rapidement irrespirable...

– On va organiser un tour aux toilettes, dit-il à ses subordonnés.

– J'ai pas envie, dit Bornier.

– C'est pas de toi qu'il s'agit, c'est des prisonniers !

– J'ai encore moins envie !

– Pourtant, c'est ce que tu vas faire.

Les détenus furent autorisés, par groupes de trois, à se rendre aux toilettes sous la surveillance d'un garde mobile, situation pénible pour tout le monde. Les latrines, faiblement éclairées, avaient été nettoyées au jet d'eau quatre jours plus tôt et puaient comme en enfer, les premiers utilisateurs en sortirent exsangues, les autres préférèrent s'abstenir. Dès le lendemain, Fernand organiserait une tournée de nettoyage. « Trouver du matériel », nota-t-il mentalement, la liste s'allongeait. Il autorisa les détenus à pisser le long des clôtures. « Pour le reste, c'est les latrines ou rien ! »

Gabriel se contenta de la clôture. Raoul se rendit aux latrines et en revint blême. Après quoi, les gardes mobiles sécurisèrent portes et fenêtres. De l'intérieur, on vit les volets se fermer, on entendit les barres qu'on cadenassait.

Gabriel se mit à haleter.

– Dis donc, mon sergent-chef, dit Raoul, tu vas pas nous faire une attaque, hein, on n'est pas au Mayenberg !

Son rire résonna dans le dortoir, interrompu par l'entrée de Fernand, qui ordonna le silence.

– Plus personne ne se lève sans autorisation, on ne parle plus !

La plupart des hommes commencèrent à somnoler. L'adjudant-chef, installé sur une chaise, son fusil sur les genoux, fit mine de ne pas entendre les chuchotements qui s'élevèrent ici et là.

– Tu dors ? demanda Gabriel.

– Je réfléchis, répondit Raoul.

– À quoi ?

Les latrines, légèrement surélevées, offraient sur le camp une vue panoramique. Raoul s'y était rendu et y était resté en apnée dans le seul but d'observer les lieux, la circulation des soldats, l'itinéraire qu'ils empruntaient, les alentours qui baignaient dans la clarté lunaire. Le lieu était vaste et complexe. Il avait dénombré les issues, les accès et il était revenu perplexe. C'était un lieu moins étanche que la prison, mais le nombre de soldats armés était bien plus élevé et le faisait réfléchir.

Le mot d'évasion électrisa Gabriel.

– Tu es fou !

Raoul se rapprocha. Même à voix basse, on percevait sa colère.

– C'est toi qui es complètement con ! Tu ne comprends pas ce qui se passe ? Rien n'est organisé, pas de bouffe, pas d'instructions, les mecs qui nous gardent ne savent pas quoi faire de nous. Quand les Boches vont rappliquer par ici, qu'est-ce qu'il va se passer d'après toi ?

Cette question avait évidemment taraudé Gabriel comme tous les autres prisonniers.

– Ils vont nous livrer aux Boches comme cadeau de bienvenue ?

Ça semblait peu probable.

– Et s'ils le faisaient, reprit Raoul, qu'est-ce que les Boches vont faire de nous ? Nous proposer des fonctions dans la glorieuse armée du Reich ?

Encore moins probable. Néanmoins, Gabriel restait sceptique :

– Fuir comment ? Sans papiers, sans un sou ?

– Si tu ne t'évades pas rapidement, tu vas avoir le choix, mon pote, prendre une balle dans le ventre ou une dans le dos...

Comme en réponse à son angoisse, Gabriel entendit à côté de lui le jeune communiste claquer des dents sous la capote qu'il lui avait passée.

– Ça fera toujours un coco de moins, conclut Raoul en se retournant contre le mur.

Les chuchotements se turent progressivement.

Fernand regarda sa montre, il avait une petite heure à tenir avant d'être remplacé. Pour ne pas attirer l'attention, il avait laissé son sac sous son lit et, bien qu'il soit inimaginable que quelqu'un vienne fouiller, il n'était pas tranquille. C'est la mauvaise conscience, se dit-il. Quand la culpabilité le visitait, il se recentrait sur Alice. Il n'avait pas eu la possibilité de rappeler Villeneuve. Il aurait voulu l'entendre, juste une seconde, il lui suffisait d'un instant pour tout comprendre, si elle allait bien ou mal, si elle était inquiète, anxieuse, heureuse, reposée, une seule intonation d'elle et il savait tout, ce que c'était rageant d'être là !

Il repensa à son sac d'argent, à la valise laissée dans la cave, comment allait-il expliquer cela à Alice, elle si droite, si...

L'envie à laquelle il avait cédé, la perspective de ce voyage en Perse qui lui avait semblé si attractive, tout cela lui apparaissait comme un immense gâchis. Il s'était fait voleur pour réaliser un fantasme qu'Alice ne partagerait pas, parce qu'au fond il n'était pas fait pour passer à la réalité, il ne servait qu'à la soutenir dans la maladie... En volant cet argent, en cachant une partie de son butin, en emportant le reste avec lui, Fernand était devenu un genre d'homme qu'Alice n'aurait pas voulu épouser.

– Silence ! Ne m'obligez pas à intervenir !

Ça lui avait fait du bien de gueuler un coup. Plus que trente minutes et il irait dormir. Il se coucherait sur le côté comme il faisait avec Alice quand il la prenait contre lui, en petite cuillère.

Le lendemain, dès six heures, le capitaine Howsler rassembla ses officiers, sous-officiers et les quatre poignées d'hommes de troupe versés à la surveillance des baraquements nouvellement occupés par les détenus du Cherche-Midi.

– Je rappelle aux surveillants qu'ils sont placés sous l'autorité des gardes mobiles que je commande. Et qu'il est interdit de parler avec les prisonniers ! Si vous voulez vous retrouver de l'autre côté de la barrière, à vous de voir.

Pendant ce discours viril, Fernand détaillait ces « surveillants », des fantassins ramenés du front, les plus âgés, des soldats visiblement démotivés qui avaient conscience d'accomplir là leur dernière mission avant d'être des spécimens de ces vaincus qui auraient perdu l'une des guerres les plus courtes de l'histoire militaire.

Moins d'une heure plus tard, ces surveillants montraient leur impuissance devant le vacarme des hommes qui n'avaient rien mangé depuis la veille.

Bornier était entré dans le baraquement comme une furie.

– Si vous n'êtes pas contents, il y a les mitrailleuses… ! avait-il hurlé.

L'avantage de Bornier, c'était sa sincérité. Elle calma sinon les estomacs, du moins les ardeurs des prisonniers. En le voyant vociférer, déjà prêt à tirer dans le tas, Raoul se félicita de son diagnostic à son sujet : ce type était dangereux.

Fernand fit organiser des tours de sortie en autorisant les clans à rester soudés afin d'éviter les bagarres entre des types déjà bien nerveux.

Dans la matinée, certains réussirent à fabriquer des jeux de dames ou de dominos avec du papier déchiré. Raoul parvint à gagner une couchette au bonneteau.

Le capitaine Howsler était très agité. Il courait sans cesse au poste de transmission solliciter des ordres et réclamer du ravitaillement, mais soit il n'obtenait personne, soit il parlait à quelqu'un qui ne savait rien et partait se renseigner, mais qui ne rappelait jamais.

Lorsque ce fut leur tour de quitter le baraquement pour

se dégourdir les jambes, Gabriel faisait des mouvements d'assouplissement. Raoul s'éloigna d'un air dégagé et parvint, mine de rien, à bavarder quelques instants avec un vieux soldat qui se foutait complètement des instructions du capitaine.

– Les Boches sont à l'ouest de Paris, dit le soldat, ils ont traversé la Seine...

Si les Allemands prenaient Paris, c'était la défaite. Définitive. Que feraient alors les autorités de ces mille prisonniers ?

Comme pour donner corps à son interrogation, les sirènes se mirent à hurler. Prisonniers et militaires se couchèrent au sol. Les minutes passèrent. Raoul était allongé près de la porte. Finalement, une escadrille allemande les survola, on s'attendait à un bombardement, mais rien ne se passa, le silence revint. On entendit enfin le ronflement des avions français.

– Ils arrivent toujours après, ceux-là..., lâcha Bornier.

Un peu plus tard, Raoul s'approcha de Gabriel.

– C'est ce moment-là qu'il faut choisir pour s'échapper. Une alerte. Tout le monde est couché à attendre un bombardement, personne ne s'occupera de nous.

– Tu comptes sortir du camp de quelle manière ?

Raoul ne répondit pas. Il suivait son idée et commençait à regarder le camp d'une nouvelle manière, dans une autre perspective.

– À la prochaine alerte, on saura si c'est jouable.

De ce moment, Raoul ne cessa de fureter ici et là. À chaque sortie, il comptait le nombre de pas d'un point à un autre, cherchait les meilleures trajectoires, échafaudait des solutions alternatives.

Enfin, vers quatorze heures, le camion de l'intendance qui

fit son entrée dans le camp acheva d'affoler Fernand. Il y avait une boule de pain d'un kilo et demi, une boîte de pâté pour vingt-cinq. Et un camembert pour cinquante.

Fernand organisa la distribution en faisant braquer les fusils sur les prisonniers qui venaient chercher leur part et devenaient agressifs.

– On va crever de faim, dit un détenu.

– Tu préfères crever d'une balle, salaud ?

C'était Bornier avec sa tête des mauvais jours. Avait-il épuisé sa réserve de pinard ?

– Hein ? dit-il en s'approchant du détenu. C'est ça que tu veux ?

Il colla son canon sur le ventre du prisonnier, qui laissa tomber sa ration dans la poussière, mais se précipita pour la ramasser.

Fernand intervint :

– Allez, calme-toi.

Il tapait sur son épaule comme s'il s'agissait d'un camarade. Cela ne servit à rien, Bornier était résolu à pousser son avantage :

– C'est déjà bien qu'on vous nourrisse, bande de cancrelats !

Devant ce spectacle, Gabriel fronça les sourcils. La prédiction de Raoul se confirmait.

– Le premier qui la ramène…, hurla encore Bornier.

Il n'acheva pas sa menace, Fernand le poussait vers la baraque et faisait signe à un soldat de poursuivre la distribution.

À la fin, on constata que le tabac commençait aussi à manquer.

Dans l'après-midi, un détenu s'aventura sur la petite

décharge où des soldats avaient jeté du marc de café. Il improvisa une distribution d'un breuvage vaguement beige.

Après avoir donné l'ordre de retourner à l'intérieur du baraquement, Fernand déploya les soldats et les gardes mobiles à toutes les issues.

# 32

– T'inquiète pas, Louise, je vais faire mon nid là-dessous.

M. Jules avait joué au grand seigneur, pensant pouvoir se glisser sous la voiture, comme pour faire une vidange. Vu sa corpulence, c'était très ambitieux. Louise sentit le châssis saisi de soubresauts, pendant qu'il tentait sa manœuvre. Par charité, elle n'alla pas aux nouvelles, mais un peu plus tard, elle l'entendit ronfler sur le bas-côté de la route où, en désespoir de cause, il finit par trouver refuge sur un morceau de couverture.

Penchée par la vitre, elle regarda le gros corps de M. Jules endormi sur le dos, ventre proéminent, mains croisées sur l'abdomen. Un bref instant, elle le crut mort. Trois secondes plus tard, ses joues vibrantes et son volumineux ronflement la détrompèrent, mais ce bref instant avait suffi pour la persuader une nouvelle fois de la place immense qu'il occupait dans sa vie.

De son côté, à demi allongée sur la banquette arrière qui n'était pas suffisamment large, elle se retint toute la nuit pour ne pas tomber, fit des cauchemars d'escalade acrobatique. Sans compter le bruit incessant des véhicules circulant sur cette route qu'ils n'avaient pas voulu quitter, comme si leur place risquait d'être prise par d'autres ou que la caravane ne profite de leur absence pour s'échapper.

Après le bref pique-nique, quand M. Jules eut entrepris sa plongée sous la carrosserie, Louise ouvrit le petit dossier ficelé qu'Henriette Thirion lui avait remis. Elle était certaine d'avoir emporté le cliché de ce bébé mais elle se souvint soudain l'avoir laissé, dans l'empressement du départ, sur la table de la cuisine...

En utilisant le peu de lumière qui restait, elle lut le début de la correspondance de sa mère, une trentaine de lettres, toutes assez brèves.

La première datait du 5 avril 1905 :

> *Mon cher amour,*
>
> *Je m'étais promis de ne jamais vous écrire, de ne jamais vous déranger, et voilà que je fais l'un et l'autre. Vous allez me détester et vous aurez raison.*
>
> *Si je vous écris, c'est que je n'ai pas répondu à votre question quand vous m'interrogiez sur mon silence, mon «mutisme», disiez-vous. Vous continuez de m'impressionner, voilà la vérité. Je n'ai pas peur de vous, bien sûr (je ne pourrais jamais aimer un homme dont j'aurais peur), mais tout ce que vous dites m'intéresse, tout est nouveau, je ne vois pas ce que j'aurais de mieux à faire que vous écouter. Je me contente de profiter de ces moments, de votre présence, parce que j'en sors plus vivante que jamais.*
>
> *Hier, en vous quittant, j'étais toute chancelante... Ce ne sont pas des choses à dire, et encore moins à écrire, alors je m'arrête là.*
>
> *Mais dans tous mes silences, comprenez «je vous aime».*
>
> *Jeanne*

Jeanne avait alors dix-sept ans. Elle était amoureuse comme une jeune fille peut l'être d'un homme plus âgé. Il ne devait pas être bien difficile pour lui de se faire admirer. Jeanne n'était pas bête, elle savait écrire, elle avait passé son brevet supérieur et, comme disait M. Jules, « lu des romans », cela se sentait à son expression. Quel effet avait pu avoir une déclaration pareille sur un homme de plus de quarante ans ? Avait-il souri de son romantisme ?

Louise était frappée que sa mère ait été une jeune fille passionnée, ce qu'elle-même n'avait jamais été. Le désordre amoureux était pour elle un continent inconnu. Elle n'en ressentait pas de jalousie, elle admirait au contraire qu'une jeune fille puisse ainsi s'immerger dans une aventure dont, raisonnablement, elle ne pouvait espérer grand-chose. Louise n'avait pas eu cette chance, ou elle ne l'avait pas saisie si elle s'était présentée ; elle avait été amoureuse, mais jamais passionnée, elle avait fait l'amour, mais n'avait pas connu cette effervescence. Jeanne avait écrit des lettres d'amour, Louise, jamais. Oh, c'étaient des lettres d'amour comme on en lit partout. Mais parfois, l'ampleur de l'offrande, sa sincérité, son jusqu'au-boutisme la frappaient. En juin 1905, Jeanne écrivait au docteur :

> *Mon cher amour,*
> *Soyez égoïste.*
> *Prenez, prenez encore, prenez toujours.*
> *Dans tous mes soupirs, entendez « je vous aime ».*
> *Jeanne*

La lumière avait baissé. Louise replia les lettres, remit autour la ficelle et fit un nœud.

Jeanne voussoyait le docteur. Lui devait la tutoyer. Louise n'y voyait ni bizarrerie ni afféterie, l'histoire avait dû commencer ainsi et se poursuivre d'elle-même, ce sont des choses auxquelles on ne peut rien.

En sombrant dans le sommeil, elle se demanda comment le docteur, lui, l'avait aimée.


Louise et M. Jules n'étaient pas les seuls à être épuisés. La veille, la foule s'était fatiguée dans un surplace aussi démoralisant qu'inquiétant. On scrutait le ciel dans la crainte d'une escadrille allemande, les nerfs étaient mis à rude épreuve.

Au matin, plusieurs femmes partirent à la recherche d'un point d'eau, tout le monde se sentait sale. La ferme la plus proche recevait les réfugiés et offrait le secours de son puits. C'était, sur la caravane, le dernier salon où l'on cause.

– L'Italie a déclaré la guerre à la France, dit une femme.

– Les salauds…, murmura une autre.

On ne savait pas de qui elle parlait. Le silence qui s'ensuivit pesa comme une menace. Au loin, on entendait des avions, mais on ne voyait rien dans le ciel.

– L'Italie, c'est le coup de grâce, dit enfin quelqu'un. Comme si on avait besoin de ça.

La nécessité de faire une brève toilette, de recueillir de l'eau pour la famille restée sur la route, dirigea la conversation vers d'autres sujets. La résignation fit le reste. Savait-on si la route allait se dégager ? Où pourrait-on trouver de l'essence ? des œufs ? du pain ? L'une avait besoin de chaussures, « Celles-ci ne sont pas faites pour marcher », dit-elle. « Pour des chaussures, c'est embêtant », répondit une autre, tout le monde éclata de rire, même la victime.

Lorsqu'elle revint auprès de M. Jules, Louise constata que le flot des Parisiens n'avait cessé de grossir. Depuis le départ, ils n'avaient pas fait quarante kilomètres, il en restait plus du double. Si le flux continuait de se densifier, combien de temps leur faudrait-il pour parvenir à Orléans, deux jours, trois ?

– Je sais, dit Louise.

– Tu sais quoi ?

– Vous mourez d'envie de me dire que vous aviez raison, que partir était idiot.

– J'ai dit ça, moi ?

– Non, mais comme vous le pensez, je le dis pour vous...

M. Jules leva les mains au ciel et les fit claquer sur ses cuisses, mais ne répondit pas. Il savait que Louise était en colère contre elle-même, contre les événements, contre la vie, pas contre lui.

– Il va falloir trouver de l'essence...

Tous les conducteurs devaient penser la même chose et personne ne savait comment faire.

On repartit. Camions, fourgons, bennes, triporteurs, tombereaux tractés par des bœufs, autocars, camionnettes de livraison, tandems, corbillards, ambulances... La diversité des véhicules qui circulaient sur cette nationale semblait une vitrine du génie français. À quoi il faut ajouter la variété de ce que tous transportaient, valises, cartons à chapeau, édredons, bassines et lampes, cages à oiseaux, batteries de cuisine et portemanteaux, poupées, caisses en bois, malles en fer, niches à chien. Le pays venait d'ouvrir la plus grande brocante de son histoire.

– C'est quand même étrange, lâcha M. Jules, tous ces matelas sur les toits des bagnoles...

C'est vrai qu'il y en avait beaucoup. Était-ce pour amortir les balles des avions ? pour dormir sans abri ?

Les piétons et les vélos allaient plus vite que les voitures, qui avançaient par à-coups, faisant souffrir les boîtes de vitesses, les radiateurs, les embrayages. Périodiquement, on assistait à des essais de canalisation de la circulation par des gendarmes, des soldats, de simples bénévoles, qui tous finissaient par baisser les bras devant l'entêtement obtus de cette chenille de milliers de véhicules décidée à progresser coûte que coûte.

Entre deux soubresauts pendant lesquels la voiture gagnait vingt mètres, Louise avait défait le nœud et rouvert la correspondance de Jeanne.

– L'écriture de ta mère…, dit M. Jules.

Louise s'étonna.

– Des belles comme ça, il n'y en avait pas beaucoup, tu sais. Et des plus intelligentes non plus.

Il avait l'air navré, Louise le laissa glisser sur sa pente.

– Bonne à tout faire, tu imagines…

Il coupa le moteur, on redémarrerait à la manivelle quand ce serait nécessaire ; dès que possible, on faisait reposer la mécanique.

En juillet 1905, Jeanne écrivait au docteur :

> *Mon cher amour,*
> *Je dois être une sale personne… Aucune jeune fille convenable ne vivrait ce que je vis sans rougir : aller à l'hôtel avec un homme marié… ! Moi, c'est l'inverse, c'est toute ma joie, comme s'il n'y avait rien de plus réjouissant que le péché. C'est délicieusement immoral.*

– Alors, demanda M. Jules, fatigué de ronger son frein, elle était fière d'être bonniche ?

Louise lui lança un coup d'œil. Ce genre d'expression, surtout au sujet de Jeanne, n'était pas dans ses manières.

– Je n'en suis pas encore là, répondit-elle.

– T'en es où ?

Louise aurait pu lui tendre la lettre pour qu'il la lise à son tour mais quelque chose la retenait, de l'ordre de la pudeur ou de la honte, elle ne savait pas exactement. Elle préféra reprendre sa lecture :

*Il n'y a déjà plus rien de moi qui ne soit à vous et pourtant, chaque fois, j'ai le sentiment de me livrer davantage, comment est-ce possible ?*

*J'ai vraiment envie de mourir, vous savez, ce n'était pas par plaisanterie que je vous l'ai dit, ça ne vous a pas plu, je peux le comprendre ; simplement, c'est vrai. Mais ça n'est pas une envie triste, au contraire, c'est le désir de partir en emportant le meilleur de ce que la vie m'offrira jamais.*

*Vous avez posé votre main sur ma bouche quand je vous ai dit cela. Je la sens encore sur mes lèvres, votre main, comme je vous sens en moi, partout, tout le temps.*

*Jeanne*

L'intensité de cette passion coupait le souffle à Louise.

– C'est triste ? demanda M. Jules.

– C'est de l'amour.

Elle ne savait pas quoi répondre d'autre.

– Ah, de l'amour…

C'était agaçant, ce scepticisme permanent, moqueur et finalement insultant. Elle ne répondit pas.

En seconde partie de journée, des convois militaires passèrent, impératifs, faisant le vide devant eux, créant un effet d'aspiration qui accéléra l'avancée de la caravane. Pendant quelques heures, la circulation se fit non pas moins dense, mais plus fluide. On dépassait ou on retrouvait à un carrefour, sur un bas-côté, une voiture de gens avec qui on avait fait une heure de halte la veille, on se disait bonjour de la main, on échangeait quelques mots avant que le mouvement péristaltique de la caravane ne vous absorbe à nouveau pour vous rejeter un peu plus loin, auprès d'autres voisins, derrière d'autres voyageurs.

Ils étaient à une trentaine de kilomètres d'Orléans lorsque soudain, tout se figea, le long serpent parut vouloir s'arrêter pour somnoler. M. Jules, inquiet pour l'essence, prit une route vicinale sur la droite, on trouva une ferme.

Quelque chose depuis la veille avait changé.

Déjà fini le temps (et c'était seulement la veille) où l'on vous laissait accéder au puits sans compter. Le paysan fit payer sa grange vingt-cinq francs. À cause des risques, dit-il, sans préciser lesquels.

# 33

Le premier ravitaillement qui arriva vers sept heures du matin ne concernait que l'encadrement.

De leurs fenêtres, les détenus virent les Annamites décharger la camionnette envoyée par la région militaire. Craignant un soulèvement, Fernand donna l'ordre à ses hommes de manger à l'écart et, afin de créer une diversion, organisa un service d'hygiène grâce à des grands baquets d'eau réchauffée qu'il ne fut hélas pas possible de renouveler, faute de matériel suffisant. Passé les quelques premiers utilisateurs, les suivants regardèrent l'eau sale et déclinèrent l'offre.

– On préférerait bouffer, grogna l'un d'eux.

Fernand fit semblant de ne pas avoir entendu.

Deux heures plus tard, un camion arriva enfin. Le compte fut vite fait : une boule de pain pour vingt-cinq et une cuillère par personne d'un riz froid et collant qui devait dater de la veille.

– Je n'y peux rien, adjudant-chef, c'est la guerre pour tout le monde !

Fernand n'eut pas le temps de répondre à l'exclamation agacée du capitaine, derrière lui Bornier venait de crier :

– Toi, t'es déjà passé, espèce de vermine !

Le resquilleur montra des signes d'affolement qui le trahirent. C'était le journaliste Dorgeville, dont les bajoues commencèrent à vibrer. Aussitôt, des détenus se précipitèrent, le jetèrent au sol et se mirent à le rouer de coups. D'autres vinrent à la rescousse, les anarchistes surgirent à leur tour.

Fernand se précipita, mais le groupe était déjà trop important pour être maîtrisé, il n'eut d'autre solution que de dégainer son pistolet et de tirer en l'air.

Ce ne fut pas suffisant. Il fallut que des soldats les séparent à coups de canon de fusil dans les côtes et de crosse sur les nuques, le sang se répandit dans la poussière. Une poignée de détenus particulièrement excités se dressèrent soudain face aux soldats, prêts à en découdre, fût-ce à mains nues, c'est dire à quel point ils étaient affamés…

– Baïonnette au canon ! hurla Fernand.

Les soldats, bien qu'affolés eux aussi, eurent le réflexe de se placer en ligne, canon pointé en avant.

Pendant quelques secondes, on pensa que les détenus allaient se ruer sur les soldats. Fernand enfonça le clou.

– Les détenus, en rangs par deux ! cria-t-il. Au pas !

Les prisonniers, un à un, cédèrent et se rangèrent en ordre dispersé. Le journaliste Dorgeville peina à se relever, il se tenait les côtes à deux mains, il fut soulevé et tiré par ses trois camarades. Tous retournèrent vers le baraquement en traînant les pieds.

Fernand attrapa Bornier par le col.

– Je te jure, dit-il en serrant les dents. Tu remets ça une seule fois, je te fais casser ! Tu feras la guérite !

La menace était purement virtuelle. On imaginait mal de quelle manière Fernand obtiendrait une mesure pareille.

Mais Bornier s'était hissé au grade de caporal-chef après vingt-trois ans de service et au prix d'efforts surhumains. Ce grade constituait tout ce qu'il pouvait espérer d'ici la fin de sa carrière, rien ne le terrorisait plus que la perspective de le perdre, de redescendre le peu d'échelons qu'il était parvenu à gravir et de se retrouver planton dans une guérite à la porte d'un ministère, sa hantise.

Fernand s'éloigna, alluma une cigarette, celle qu'Alice refusait toujours qu'il fume, « jamais avant midi », c'était sa formule. Il regarda les prisonniers regagner lentement le bâtiment. Puis, sa décision prise, il retourna voir le capitaine et lui en fit part.

– Je ne veux pas le savoir, adjudant-chef !

Ça voulait dire d'accord.

Fernand rassembla alors son équipe, désigna le plus débrouillard, un nommé Frécourt, un garçon d'une petite trentaine, très vif d'esprit, à qui il confia deux collègues gardes mobiles et quatre soldats.

De la fenêtre, Raoul et Gabriel virent ce petit groupe quitter le camp.

– Ils vont au ravitaillement ? demanda Gabriel.

Raoul n'entendit pas, il observait la clôture nord qu'il désigna de l'index.

– C'est par celle-là qu'on peut se barrer.

Gabriel plissa les yeux.

– Il faudra courir vite, mais si l'alerte nous en laisse le temps, on sera à l'abri des regards juste après l'ancienne intendance.

C'était un bâtiment désaffecté aux vitres crevées, aux portes défoncées, dont la seule vertu était de masquer une partie des chevaux de frise et des barbelés qui ceinturaient le camp à cet endroit.

– Et une fois là ? demanda Gabriel.

Raoul fit une grimace.

– On va y laisser des morceaux de viande, mais je ne vois pas d'autre solution...

Après la brève mutinerie à laquelle il venait d'assister, Gabriel, que la faim n'aidait pas à penser droit et qui avait d'abord résisté à cette idée d'évasion, devait admettre qu'ici les choses tournaient au vinaigre. L'encadrement de plus en plus remonté, les premières bagarres entre détenus, la faim qui tenaillait et rendait tout le monde un peu dingue, la confirmation des Allemands à l'ouest de Paris... Une heure plus tôt, il avait demandé à un gardien si un médecin pouvait voir le jeune communiste qui claquait des dents depuis son arrivée. Avant qu'il ait eu le temps de répondre, le caporal-chef Bornier s'était précipité.

« Un docteur ? Et puis quoi encore, petit pédé ! Même un vétérinaire, on vous l'enverrait pas ! »

Et, brandissant sa baïonnette, il avait ajouté :

« Par contre si tu veux une piqûre dans le bide... »

Gabriel n'avait pas demandé son reste.

Il n'avait pas formellement accepté la proposition d'évasion de Raoul mais son esprit rationnel pesait déjà les chances de réussite. Il faudrait se trouver au bon endroit au bon moment. Avoir de la chance. Et pour passer les barbelés, il y avait intérêt à s'entraider. Seul, l'évasion n'était pas envisageable.

Quelques instants après le départ du groupe que Fernand venait d'envoyer en mission, deux soldats, assez vieux, vinrent le trouver.

– Les Allemands approchent, mon adjudant-chef, dit le premier.

Ça n'était pas une nouvelle.

– Si ça tourne mal, on va se retrouver nous-mêmes prisonniers… en même temps que nos prisonniers. Si les Boches nous mettent avec eux, on a du souci à se faire…

– Nous n'en sommes pas là, objecta Fernand, mais son ton manquait de conviction.

– Il n'y a pas d'artillerie, mon adjudant-chef. Pas d'aviation non plus. Qui va nous défendre si les Boches arrivent jusqu'ici ?

Fernand opposa un visage de marbre.

– On attend les ordres.

Il n'y croyait pas plus qu'eux, mais que pouvait-il dire ? Le capitaine Howsler était pendu au téléphone en permanence, dès que quelqu'un venait lui poser une question, il le chassait d'un geste, comme une mouche, foutez-moi la paix !

Pour calmer les détenus, Fernand organisa des tours de promenade. Quand ce fut le tour de Raoul et Gabriel, ils s'éloignèrent lentement en direction de la clôture nord, vite rattrapés par un soldat.

– Qu'est-ce que vous foutez là ? hurla-t-il en pointant son fusil.

C'était un homme trapu, rougeaud, que la chaleur accablait. Sa voix montante et vibrante trahissait aussi son inquiétude, il n'était visiblement pas un homme proportionné pour une telle épreuve. Raoul mesura tout cela en quelques secondes et sortit une cigarette qu'il lui tendit.

– On se met un peu à l'abri, expliqua-t-il sobrement. Pour éviter les bagarres. Ça chauffe pas mal là-bas…

Gabriel fut décontenancé. Par cet esprit d'à-propos, mais aussi parce qu'il se demandait comment Raoul pouvait encore disposer de cigarettes alors que plus personne n'en avait.

Le soldat dodelina de la tête, l'air de dire que ça le gênait d'accepter, mais il ne devait plus y avoir beaucoup de tabac du côté de l'encadrement parce que, après un regard furtif derrière lui, il s'approcha et saisit la cigarette.

– C'est pas de refus…

Il la plaça dans la poche de poitrine de son uniforme.

– Je la garde pour ce soir…

Raoul fit signe qu'il comprenait, alluma la sienne.

– On sait ce qui va se passer ? demanda-t-il.

– Je dirais qu'on est sacrément coincés. Les Boches approchent à grands pas, on ne reçoit plus d'ordres…

Comme pour confirmer son embarras, passa à haute altitude un vol de reconnaissance que les trois hommes suivirent, tête penchée vers le ciel.

– Mouais, fit Raoul, ça sent pas bon, c'est sûr.

Le silence du gardien avait valeur de confirmation.

– Maintenant, faudrait revenir vers les baraques, les gars, m'obligez pas…

Raoul et Gabriel levèrent les mains paumes en avant, pas de problème.


Le petit groupe envoyé en mission revint en tout début d'après-midi.

Le jeune Frécourt, penché vers Fernand, fit son rapport à voix basse.

L'adjudant-chef hochait la tête.

Puis il rentra d'un pas décidé dans le baraquement, le traversa, ouvrit la porte de la chambre des sous-officiers, attrapa son sac marin, ressortit, désigna un groupe, dont Bornier (qu'il ne voulait pas laisser seul sans surveillance) et le petit Frécourt, réquisitionna le seul camion à plateau dont disposait le camp et mit le cap sur la première ferme, au lieu-dit La Croix-Saint-Jacques, c'est par là que l'on commencerait.

En route, Fernand se creusait la tête pour savoir de quelle manière il s'y prendrait.

Le camion se garait dans la cour de la ferme qu'il n'avait toujours pas trouvé de solution.

# 34

M. Jules n'était pas d'un naturel patient, les clients du restaurant l'avaient souvent appris à leurs dépens. Deux nuits hors de son lit, dont une dans la paille, n'arrangèrent pas les choses. Le paysan qui les hébergeait le comprit lorsqu'il demanda deux francs à Louise pour le seau d'eau avec lequel elle projetait une toilette. On vit M. Jules se mettre en route lourdement, ses charentaises soulevant la poussière, avançant à la manière d'un pachyderme, bousculant tout sur son passage, comme au ralenti, les gens dans la cour, le fils du paysan, les chiens de la maison, le vacher qui crut pertinent de brandir une fourche et reçut une baffe à décorner un bœuf. D'un geste, il attrapa le paysan au collet, avec deux doigts, le pouce et l'index, il lui pressa la pomme d'Adam avec une précision surprenante et serra au point que l'homme tomba à genoux, le visage cramoisi, le souffle bref, les yeux exorbités.

– Redis-moi ton prix, mon petit père, j'ai mal entendu.

Le paysan brassait l'air à deux bras.

– J'entends pas..., faisait M. Jules en grimaçant. Combien tu dis ?

Louise accourut, posa calmement sa main sur celle de M. Jules, ce fut comme un déclic, le paysan s'affaissa.

M. Jules, l'œil noir, regarda autour de lui – vous voulez ma photo ? Chacun crut prudent de se détourner.

– Prends ton seau d'eau, Louise, je pense que maintenant le prix est accessible.

Pendant sa toilette glacée dans un coin de l'étable que M. Jules gardiennait de l'extérieur, Louise s'interrogea sur les étranges manières du patron de La Petite Bohème. Pour la première fois, M. Jules ne ressemblait pas à M. Jules.

Quand elle sortit de la grange, il n'était plus devant la porte. Elle l'aperçut sous le hangar, près du tracteur, s'approcha.

– Je ne peux pas vous en donner plus, s'excusait le paysan, qui achevait de remplir le jerrican d'essence. Après, c'est qu'on n'aurait plus rien pour travailler.

M. Jules n'avait d'yeux que pour le jerrican, encore un peu, là, encore... Bien ! Il ferma, empoigna son butin et, sans un mot de remerciement, il s'avança vers Louise.

– Je pense qu'on peut aller jusqu'à Orléans, il devrait même en rester un peu.

Il en resta.

La Peugeot 201 buvait comme un trou, mais curieusement la circulation s'éclaircit pendant une heure ou deux. Le flux évoluait par à-coups, certains moments étaient plus favorables que d'autres, on ne savait jamais comment les choses allaient tourner.

En route, Louise reprit son paquet de correspondance.

– Encore des lettres de Jeanne, constata M. Jules.

Le temps de jeter un œil vers Louise, il avait embouti la roue d'une charrette, l'aile avant se mit à battre comme celle d'un insecte frappé à mort. M. Jules ne s'arrêtait plus, ne s'excusait plus, « à la guerre comme à la guerre », disait-il.

Depuis le départ de Paris, sa Peugeot avait laissé pas mal de plumes sur la route, un pare-chocs arrière à la sortie de Paris, un phare avant à l'entrée d'Étampes, le clignotant droit vingt kilomètres plus loin, sans compter les innombrables creux, bosses, rayures qui avaient émaillé le voyage. La voyant passer, on comprenait tout de suite que cette voiture avait fait la guerre.

*18 décembre 1905*

*Mon cher amour,*
*Pourquoi avoir ainsi attendu la dernière minute pour me le dire ? Vous vouliez me punir ? De quoi ? Me voici, en une seconde, veuve et orpheline de vous pendant deux longues semaines, vous me dites cela et vous partez... J'aurais préféré un coup de poignard. Oui, bien sûr, vous m'avez embrassée et serrée contre vous, mais ce n'était pas comme vous faites habituellement, une manière de renforcer votre empreinte sur mon corps, non, c'était... une façon de vous excuser ! Mais de quoi ? Je n'exige rien de vous, mon amour, vous pouvez bien partir puisque vous pouvez tout faire ! Mais me le dire ainsi, c'est m'abandonner deux fois. C'est inutilement cruel, que vous ai-je fait, à quoi ai-je manqué ? Et prétexter que ce départ a été décidé brutalement, la veille... Comme si vous fermiez votre cabinet du jour au lendemain sans en avertir personne... Pourquoi me mentez-vous, je ne suis pas votre femme !*
*En réalité, vous avez reculé le moment de me le dire parce que vous saviez la peine que cela me ferait, n'est-ce pas ? Jurez-moi que c'est ça, que c'est seulement par amour que vous me faites ce mal et cette peine !*

– Bah dis donc, la coupa M. Jules, je sais pas si elle l'aimait, son toubib, mais elle aimait lui écrire.

Louise leva les yeux. M. Jules conduisait, l'air têtu.

– Oui, elle l'aimait.

M. Jules fit une petite moue. Louise fut surprise.

– Non, pour rien, ajouta-t-il. Disons que c'était de l'amour, si tu veux. Moi, ce que j'en dis…

*Lorsque vous vous éloignez, je compte les jours, les heures, cela me porte, mais quinze jours sans vous ! Que voulez-vous que j'en fasse, de tous ces jours ?*

*Le temps qui s'étire devant moi en votre absence me semble un désert, je tourne, je vire, je ne sais plus quoi faire, je suis vide.*

*Je voudrais gratter la neige de la cour, faire un trou et m'y glisser pour hiberner jusqu'à votre retour, me réveiller à l'instant exact où vous serez de nouveau là, où vous vous coucherez sur moi. Je dois me cacher pour pleurer.*

*Toutes mes larmes sont à vous.*

*Jeanne*

Quand ils arrivèrent, dix heures sonnaient à Saint-Paterne.

Orléans ressemblait à une ville de foire. Ce n'étaient partout que fatigue, familles épuisées, bonnes sœurs courant comme des souris, administration débordée. Il régnait là une atmosphère de fièvre et de désespoir, on cherchait où manger, où dormir, où aller, c'était partout pareil.

– Bon, dit M. Jules, on se retrouve ici ?

Louise n'eut pas le temps de répondre, il était déjà entré dans le bistrot le plus proche.

Demander autour d'elle si quelqu'un avait « vu des autobus de la TCRP avec des vitres peintes en bleu » paraissait toujours aussi saugrenu, mais en fait cela n'étonna personne. Les gens cherchaient une bonbonne de gaz, une roue de landau, un endroit où enterrer leur chien, une femme portant une cage à oiseaux, des timbres, des pièces mécaniques pour une Renault, des pneus de vélo, un téléphone qui marche, un train pour Bordeaux... Chercher des autobus parisiens à cent kilomètres de la capitale ne déparait pas dans le flot des interrogations. Mais Louise n'obtint aucune réponse, ni devant la prison où elle ne rencontra personne, ni sur les places centrales, ni le long du fleuve, ni à l'entrée ni à la sortie de la ville, nulle part. Personne n'avait vu ces satanés bus.

En milieu d'après-midi, elle s'en retourna auprès de M. Jules qui, assis dans la voiture, recousait ses charentaises éventrées avec un fil et une aiguille.

– Heureusement que j'ai emporté mon nécessaire..., grogna-t-il en se piquant au pouce. Et merde !

– Donnez-moi ça, dit Louise en lui prenant son ouvrage des mains.

La fatigue commençait à marquer son beau visage de lignes et de rides qui, c'est ça l'injustice avec les jolies femmes, soulignaient encore le velouté de sa bouche, le clair de ses yeux, et donnaient envie de la serrer contre soi. En reprisant elle lui raconta dans les grandes lignes ses pérégrinations en ville.

– Les gens, conclut-elle, ont autre chose à penser que regarder le paysage, ils ne voient que ce qui les concerne.

M. Jules poussa un long soupir philosophe. Louise s'arrêta un instant de repriser.

– Je ne sais pas ce qu'on attend. Maintenant qu'on a atteint la Loire... Est-ce que ça ne devait pas...?

Elle ne savait pas comment achever sa question. Qu'avaient-ils espéré, ces centaines de milliers de réfugiés, en quittant Paris ? Que la Loire serait une nouvelle ligne Maginot ? Le véritable espoir avait été évidemment de trouver ici une armée française reconstituée, prête à résister et peut-être même à regagner du terrain, mais on ne voyait plus que des soldats débandés et hagards, des camions désertés, l'armée française s'était évaporée. Lors des deux dernières alertes, pas un avion français n'avait montré le bout de son aile. La Loire ne serait rien d'autre qu'une étape supplémentaire sur le chemin qu'avait entamé ce pays saisi par la panique.

Au milieu de cette marée humaine qui déferlait continûment, retrouver les bus de la TCRP et Raoul Landrade relevait de l'impossible. Et un retour à Paris de l'impensable.

– À ce que je crois comprendre, dit M. Jules en regardant Louise recoudre ses charentaises, l'arrivée des réfugiés et l'approche des Boches commencent à foutre la frousse à toute la ville. Les réfugiés entrent par le nord, les Orléanais commencent à se barrer par le sud...

Louise avait terminé.

– Vous comptez aller loin avec vos charentaises ?

– Jusqu'au camp des Gravières.

Louise le regarda, étonnée.

– Bah oui, je fais pas les bistrots comme un pochetron, moi ! C'est par sens du devoir ! J'en ai fait cinq. Si on

retrouve pas ton lascar rapidement, je vais crever d'une cir-
rhose, moi !

– Les Gravières ?

– À une quinzaine de kilomètres. C'est là qu'ils seraient.
Arrivés avant-hier. Dans la nuit.

– Et pourquoi vous ne me le dites pas ?

– Bah quoi ! Si j'avais pas de charentaises pour conduire,
comment qu'on y serait allés ?


Le camp des Gravières n'était pas indiqué sur la route,
M. Jules dut s'arrêter trois fois dans un café, il était passablement gris lorsqu'il aborda un large chemin non goudronné
au seuil duquel il pila brutalement à cause de la chaîne et du
panneau « Camp militaire » qui en barraient l'accès.

– Excuse, dit-il à Louise, qui avait évité de peu le choc
frontal avec le pare-brise.

– Il est vraiment temps qu'on arrive, dit-elle sobrement.

– C'est l'enquête, ça m'a fatigué…

– Et qu'est-ce qu'on attend ? demanda Louise en montrant la route.

– On attend d'être sûrs de ce qu'on fait ! Si on soulève la
chaîne, on entre dans un camp par effraction, tu sais ce que
ça veut dire ?

Il avait raison. Après avoir forcé l'entrée, on arriverait
devant un camp gardé par des militaires, elle imaginait des
miradors, des barbelés, des uniformes, à quoi cela allait-il les
avancer ?

– Je pensais discuter avec un soldat, un gardien…, risqua-
t-elle.

– Si tu veux te faire arrêter pour racolage devant un camp militaire, c'est la meilleure technique.

– Ou bien trouver un soldat qui sort, parler avec lui.

– À ce que j'ai compris, doit y avoir un bon millier de types entassés là-bas, si tu abordes un soldat, tu as intérêt qu'il connaisse tout le monde…

Louise réfléchit un moment et trancha :

– On va attendre un peu. Si on n'entre pas dans le camp, personne ne peut rien nous dire. On attend, il va bien passer quelqu'un…

M. Jules bougonna quelque chose qui devait s'apparenter à un acquiescement.

Louise sortit la correspondance de Jeanne. Chaque fois qu'elle la prenait, elle défaisait le nœud, puis à la fin, le refaisait.

Mai 1906. Jeanne avait dix-huit ans. Elle venait de se faire embaucher chez le docteur comme domestique.

Dès qu'elle eut entamé sa lecture, M. Jules descendit de voiture pour lustrer la Peugeot à l'aide d'une peau de chamois. C'était absurde, comme de repeindre une poubelle promise à la décharge. Peut-être l'entretien du comptoir de La Petite Bohème lui manquait-il. Il s'activait à grands gestes brusques, presque rageurs.

> *Mon cher amour,*
> *Pardon, pardon, pardon, jamais vous ne me pardonnerez, je le sais, c'est bien fait pour moi. Maintenant que j'ai commis cet acte bas, vulgaire, déshonorant, vous avez le droit de me haïr, si vous saviez comme je m'en veux…*
> *Je l'ai compris dès que je me suis trouvée en face de votre épouse. Je l'avais souvent imaginée (je la détestais*

*sans la connaître parce que vous êtes tout à elle et rien*
*pour moi), et malgré ma haine, je priais pour qu'elle me*
*jette à la porte. Mais Dieu, au nom de mon infamie, m'a*
*abandonnée puisque, au lieu de me chasser, votre épouse*
*m'a embauchée.*

*Oh, votre regard lorsque vous êtes entré dans le salon*
*où je servais le thé... J'aurais voulu pouvoir vous supplier,*
*vous demander pardon à tous deux, oui, même à elle, tant*
*j'étais malheureuse.*

La présence de M. Jules à la portière l'interrompit et la
troubla. Il en était à faire les vitres, comme s'il était le pom-
piste.

Depuis quand était-il là, juste à côté ?

Lisait-il par-dessus son épaule ?

Pour se donner une contenance, il ouvrit la bouche et
souffla un halo de buée puis frotta vivement, l'air préoccupé,
allant jusqu'à gratter la vitre du plat de l'ongle. Pour quelqu'un qui ne pouvait pas faire dix kilomètres sans emplafon-
ner un réverbère ou renverser une vache, c'était un soin
surprenant auquel Louise, prise par sa lecture, ne voulut pas
s'arrêter. S'il désirait lire, qu'il le fasse.

*Vous allez déchirer ma lettre, tôt ou tard crier la vérité*
*et me faire chasser, c'est bien normal parce que je suis un*
*monstre d'égoïsme : je suis entrée dans votre maison*
*pour vous blesser, pour vous faire honte, et toute la honte*
*retombe sur moi.*

*Mais c'est que, voyez-vous, vous êtes toute ma vie. Je*
*pensais bêtement qu'en venant déranger l'ordre de votre*
*existence, vous seriez obligé de choisir et de protéger la*

*mienne. C'est mal, je le sais. Mais vous comprenez, je n'ai que vous.*

*Je redoute maintenant de vous croiser dans votre propre maison où j'ai cru pouvoir m'abriter contre vous...*

*Chassez-moi vite, je continuerai de vous aimer plus que moi-même.*

Jeanne

M. Jules s'était éloigné. Elle le voyait de dos, la tête baissée, comme s'il observait un insecte à ses pieds ou cherchait une clé tombée au sol. Il y avait dans sa manière de se tenir quelque chose d'affaissé, de lourd, qui détonnait, les épaules basses, un abandon...

Intriguée, elle quitta la voiture, s'approcha.

– Ça ne va pas, monsieur Jules ?

– C'est la poussière, dit-il en se retournant.

Il passait sa manche sur ses yeux.

– Quelle vacherie, cette poussière.

Il fouilla dans sa poche et se détourna comme pour se moucher à l'abri des regards. Louise ne savait pas quoi faire. Il n'y avait pas plus de poussière ici, dans ce coin de forêt, que sur le zinc de La Petite Bohème... Que se passait-il ?

– Oh, pute vierge ! s'écria-t-il tout à coup.

Du chemin venait de surgir un camion militaire qui fonçait droit sur eux.

– Excuse..., dit-il à Louise en se précipitant au volant.

Trouver la pédale d'embrayage demanda un certain temps, après quoi M. Jules partit à la recherche de la marche arrière, le camion freinait, klaxonnait, on sentait l'énervement, un soldat sauta du véhicule pour libérer la chaîne en criant :

– Circulez, c'est un camp militaire, éloignez-vous !

351

En reculant, la Peugeot heurta un arbre, le choc fut rude, mais la voiture, au moins, avait dégagé l'accès.

Le soldat replaça la chaîne en criant une nouvelle fois :

– Circulez, c'est un camp militaire !

Le camion hurla et passa près d'eux.

– Suivez-le !

M. Jules ne comprenait pas. Ah, ce que Louise, à cet instant, aurait aimé savoir conduire une automobile !

– Restez un peu à distance, mais suivez le camion.

Lorsque la voiture fut de nouveau sur la route et alors qu'on apercevait, virage après virage, l'arrière du camion militaire loin devant, Louise expliqua :

– À l'avant, le gradé, c'est un adjudant-chef. Je l'ai vu à la prison du Cherche-Midi quand ils ont embarqué les détenus. Je vais essayer de lui parler.

# 35

Le paysan était un homme fier de son ventre, de sa vaste ferme, de ses bêtes, de la soumission de sa femme et de certitudes qui n'avaient pas varié d'un pouce depuis qu'elles lui avaient été transmises soixante ans plus tôt, héritage intact depuis quatre générations.

C'est en le voyant que Fernand comprit enfin ce qu'il devait faire.

– Vous autres, vous m'attendez là…, dit-il, et, attrapant son sac marin à la volée, il sauta du camion en hurlant : Réquisition !

Il fit à grands pas la trentaine de mètres qui les séparaient, mais le visage du paysan eut largement le temps de se décomposer. Au raidissement de ses reins, à la manière de planter ses poings dans ses poches et de rentrer la tête dans les épaules, Fernand comprit qu'il avait choisi la bonne stratégie. Il se planta devant lui et cria une nouvelle fois :

– Réquisition !

Il tournait le dos au camion et personne de son équipe ne le vit sourire largement en ajoutant sur un ton beaucoup plus modéré :

– Évidemment, tout ce qui est réquisitionné est payé…

Pour l'agriculteur, la nouvelle était bonne, mais insuffisante. Qu'allait-on réquisitionner et combien paierait-on ce qu'on prendrait ?

— Il me faut une centaine d'œufs, vingt-cinq poules, cent kilos de patates, des salades, tomates, fruits, ce genre de choses...

— D'abord, j'ai pas tout ça !

— Je vais déjà prendre ce que vous avez.

— C'est que... Faut voir...

— Bon, écoutez, je ne vais pas y passer la nuit. Je réquisitionne, je paie, j'embarque, point final. C'est plus clair comme ça ?

— Eh là, eh là, eh là !

— Les œufs, c'est combien ?

— Bah, c'est dans les cinq francs.

Cinq fois plus cher que d'ordinaire.

— D'accord, j'en prends une centaine.

Le paysan fit le compte. Bon Dieu, cinq cents francs venaient de passer à sa portée.

— J'en ai vingt ou trente, guère plus...

Son regret était d'une bouleversante sincérité.

— Je les prends. Des poules, combien ?

Malgré sa tristesse de ne pas disposer des quantités demandées, le paysan passa le plus magnifique moment de sa carrière. Il vendit les volailles huit fois plus cher qu'au marché, les salades dix fois, les tomates vingt fois, les patates trente fois. Pour chaque produit, il avait un argument pour justifier le prix, la rareté, la pluie, le soleil, mais cet adjudant était le genre d'andouille qu'on ne trouve qu'une fois sur son chemin, un vrai crétin qui gobait tout sans discuter.

Un doute surgit alors dans son esprit :

– Dites-moi, ça va être payé comment cette affaire ? C'est que je ne fais pas crédit, moi !

Fernand, qui regardait le chargement des denrées sur le camion, ne tourna même pas la tête.

– Comptant. En espèces.

Le paysan se fit la remarque : elle est belle l'armée française, je ne lui confierais pas mon portefeuille.

– Venez par ici…

Ils s'éloignèrent, disparurent au coin de l'étable, Fernand sortit de son sac une liasse de billets de cent francs épaisse comme une cuisse de chapon qui sidéra le paysan.

– Voilà.

Fernand repartit. Mais il se retourna à l'instant où son interlocuteur enfournait son argent dans les poches de son pantalon.

– Ah oui, je voulais vous dire, les Boches sont à trente kilomètres d'ici. Si vous restez là, vous allez passer un sale moment !

Le paysan blêmit. Trente kilomètres… Était-ce possible ? La veille encore ils n'étaient pas même arrivés à Paris ! On l'avait dit au poste !

– Et vous, là, l'infanterie ou je ne sais quoi, vous êtes où ?

– Nous, on vient d'arriver au camp des Gravières pour défendre les villages. Et les fermes.

– Ah bon, fit le paysan, rassuré.

– Mais pas vous. Vous, vous allez devoir vous défendre tout seul.

– Bah, pourquoi vous nous défendez pas, nous aussi ?

– Vous nous vendez des denrées, alors maintenant, pour nous, vous n'êtes plus une ferme, vous êtes un fournisseur, ça n'a rien à voir. Et attention, hein, les Boches, eux, ne réquisitionnent pas. Ils occupent, ils se servent, et en partant ils brûlent tout. Des barbares, vous verrez... Allez, bon courage.

Fernand aurait dû avoir honte de ces mensonges, mais la perspective que ce paysan attende dans l'angoisse un ennemi qui de toute manière finirait par arriver le consola.

On passa dans deux coopératives, trois boulangeries et quatre fermes, où l'on rafla encore des patates, des choux, des navets, des pommes, des poires, quelques jambons, des fromages. Partout Fernand hurlait «Réquisition!» à l'intention de ses troupes, puis attirait le propriétaire à part, ouvrait son sac marin et sortait des billets de cent francs.

Il profita du moment où son unité était occupée au chargement pour acheter de quoi distribuer une prime à ses propres hommes, des petites choses qu'il dissimulerait aux yeux des autres.

Cette guerre apparut comme une rare aubaine à la paysannerie de la région qui vendit ses denrées cher, parfois très cher, voire scandaleusement cher. Fernand ne comptait pas, il prenait tout ce qui pouvait se manger sans trop de préparation.

Lorsqu'ils passèrent dans Messicourt, il hurla «Stop», le chargement glissa sur le plateau du camion, les soldats se heurtèrent, Fernand était déjà descendu, attendez-moi là, il était entré dans le bureau de poste qui, miraculeusement, était ouvert.

Un second miracle se produisit, il y avait une postière.

– Le téléphone marche?

– Ça dépend des moments. Je n'ai pas eu d'opératrice depuis deux jours...

C'était une femme maigre au physique de gouvernante revêche.

– On va essayer quand même, dit Fernand en donnant le numéro de sa sœur à Villeneuve-sur-Loire.

Il vit par la fenêtre ses hommes qui fumaient en regardant, incrédules, les trottoirs vides et les rues désertées et semblaient épatés qu'il soit si facile pour un simple adjudant-chef des gardes mobiles de réquisitionner autant de denrées alimentaires, alors que la région militaire n'arrivait pas à livrer plus d'un camembert pour trente personnes.

– Le central ne répond pas.

– Vous pouvez insister ?

Pendant que la postière renouvelait sa tentative, Fernand s'approcha du comptoir.

– Vous n'êtes pas partie ?

– Bah, qui tiendrait la poste ?

Fernand sourit, la postière soudain baissa la tête.

– Ginette ? C'est Monique ! T'es donc revenue ?

La Ginette en question partit dans une longue explication, que la postière de Messicourt ponctua de petits bruits de gorge, à la fin de quoi on appela Villeneuve. D'un index tendu, elle désigna la cabine à Fernand.

– Ah bah, c'est toi mon poussin !

Ce n'est pas tant qu'il soit pressé ni qu'il n'ait pensé à demander à sa sœur de ses nouvelles, mais ce fut plus fort que lui :

– Alice, dis-moi, comment va-t-elle ?

– Je ne sais pas comment te dire ça...

Fernand ressentit un froid soudain, comme s'il s'était d'un coup vidé de son sang.

– Elle passe tout son temps à la chapelle Bérault...

357

La voix de sa sœur était grave, catastrophée presque. Fernand ne voyait pas ce qu'il y avait là de... Mais il ne tarda pas à comprendre. Il la connaissait, cette chapelle Bérault, perdue dans la campagne, un petit bâtiment très ancien, désaffecté, enfoui sous le lierre, ceint d'un cimetière aux tombes écroulées. Il se demandait même si une partie du toit ne s'était pas effondrée.

– D'abord, mon poussin, c'est très loin !

Cette notion était relative, sa sœur n'avait jamais été plus loin que Montargis. De mémoire, Fernand se rappelait que cette chapelle se trouvait à quelques kilomètres de Villeneuve.

– C'est pour ça qu'elle y dort !

C'était assez difficile à comprendre. Qu'Alice, en cette période, intensifie ses dévotions n'avait rien de surprenant, elle était convaincue qu'elle devait d'être encore en vie à l'ardeur de sa piété. Mais au point de dormir dans une chapelle isolée à plusieurs kilomètres de l'épicerie ? Fernand comprit bien vite que l'ancienne chapelle était utilisée comme centre d'hébergement de réfugiés.

– Elle dit, comme ça, qu'ils sont des centaines et qu'on ne peut pas les abandonner, moi je veux bien, mais si elle y laisse sa santé...

– Tu lui as dit que ce n'était pas raisonnable ?

– Elle ne veut rien entendre ! Et de toute façon, elle n'est pas repassée à Villeneuve depuis qu'elle est là-bas, alors, pour lui parler...

Imaginer qu'avec un cœur comme le sien, prêt à dévisser au premier effort, Alice passait ses jours et ses nuits en tant que bénévole dans un centre d'hébergement improvisé dans une chapelle désaffectée, c'était alarmant. Où dormait-elle ?

La chargeait-on de tâches fatigantes ? Fernand était certain qu'Alice n'avait rien dit à personne de son état de santé...

En écoutant sa sœur, il regarda par la fenêtre. Prendre le camion, foncer vers cette putain de chapelle, c'était à quelques heures de route, retrouver Alice, la mettre à l'abri... C'était ça ou nourrir des prisonniers. Un instant, il se sentit dans la peau de Bornier à détester ces détenus. C'est peut-être cette ressemblance avec le caporal-chef, hautement vexante, qui le contraignit à une forme de sagesse.

– Je vais être là très bientôt...

Sa sœur, impuissante à veiller sur Alice, s'était mise à pleurer, allez reprendre votre travail dans ces conditions...

En sortant de la poste, ce qu'il vit d'abord, c'est le regard de ses soldats, les yeux écarquillés dont il suivit la trajectoire, une jeune femme, jolie, aux yeux bleus, aux traits fatigués, se plantait devant lui.

– Monsieur l'adjudant-chef ?

Louise ne savait pas comment il fallait s'adresser aux gradés dans l'armée, elle ne se souvenait pas de la manière dont cette femme ou cette fille de prisonnier l'avait appelé lorsqu'il était apparu au bout de la rue, avec son sac marin, marchant vers la prison du Cherche-Midi.

Fernand resta figé devant elle. Il était ébranlé par cette brève conversation avec sa sœur, affolé par ce qu'il venait d'apprendre d'Alice, écartelé entre son devoir de garde mobile et son désir de la rejoindre. L'apparition de cette jeune femme qui lui tendait une lettre lui brisa le cœur.

– C'est pour un prisonnier qui s'appelle Raoul Landrade...

Elle avait la voix éraillée des femmes épuisées.

Landrade, Landrade, cherchait-il...

La main de la jeune femme tremblait. Juste à côté, il y

avait une vieille Peugeot en fin de vie avec, au volant, le gros visage d'un homme portant béret, ce devait être son père.

Landrade. Le nom remonta à son esprit.

— Raoul ?

Le visage de Louise s'éclaira, sa jolie bouche esquissa un sourire, le même que celui d'Alice, ce sourire pour lequel Fernand s'était damné et se damnerait encore.

— Oui, Raoul Landrade. Si vous pouviez…, dit Louise.

Fernand tendit la main, prit l'enveloppe. Ce n'était pas régulier, bien sûr, mais l'époque poussait à la transgression. Son périple dans les fermes et les coopératives, les mensonges qu'il avait faits et ceux auxquels il se préparait étaient-ils « réguliers » ?

— De quoi est-il accusé ? demanda Louise.

Non, se dit Fernand, il ne pouvait pas aller jusque-là, divulguer un chef d'accusation militaire, non.

Sauf qu'à cet instant, sortant de la poste, avec les nouvelles alarmantes d'Alice en tête, c'est lui-même qu'il voyait dans le visage anxieux de cette jeune femme. Tous deux étaient des amoureux perdus, habités par un besoin irréfragable d'être rassurés.

— Pillage…

Il s'en voulut aussitôt, Louise le comprit, elle baissa les yeux comme s'il n'avait pas répondu.

Il enfouit la lettre dans sa poche et pour le principe articula :

— Je ne vous promets rien…

Mais c'était une promesse.

Le capitaine Howsler s'affola aussitôt :

– S'il n'y a de la nourriture que pour votre groupe, on va avoir neuf cent cinquante émeutiers sur le dos, c'est impossible !

– Il y aura quelque chose pour tout le monde, mon capitaine. Pas grand-chose, mais on devrait tenir le coup un jour ou deux. De quoi calmer les esprits. Après…

Ce qui aurait dû être une bonne nouvelle pour le capitaine était d'abord un mystère.

– Comment avez-vous obtenu tout ça ?

– Réquisitionné, mon capitaine.

C'était donc si simple que cela ?

– L'armée a ouvert un compte chez les paysans. Si nous gagnons la guerre…

– Vous vous foutez de ma gueule ?

– Alors ce sont les Allemands qui hériteront de la dette.

Howsler ne put s'empêcher de sourire.

On fit cuire des pommes de terre dans des bassines, on coupa des petits morceaux de jambon, on lança la cuisson de soupes grasses avec les poules, il y avait presque un fruit par personne, les autres auraient du fromage. On avait réquisitionné des détenus pour cuisiner, le tout sous la surveillance de soldats qui avaient aussi faim qu'eux.

Fernand prit à part les hommes de son unité et leur distribua ce qu'il appela « une prime », un petit quelque chose qui échapperait au partage.

Les uns reçurent des saucissons, d'autres une conserve de viande froide, Bornier une bouteille d'eau-de-vie. En la saisissant, sa lippe trembla, ses yeux s'embuèrent. Fernand se demanda combien de temps cette prime calmerait ses ardeurs agressives, sur cette question il n'était pas très optimiste.

Moralement, l'arrivée d'un ravitaillement aurait pu faire un peu de bien, mais l'élan fut interrompu par une alerte.

Tout le monde s'allongea. Les avions allemands cette fois ne volaient pas haut dans le ciel, mais à moyenne hauteur. Mission de reconnaissance. Il fut clair pour tout le monde qu'elle annonçait une attaque, un bombardement.

Deux escadrilles se succédèrent et passèrent dans un sens puis dans l'autre, de plus en plus bas. De là-haut, les centaines d'hommes couchés au sol devaient donner l'impression d'un peuple à l'agonie qu'il ne restait qu'à cueillir ou à mitrailler.

Si les Allemands étaient bien renseignés (et on savait qu'ils l'étaient), on les voyait mal bombarder précisément cet endroit connu pour être rempli de partisans acquis à leur cause. Plus personne n'y comprenait rien.

Dès le début de l'alerte, Raoul profita de l'occasion pour chiper trois pommes et, suivi par Gabriel qui courut penché vers le sol, il se précipita pour aller se coucher à un endroit d'où ils voyaient l'ancienne intendance.

– Excellent…

Raoul était content, son intuition ne l'avait pas trompé. Un obstacle avait sauté mais il en restait un autre. En supposant qu'ils parviennent jusqu'à ce bâtiment désaffecté, la question restait de franchir la ligne de barbelés.

– L'échelle…

Cette fois, c'était Gabriel.

Profitant que les avions allemands passaient une nouvelle fois au-dessus du camp, que tous les hommes enfouissaient le visage dans le creux de leurs bras, les deux hommes rampèrent quelques mètres.

Raoul saisit brutalement le poignet de Gabriel pour le féliciter. Bon Dieu, quelle idée lumineuse ! Côte à côte sur le sol que faisaient trembler les appareils allemands, les deux hommes se regardèrent. Sur la gauche du bâtiment gisait au sol une échelle de bois, du genre qu'utilisent les peintres en bâtiment, les couvreurs peut-être. L'idée sautait aux yeux. On coucherait un pan de l'échelle sur les barbelés et on ramperait dessus, puis on allongerait le suivant... Jusqu'à la fin de la clôture.

Lorsque les avions allemands eurent achevé leur périple au-dessus des Gravières, tout le monde se releva, ébranlé par la menace, mais la soupe était prête. Et il y avait du pain.

On procéda à l'appel. Il y en avait quatre par jour, sans compter les appels inopinés auxquels on procédait baraquement par baraquement. Avec les bombardements allemands, l'évasion était l'autre grande obsession de l'encadrement. Le repas put enfin avoir lieu.

Pour éviter les bagarres, on fit des tours de cantine, ceux qui passèrent les derniers râlèrent, ils avaient peur qu'il ne reste rien. Bornier, qui ne désarmait jamais, se précipita sur eux.

— Tu attends ou tu préfères manger de la baïonnette tout de suite ?

Son histoire de baïonnette était très répétitive, on sentait l'obsessionnel qui n'y regarderait pas à deux fois. Deux collègues fatigués de tout le prirent par l'épaule. Ce geste fataliste renforça l'inquiétude de Fernand. Si cette période s'éternisait, tout le monde serait trop fatigué, aucun homme n'irait plus calmer le caporal-chef Bornier.

Fernand proposa à ses collègues responsables des autres baraquements d'accorder une demi-heure de promenade aux détenus avant de les faire rentrer dans les dortoirs. Les hommes avaient mangé, l'alerte était passée, on les laissa marcher dans la cour.

– Détenu Landrade !

Raoul se figea. Avaient-ils manqué de prudence ? Leur projet d'évasion avait-il transpiré ? Il se retourna lentement. C'était l'adjudant-chef qui venait vers lui à grandes enjambées.

– Fouille au corps, annonça-t-il.

Les pommes. Trois pommes volées.

– Restez là-bas, vous autres, hurla l'adjudant-chef à trois de ses hommes qui approchaient déjà pour lui prêter main-forte.

Raoul, docile et inquiet, écarta les jambes, les mains sur la nuque, sentit l'officier passer à tous les endroits que le règlement et la pratique désignaient comme susceptibles d'abriter une arme. Il trembla en sentant les mains de l'officier s'arrêter sur une pomme, puis sur une deuxième... Il ferma les yeux, prêt à se faire rouer de coups. À quelques mètres de lui, Gabriel, figé, regardait la scène... mais rien ne vint, les mains de l'adjudant-chef poursuivirent leur lent et systématique périple, puis :

– C'est bon. Circulez !

Raoul, étonné et inquiet, rejoignit Gabriel à l'angle du bâtiment, qui l'interrogea silencieusement. Raoul allait répondre quand sa main rencontra dans sa poche arrière un papier qui ne s'y trouvait pas auparavant.

– Contrôle de routine, dit-il.

Mais l'attention de Gabriel venait d'être appelée ailleurs. Un détenu faisait passer l'information : « Paris est déclaré ville ouverte. »

La nouvelle se répandit comme une traînée de poudre. Profitant de l'agitation que cela créait, Raoul s'éloigna jusqu'à l'endroit gardé par deux soldats, où il était autorisé d'aller pisser en journée. Les soldats comme les autres commentaient la nouvelle et ne prêtèrent qu'une attention distraite à Raoul, qui saisit le papier. C'était une enveloppe, il en sortit une lettre qu'il lut rapidement, comme un assoiffé :

> *Monsieur et cher Raoul,*
> *Vous ne me connaissez pas, je m'appelle Louise Belmont. Comme je crains que vous jetiez cette lettre, je vous donne de suite des éléments qui vous prouveront, je l'espère, que je ne suis pas folle.*
> *Vous avez été abandonné le 8 juillet 1907 et confié à une famille d'accueil le 17 novembre de la même année. L'officier d'état civil vous a nommé Raoul Landrade en utilisant le nom des saints des 7 et 8 juillet. Vous avez été élevé au 67, boulevard Auberjon à Neuilly dans la famille du docteur Thirion.*
> *Je suis en fait votre demi-sœur. Nous avons la même mère.*
> *Et j'ai des informations très importantes à vous communiquer sur les conditions de votre naissance et de votre enfance.*
> *J'ai surmonté pas mal de difficultés pour vous trouver et les circonstances actuelles ne sont guère propices à des retrouvailles. Aussi, pour le cas où je ne parviendrais pas à vous rejoindre quelque part, sachez que j'habite impasse Pers dans le XVIIIe arrondissement. Si je n'y étais pas, vous pouvez vous renseigner auprès de M. Jules, le patron de La Petite Bohème qui se trouve à l'angle de la rue.*
> *Si vous m'y autorisez, je me permets de signer : affectueusement,*
>
> *Louise*

Pendant ce temps :

– « Ville ouverte », demandait le jeune communiste à Gabriel, qu'est-ce que ça veut dire ?

Il n'avait pas quitté sa capote depuis son arrivée, ses spasmes ne s'étaient calmés qu'un moment après le ravitaillement, mais son visage blême, ses cernes, tout cela n'augurait rien de bon.

– Les Allemands arrivent à Paris, expliqua Gabriel. On peut défendre la ville, mais dans ce cas-là, ils vont la bombarder, la pilonner, en faire un tas de ruines en quelques jours. En la déclarant « ville ouverte », le gouvernement leur dit qu'il n'est pas nécessaire de la détruire. Il la leur offre sur un plateau.

Les conséquences étaient terribles. Le gouvernement qui faisait don de sa capitale à l'ennemi allait devoir s'enfuir pour ne pas être fait prisonnier. Et le sort des quelque mille prisonniers du camp des Gravières qu'on ne parvenait pas même à nourrir était suspendu à la décision de l'état-major introuvable d'un État en perdition.

– Alors, on va se faire cueillir ici par les Frisés ? demanda Bornier.

Fernand, lui non plus, ne savait quoi répondre.

L'épuisement lui vint par les reins, il se sentait oppressé comme s'il avait porté une carapace de scarabée.

Il alla s'asseoir sur une pierre. En se pliant, sa poche bâilla, montrant la tranche de son livre qu'il sortit. Sur la couverture des *Mille et Une Nuits*, une Shéhérazade lascive et charmeuse, enveloppée dans un madras rouge qui ne masquait que ses seins et le bas de son ventre, avait, comme Alice, des cheveux noirs dessinant sur son front une sorte de cœur à l'envers.

Fernand en eut les larmes aux yeux.

Que fichait-elle, bon Dieu, dans cette chapelle Bérault ?

Il était perdu, cherchait à discerner un sens caché à la situation confuse dans laquelle il se débattait. Il se surprit à prier. En dehors des quelques messes qu'il avait volées à son couple, jamais il ne l'avait fait ainsi, seul. Il se reprit, regarda autour de lui, ça n'était pas le spectacle qu'un sous-officier devait offrir dans ces circonstances... Pour se donner une contenance, il referma le livre et regarda du côté du détenu qui s'était caché pour lire sa lettre.

Aussitôt il ressentit de la honte. Pourquoi s'était-il abaissé à une chose pareille ? Parce que le coup de téléphone à sa sœur avait eu sur lui un effet émollient ? Était-ce digne de son grade et de sa fonction ? Si un autre sous-officier s'était conduit comme lui, qu'en aurait-il pensé ? Il avait honte d'avoir transgressé le règlement.

La question lui vint alors : et si cette fille était une espionne ?

Et si ce message était un signal ? Y avait-il une relation entre la nouvelle de la prise prochaine de Paris et l'arrivée de ce message ?

Fernand, soudain convaincu de s'être fait berner par la jeune femme qui avait joué de son charme et profité de sa sensibilité à cet instant précis, décida d'aller réclamer des comptes à ce détenu.

Il se dirigea vers lui à grandes enjambées, animé par une colère que décuplait sa blessure d'amour-propre.

Le camp tout entier se tourna aussitôt de ce côté, regardant cet adjudant-chef massif, lourd, mais étonnamment véloce, foncer, la tête rentrée dans les épaules, vers ce détenu qui, lui, regardait les nuages en plissant les yeux comme s'il ne croyait pas à ce qu'il voyait.

Fernand n'acheva jamais sa course.

Il n'était pas à mi-chemin qu'un grondement sourd fit vibrer l'air au-dessus du camp, prenant du volume à une vitesse inquiétante, se démultipliant, tous les visages se dirigèrent vers le ciel.

Fernand en fut arrêté.

Arrivait en hurlant une formation de bombardiers allemands projetant sur le sol son ombre dense et mouvante. L'adjudant-chef oublia le motif de son déplacement parce que les avions lâchèrent une cargaison de bombes sur la gare située à moins de cinq cents mètres. La terre vibra à des kilomètres à la ronde, toute la population du camp fut saisie de stupéfaction, à quoi succéda un mouvement de panique. Tous les détenus plongèrent au sol en se protégeant la tête.

Raoul regarda Gabriel, c'était le moment qu'ils attendaient.

13 juin 1940

# 36

Contrairement au souvenir de Fernand, le toit de la chapelle Bérault n'était pas effondré, mais seulement percé ici et là. Se protéger de la pluie était un souci très secondaire par rapport aux lancinantes questions de la nourriture et de l'hygiène.

Alice avait compté cinquante-sept réfugiés, il en arrivait tous les jours. « Ne vous inquiétez pas, disait le prêtre, souriant comme toujours. S'ils viennent, c'est que Dieu leur montre le chemin. » Rien ne semblait pouvoir l'ébranler. Quand Alice était entrée la première fois dans la chapelle, il l'avait accueillie en riant :

– Bénévole ? Mais ça n'existe pas, ma fille, un bénévole. Dieu nous paie toujours quelque part !

C'était cela, son inaltérable bonne humeur, qui l'avait fait fondre. Ensuite sa volonté, son astuce, sa combativité... Il était partout et n'hésitait pas, comme il le disait lui-même, à « mettre les mains dans le cambouis ».

« Jésus ne regarde pas si les mains qui se tendent vers lui sont propres ou sales. »

Ce jeudi matin, il travaillait sur le bras du fleuve auquel la chapelle était comme adossée, pour pallier l'absence de commodités qui risquait de devenir un risque sanitaire.

Alice descendit le petit terrain en pente.

Il y avait là, autour de la soutane qui virevoltait à chacune de ses grandes enjambées, sept ou huit réfugiés au travail. Il ne demandait jamais rien à personne, les gens venaient à lui. À peine prenait-il un marteau ou une bêche que des hommes, des femmes le rejoignaient.

« On peut aider, mon père ?

– Ma foi… »

Cette exclamation le faisait toujours éclater de rire, mais tout le faisait s'esclaffer, c'est sans doute pour cela que les enfants l'adoraient, ils étaient tout le temps dans ses pieds, à tirer sur sa soutane, il organisait des parties de ballon, de cache-cache puis d'un coup disait : « C'est pas le tout, mes petits enfants, mais le bon Dieu ne va pas faire tout tout seul ! », et il repartait bricoler dans la chapelle, soigner les blessés et les malades, fabriquer des pains de savon avec de la graisse et de la cendre de bois ou éplucher des légumes pour la soupe.

Il commençait sa journée vers cinq heures du matin après les laudes et ne s'interrompait que pour sexte, vers midi, et vêpres, aux environs de dix-sept heures.

« Oui, je sais, disait-il, le compte n'y est pas, mais je suis certain que Dieu nous fait grâce de tierce et complies. »

En réalité, il consacrait à Dieu bien plus de temps que cela. Lorsque les nécessités du centre contraignaient Alice à venir lui parler dans l'absidiole où il s'était aménagé une cellule d'une sévérité claustrale, elle le surprenait toujours agenouillé sur son prie-Dieu, chapelet en main, en train de prier.

Entre ses trois courts offices de la journée, qu'il appelait ses « pauses-Jésus », on le voyait courir sans cesse d'un problème à l'autre, tantôt pour chercher du ravitaillement, des ustensiles, des outils, des matériaux, tantôt pour faire le siège de ce qui restait d'administration dans le département, toujours riant, comme si la vie était une vaste blague ourdie par un Dieu rigolard et protecteur.

Ce matin-là, son projet était la construction d'une cabine d'aisances alimentée par une pompe à main récupérée dans une ferme abandonnée. Elle ferait monter l'eau et, en repartant, viderait la cuvette et rendrait la cabine de nouveau utilisable.

Alice le trouva, soutane relevée, accroupi dans la boue, en train de rythmer les efforts de tous pour faire monter la canalisation jusqu'à la cabine d'aisances. À trois, tout le monde devait tirer dans un bel ensemble.

– Jésus, Marie, JOSEPH ! criait-il. Jésus, Marie, JOSEPH !

À chaque « Joseph », la canalisation gagnait un mètre.

Alice le vit de profil et, comme souvent, c'est le trou à la poitrine qui attira son attention. Tout le monde remarquait ce trou dans la soutane, net, rond, précis. Une balle. Au cours d'un bombardement, quelque part entre Paris et ici.

« Ma bible, expliquait-il à qui voulait l'entendre. Je la porte toujours à la place du cœur. »

Et il exhibait le livre à la couverture brûlée, proprement transpercé par une balle qui s'était arrêtée au milieu et qu'il portait maintenant en sautoir, elle tintinnabulait sur sa croix à chaque mouvement. « C'est comme une clarine, disait-il, je suis une brebis du Seigneur. » Il continuait de se servir de cette bible, il n'en voulait pas d'autre. Lire des pages dont un projectile avait dévoré la moitié du texte ne le gênait pas le moins du monde.

– Ah, sœur Alice ! cria-t-il au milieu de ses efforts.

Il l'appelait ainsi depuis le premier jour, elle en avait pris son parti.

Elle descendit jusqu'à lui, l'air préoccupé. La canalisation venait d'arriver à son but. Deux hommes entreprirent de la relier à la pompe à main.

– Allons-y, dit-il.

On entendit un grondement sourd et glougloutant, un des hommes activait la pompe à grands mouvements de bras. Le prêtre, dubitatif, fixait la canalisation, rien ne venait.

Il y eut un instant d'incertitude, pendant lequel il posa les mains en écuelle à l'extrémité du tuyau. Comme si Dieu n'attendait que ce geste pour le servir, le conduit régurgita une quantité impressionnante d'excréments.

– Ha, ha, ha ! hurla-t-il, au comble de la joie, tendant vers le ciel deux mains pleines de merde. Merci mon Dieu pour cette offrande, ha, ha, ha !

Il riait encore en allant se laver à la rivière et en remontant vers Alice qui tâchait de ne pas se laisser entamer par cette circonstance assez triviale.

Lorsqu'il parvint à sa hauteur :

– Il y a quatre nouveaux…, dit-elle en mettant dans sa voix toute la réprobation dont elle était capable.

– Eh bien alors, pourquoi faire cette tête ?

C'était un rituel entre eux. Alice disait qu'au rythme où arrivaient les réfugiés, dans quelques jours la chapelle serait pleine et que la question de la surpopulation deviendrait la préoccupation principale. À quoi il répondait qu'il n'était pas dans « l'esprit de la maison de Dieu » de refuser du monde.

Ils remontèrent la pente vers la chapelle. Sa soutane, relevée à deux mains, découvrait deux godillots boueux.

– Réjouissez-vous, ma sœur ! Si Dieu nous envoie de nouvelles âmes, c'est qu'Il a confiance en nous. Ne devrions-nous pas nous sentir comblés ?

Alice tenait une comptabilité plus matérialiste. On avait du mal à nourrir tout le monde et, même si la plupart des réfugiés, gagnés par l'enthousiasme ambiant, loin de se laisser aller au défaitisme, participaient activement à la quête de provisions dans toute la région, la chapelle avait ses limites. La nef et le transept étaient pleins à craquer, il faudrait faire dormir du monde dehors, on manquait de personnel, de médicaments, de langes, rien que le linge à sécher occupait une partie du vieux cimetière où dormaient trente générations de prieurs. Le prêtre avait transformé l'autre partie du cimetière en réfectoire, les pierres tombales, remises d'aplomb, étaient utilisées comme tables.

« N'est-ce pas un peu…, avait risqué Alice.

– Un peu quoi ?

– Impie…?

– Impie ? Mais, Alice, ces bons moines, en abandonnant leur enveloppe charnelle dans ce lieu, ont nourri la terre de leurs corps, pourquoi voudriez-vous qu'ils refusent une table à ceux qui ont faim ? N'est-il pas dit : "De ton regard, tu feras la lumière, de ton cœur, tu feras l'espérance, et de ton corps, tu feras le jardin du Seigneur !" »

Alice ne se souvenait pas clairement de ce verset.

« C'est dans… ?

– Le livre d'Ézéchiel. »

Pour le cimetière elle avait cédé, mais cette fois, Alice était bien décidée à lui faire entendre raison. En l'absence d'infirmière, elle avait pris en charge les soins médicaux et sanitaires. Il n'y avait pas, heureusement, de bébés en grande difficulté ou de vieillards à l'agonie, mais personne ici n'était en bonne santé, la fatigue avait mordu les organismes, les carences nutritionnelles étaient nombreuses.

Elle s'apprêtait à revenir à la charge, mais dut s'arrêter net, son cœur battait à tout rompre, elle se sentit mal.

Près de s'effondrer, elle baissa la tête pour ne rien montrer, faisant mine d'être simplement essoufflée. Elle aurait eu honte de se plaindre. Devant des familles déracinées, face aux affres de la guerre, considérant l'immense travail de ce prêtre au service de tous, oui, elle aurait eu honte de se plaindre, de se déclarer malade, comme s'il était indécent d'attirer l'attention sur soi.

Dans ces instants de tressaillement, lorsqu'une nouvelle menace la faisait frémir, sa pensée allait à Fernand qui lui manquait affreusement, la hantise de mourir sans l'avoir revu la tuait à petit feu plus sûrement encore que ce cœur brinquebalant et chaotique.

Elle laissa passer quelques secondes, le malaise s'était à peine éloigné qu'elle s'avançait déjà vers le prêtre à pas lents.

– Mon père, ce n'est pas raisonnable ! Accueillir de nouveaux réfugiés, c'est mettre en péril l'existence même du centre d'accueil et…

– Bah, bah, bah ! D'abord il n'y a pas de réfugiés ici, il n'y a que des êtres en péril. Et cette chapelle n'est pas un « centre d'accueil », c'est « une maison de Dieu », c'est quand même très différent ! Ici, on ne choisit pas. Le tri, c'est le travail du Seigneur. Nous, on ouvre les bras.

– Père Désiré ! Vos « enfants de Dieu » sont pour la plupart malades, épuisés et carencés ! Ils n'ont pas vu un morceau de viande depuis des semaines ! Non seulement vous n'êtes pas certain de les sauver, mais en accueillant de nouveaux réfugiés, vous risquez la vie de ceux qui sont déjà ici ! C'est ça que veut le Seigneur ?

Le père Désiré s'arrêta, fixa ses chaussures, en proie à une intense réflexion. Il n'avait plus rien du jeune prêtre enthousiaste qu'elle connaissait et qu'elle aimait, c'était soudain un être au visage tendu, pâle, sur lequel elle lut du désarroi.

– Je sais, Alice. Vous avez raison...

Sa voix tremblait, Alice craignit qu'il se mette à pleurer, elle ne savait pas quoi faire.

– Je me suis beaucoup interrogé, reprit-il. Pourquoi Dieu a-t-Il jeté ainsi sur les routes des millions de personnes ? Quelle faute avons-nous commise pour mériter une telle épreuve ? Jamais les voies du Seigneur ne m'avaient semblé plus impénétrables... Et à force de prier, la lumière est venue. Regardez autour de vous, sœur Alice, que voyez-vous ? Chez beaucoup d'entre nous, cette débâcle a réveillé les instincts les plus bas, les égoïsmes les plus noirs, les intérêts les plus cupides. Mais chez d'autres, elle a réveillé le désir d'aider, d'aimer, elle a imposé le devoir de solidarité. Voilà ce que nous dit le Seigneur : choisissez votre camp. Serez-vous dans celui du repli sur soi, fermerez-vous votre porte et votre cœur à celui qui vient à vous, pauvre et démuni, ou serez-vous celui ou celle qui ouvre les bras non pas *malgré* la difficulté, mais *grâce* à la difficulté. Face à l'égoïsme, à la peur de manquer, au réflexe de ne penser qu'à soi, notre seule force, notre véritable dignité, c'est d'être ensemble, comprenez-vous ? Ensemble dans la maison de Dieu !

Chez Alice, l'émotion emportait souvent la conviction. Elle fit un signe de tête, je comprends.

– Et souvenez-vous : « Ne comptez ni les labeurs ni les peines, car la maison de Dieu est un asile où le cœur ne sait qu'offrir. »

Dans l'invention des versets, discipline qu'il adorait entre toutes, Désiré n'avait pas toujours la main heureuse, mais globalement, il n'était pas mécontent de sa petite scène. Chaque jour son personnage s'affinait, grandissait. Si la guerre durait, dans deux mois, il serait candidat à la canonisation.

Il saisit la main d'Alice et tous deux reprirent leur ascension, plus lentement. Alice aurait aimé trouver un mot, rien ne venait.

Ils s'arrêtèrent en découvrant la chapelle, le cimetière, le jardin, le pré attenant, le tout hérissé de toiles tendues sur des piquets, deux rôtissoires qui tournaient plus loin, le four en pierre construit par un ouvrier agricole qui avait des notions de maçonnerie et dont se servait un réfugié, un ancien boulanger bruxellois, pour faire des galettes de blé et toutes sortes de tourtes aux légumes. De là-bas, dans le coin de droite, débouchant d'une bâche qui servait au père Désiré de « bureau », partait un fil d'une quinzaine de mètres suspendu aux poteaux électriques : l'antenne du poste à galène que Désiré utilisait pour se tenir informé des dernières nouvelles de la guerre.

Le père Désiré a raison, se dit Alice. Quand elle voyait ce qu'avait pu faire, en une dizaine de jours, ce prêtre de vingt-cinq ans, mû par une foi irradiante à laquelle rien ni personne ne pouvait résister, elle était certaine qu'aucune adversité n'aurait raison de lui.

– Alors, dit le père Désiré qui avait retrouvé des couleurs et son sourire généreux, est-ce qu'on n'y arrive pas ?

Alice acquiesça. Avec lui, il était inutile d'argumenter, il finissait inévitablement par vous convaincre.

Ils traversèrent la cour et entrèrent dans la chapelle.

Pour pallier l'absence de literie, Désiré avait persuadé le directeur d'une usine de Lorris d'offrir des métrages de toile de jute qui avaient servi à fabriquer de très gros sacs qu'il avait fait bourrer de paille, obtenant des sortes de ballots qui prenaient en une nuit ou deux la forme de matelas tout à fait acceptables.

Dès qu'il apparaissait, tout le monde venait à lui, des mères voulaient lui attraper la main pour la baiser («Eh là, tout doux, s'exclamait-il en riant, gardez ça pour le pape!»), des hommes se signaient respectueusement. Pour tous ces réfugiés, attirés là par la rumeur selon laquelle il y avait «un saint à la chapelle Bérault», il était un sauveur. Tous le voyaient dans une sorte de gloire. «Ce n'est pas moi qui vous sauve, c'est le Seigneur! C'est à Lui qu'il faut rendre grâce!» La plupart étaient arrivés épuisés, angoissés, il avait nourri tout le monde, apaisé les anxiétés et redonné de l'espoir, tous maintenant croyaient au ciel.

Comme on voit, Désiré était vraiment à son affaire. Son inventivité était sans cesse mise au défi, son imagination donnait sa pleine mesure. Lui qui n'avait jamais cru en Dieu raffolait de ce rôle salvateur. Une période de paix eût fait de lui un gourou très convenable. Un temps de guerre lui avait offert une soutane dans laquelle il avait vu sinon un signe, du moins une invitation.

Elle avait appartenu à un prêtre fauché par une balle sur une petite route du côté d'Arneville.

En découvrant le corps du prêtre, Désiré avait été ému. La soutane noire lui avait rappelé la scène des corneilles, sur le trottoir du Continental. Sa fuite soudaine de Paris était-elle due au regret d'avoir participé aussi activement à cette vaste entreprise de mensonge et de désinformation ? Avait-il eu le sentiment que cette incarnation, pour la première fois de sa vie, n'avait pas été bénéfique à son entourage ? Sa générosité naturelle avait-elle été victime de sa passion pour l'usurpation ? Nous ne le saurons sans doute jamais. Sans hésiter, Désiré avait tiré le corps du prêtre dans le fossé pour échanger ses vêtements contre les siens, sa valise contre la sienne.

Il s'était mis à marcher sur la route. Chaque pas le faisait entrer dans son personnage et le pénétrait de cette nouvelle vocation. Il n'avait pas fait un kilomètre, il était prêtre.

Il était particulièrement fier de sa trouvaille concernant la bible. L'idée lui en était venue en discutant avec un soldat démoralisé qu'il avait trouvé assis sur une borne, l'air accablé, et à qui il avait, pour s'entraîner à son nouveau rôle, redonné un peu d'énergie. Il avait profité de cette proximité pour lui barboter son pistolet qui lui avait servi à parachever la légende de la bible traversée par une balle. Cette fiction, véritable défi aux lois de la physique, n'étonnait personne parce que tout le monde avait envie d'y croire.

Désiré était arrivé par hasard à la chapelle Bérault, il cherchait seulement à boire. Là se trouvaient deux familles de Luxembourgeois littéralement brisés par la marche depuis leur village d'où ils avaient fui l'avancée allemande, perdant sur la route le peu qu'ils avaient emporté, y compris leurs dernières illusions. Partout où ils s'étaient arrêtés, ils avaient été considérés comme des étrangers. Au fur et à mesure que les troupes allemandes avançaient, déchirant le pays, les solidarités entre Français avaient fondu, les relations s'étaient durcies, les intérêts particuliers s'étaient réveillés, plus vifs que jamais, l'égoïsme et le court terme avaient pris le dessus et personne n'était mieux placé que des étrangers pour en faire l'incessante et douloureuse expérience. « Va réclamer de la flotte à ton roi ! », avait-on entendu répliquer à un Belge qui demandait un verre d'eau.

À l'arrivée de Désiré, les deux familles s'étaient méprises, croyant que le prêtre qui arrivait régnait sur le lieu. Désiré, profitant du malentendu, avait largement souri.

« Soyez les bienvenus dans la maison de Dieu, avait-il dit en ouvrant les bras. Vous êtes ici chez vous. »

De prêtre, il venait de passer curé.

Heure après heure, jour après jour, de nouvelles familles étaient venues chercher refuge ici, étrangères pour la plupart, les familles françaises préférant éviter ce lieu qu'elles considéraient un peu comme un ghetto. Plus le groupe était nombreux, plus les besoins étaient vitaux, plus Désiré aimait son nouveau rôle. Pour un usurpateur, quel plus beau rôle que celui de curé ?

Il n'était à pied d'œuvre que depuis une petite semaine lorsque Alice était apparue à l'entrée de la chapelle, quasiment en larmes devant le miracle qui s'opérait ici et dont elle avait entendu parler dès son arrivée à Villeneuve.

Quand il s'était approché, elle n'avait pu résister, elle était tombée à genoux et avait baissé les yeux. Il avait posé sa main sur sa tête, une main légère, chaude, presque caressante.

« Merci ma fille d'être venue. »

Il lui avait tendu les bras qu'elle avait saisis pour se relever.

« Dieu a guidé vos pas vers nous parce que nous avions

besoin de votre présence, de votre affection et de votre ardeur. »

Ils allaient arriver à la hauteur des nouveaux arrivants, auxquels le père Désiré, déjà, souriait en signe de bienvenue. Mais il marqua une légère pause pour se pencher vers Alice et dire, très doucement :

– Ma fille, vous avez le cœur plein de l'amour de Jésus, c'est bien, mais ce cœur, faites attention tout de même à ne pas lui en demander trop...

# 37

Les bombes qui tombaient sur la gare faisaient trembler le sol du camp des Gravières.

Guettant le moment où tout le monde serait couché face vers le sol, Raoul et Gabriel s'apprêtaient à détaler en direction de l'ancienne intendance, lorsque l'adjudant-chef, planté au milieu de la cour, hurla :

– Aux baraques !

Le largage des bombes s'intensifiait sur toute la zone, soldats et gardes mobiles se regroupèrent, fusils tendus vers les prisonniers, et, marchant à grands pas vers les détenus, les repoussèrent vers les baraquements.

La perspective de voir les explosifs pulvériser le bâtiment qui s'effondrerait sur eux créa aussitôt la panique chez les prisonniers. Ils eurent l'impression qu'on les plongeait dans un trou dont ils ne sortiraient jamais vivants. Que ces dortoirs puants allaient devenir leur cercueil.

Tandis que les balles sifflantes traversaient le ciel juste au-dessus de leurs têtes et que les avions lâchaient des bombes de plus en plus près du camp, ils firent face aux soldats. Fernand comprit que la situation allait lui échapper, ce que Raoul analysa lui aussi parfaitement.

L'adjudant-chef avait-il pressenti que Landrade s'apprêtait à s'enfuir ?

Landrade vit-il dans le mouvement de panique qui saisit tout à la fois les gardiens et les détenus une ultime chance de mettre son projet à exécution ?

Les deux hommes se fixèrent un bref instant par-dessus la mêlée.

L'onde d'affolement remua les groupes.

Bornier sortit son pistolet et tira en l'air.

Les hurlements des avions saturaient l'atmosphère. Pourtant cette balle, bien qu'infiniment moins bruyante ou meurtrière que les bombes qui explosaient à quelques centaines de mètres, résonna avec une netteté surprenante parce qu'aux yeux des détenus elle leur était personnellement destinée. L'attaque allemande passa à l'arrière-plan. L'ennemi, c'étaient ces soldats qui voulaient leur mort. Ils se rassemblèrent et firent front. C'était la seconde fois que l'émeute grondait mais elle survenait quasiment sous les bombes ennemies. Le combat pour la vie allait s'engager, tous y étaient prêts. Saisissant que la frayeur collective était leur meilleure alliée dans leur projet d'évasion, Raoul et Gabriel se portèrent à l'avant.

Bornier pointa son pistolet vers le groupe qui s'avançait.

Fernand se précipita pour éviter le pire, mais c'était trop tard.

Bornier baissa son arme et tira deux fois, deux hommes s'effondrèrent.

Le premier était Auguste Dorgeville, le cagoulard.

Le second, c'était Gabriel.

La stupéfaction figea les prisonniers. Ce fut suffisant. En un instant, les soldats furent sur eux, canons pointés à bout touchant, tous reculèrent, une bombe explosa à la limite du camp, un réflexe de frayeur les fit se mettre à l'abri. À l'intérieur du bâtiment. C'était fini. Trois de ses compagnons traînèrent le journaliste par les pieds. De son côté, le saisissant sous les aisselles, Raoul tira le corps de Gabriel.

– Ça va aller, criait-il en guettant les baïonnettes des soldats français qui menaçaient.

Les portes furent cadenassées, les volets fermés.

Les détenus, furieux et affolés de s'être fait pousser dans la nasse, frappaient à coups de poing sur les fenêtres.

Gabriel dodelinait de la tête. Raoul déchira à la hâte le pantalon à l'endroit de la blessure d'où le sang coulait, dessinant une tache sombre qui s'agrandissait et s'infiltrait entre les rainures du parquet fait de planches mal jointées.

La balle avait traversé la cuisse, mais l'artère fémorale n'avait pas été touchée.

– Il faut lui faire un garrot, dit le jeune communiste, très ému.

– Eh ben, dit Raoul en fouillant à la hâte dans ses affaires, avec des toubibs comme toi, il ne va pas aller loin, le Soviet suprême…

Il tira une chemise qu'il roula en boule et l'appliqua fortement sur la plaie.

– Au lieu de dire des conneries, enchaîna-t-il, va plutôt lui chercher à boire.

Le jeune homme s'éloigna. Si maigre… À le voir marcher, on aurait dit qu'il dansait.

Gabriel reprit connaissance.

– Tu me fais mal…

– Il faut faire un point de contention, mon grand, faut arrêter l'hémorragie.

La tête de Gabriel retomba sur le sol, il était extrêmement pâle.

– Ça va, mon sergent-chef, tout va bien, t'en fais pas.

Comme pour signifier que l'histoire tournait la page sur cet épisode, l'attaque allemande s'acheva peu après le claquement des serrures et des verrous.

Il ne restait plus rien de la gare. On voyait, au-dessus des arbres, monter des feux bleus et orangés, un réservoir de carburant avait dû être atteint, une fumée âcre et noire montait dans le ciel.

À l'extérieur du bâtiment, Fernand contemplait, abasourdi, les dégâts incarnés par une tache de sang dans la poussière. Le tohu-bohu des prisonniers s'était arrêté. Eux aussi semblaient se réveiller d'un cauchemar s'achevant sur le départ soudain des avions allemands.

Le caporal-chef Bornier avait remis son pistolet dans son étui. Ses mains tremblaient. Il était incapable de dire s'il avait sauvé la situation ou si, au contraire, il en avait provoqué la dérive… Personne ne le savait.

L'esprit de Fernand, lui, n'était pas à la recherche des responsabilités. Effaré, il constatait qu'ils en étaient venus à tirer sur leurs prisonniers.

Derrière la porte du bâtiment, il y avait deux hommes blessés, peut-être grièvement, cette histoire pouvait tourner au massacre.

Les autres baraquements avaient été eux aussi fermés. Les gardiens, les gardes mobiles, les soldats, les Annamites, les tirailleurs marocains stationnaient ici et là, formant maintenant des petits groupes sonnés par ce qui venait d'arriver.

Le capitaine Howsler arpentait la cour, les mains dans le dos. Tout en lui suggérait la satisfaction, le camp n'avait pas été touché, ses unités avaient maîtrisé les réflexes de panique, tout allait pour le mieux. Mais n'importe quel observateur, en l'espèce Fernand qui venait à sa rencontre, aurait vu dans les rides de son front, dans la légère crispation de ses lèvres, une inquiétude sourde, la même que celle de tous les autres soldats.

Où était passée l'artillerie française ?

Où était passée l'aviation française ? Le ciel de France appartenait-il donc maintenant sans partage aux troupes ennemies ?

Allait-on vers une débâcle ?

Un simple coup d'œil sur les baraques cadenassées du camp désignait à ces soldats l'ampleur de la tâche qui les attendait et l'ambiguïté de leur mission.

Ils allaient sauter dans le vide, personne ne pouvait dire comment tout cela allait finir.

# 38

Louise n'était pas du tout certaine que l'adjudant-chef donnerait sa lettre à Raoul Landrade.

– Il n'a peut-être accepté que pour se débarrasser de moi...

– M'étonnerait, dit M. Jules. Il aurait refusé. Pour ce que j'ai vu du bonhomme, il me semble de taille à savoir dire non.

Maintenant que la lettre était partie, que le camion militaire s'était éloigné, que fallait-il faire ? L'armée allemande déferlait, revenir en arrière était la meilleure manière de se jeter dans la gueule du loup. Rester ici ? Autant attendre que le loup ouvre la gueule pour vous dévorer tout cru. Il n'y avait qu'une solution, celle à laquelle les centaines de milliers de réfugiés s'étaient déjà ralliés, descendre toujours plus loin vers le sud. Jusqu'où ? Personne ne le savait. On fuyait, voilà tout.

– On peut dîner ici, dit M. Jules, mais il ne faudrait pas rester dormir, c'est désert, c'est dangereux.

– Dîner..., répondit Louise, dubitative.

Ils n'avaient plus rien à manger. M. Jules se contenta de tendre le bras vers l'arrière de la voiture pour en exhumer un sac en papier d'où il tira quatre sandwichs. Et une bouteille de vin.

– Quitte à faire les bistrots pour trouver ton lascar, autant en profiter pour faire des provisions.

Comment M. Jules était-il parvenu à se procurer quatre sandwichs dans une période où acheter un verre d'eau commençait à relever de l'exploit, mystère. Louise se contenta de lui sauter au cou.

– Bon, ça va, ça va... D'autant que, tu vas voir...

Il désigna le sandwich ouvert. La tranche de jambon ressemblait à du papier bible. Il prit son tire-bouchon, ouvrit la bouteille, puis chacun se mit à mastiquer le pain déjà dur.

Louise sortit la correspondance de Jeanne.

M. Jules, le regard planté dans le pare-brise, ruminait et sifflait de grands verres de vin à une cadence inquiétante.

– J'en veux bien un peu, moi aussi, dit Louise.

M. Jules sortit de sa torpeur.

– Oh, pardon, ma belle, désolé...

Il la servit en tremblant, elle dut saisir elle-même le goulot de la bouteille pour qu'il cesse de verser à côté. Pour un patron de bistrot...

– Ça va, monsieur Jules ?

– Pourquoi, j'ai pas l'air ?

Ton agressif. Louise soupira, il était comme ça, bourru au-delà du raisonnable, rien à faire, ça n'était pas une guerre mondiale qui le ferait changer.

Elle préféra retourner à sa lecture.

La lettre datait de juin 1906, époque où Jeanne Belmont était employée comme domestique chez le docteur Thirion.

*Mon cher amour,*
*J'ai provoqué une situation dont je ne mesurais pas les*
*conséquences.*

Louise sentit que M. Jules s'était penché vers elle, qu'il lisait par-dessus son épaule.

Si elle avait voulu faire de cette lecture un acte purement privé, elle ne l'aurait pas entamée dans cette voiture en présence de M. Jules. Aussi fit-elle comme si elle ne s'en apercevait pas et poursuivit-elle sa lecture. C'était une longue lettre. Jeanne y exprimait sa mauvaise conscience de s'être fait embaucher chez le docteur, mais elle était très partagée parce qu'elle avait, écrivait-elle, *« le bonheur de vous sentir partout et tout le temps. Pour le moment, je jouis de cette usurpation parce que c'est tout ce qui fait ma vie ».*

Quand elle posa la lettre, elle vit que M. Jules avait les larmes aux yeux. C'étaient les grosses larmes d'un gros homme au cœur lourd.

Louise, décontenancée, se contenta de mettre sa main sur son bras, il ne se dégagea pas. Son nez coulait. Louise chercha son mouchoir et l'essuya comme on ferait avec un enfant.

— Allez, disait-elle, allez…

— C'est cette écriture, tu comprends ?

Louise ne comprenait pas, elle attendait, le mouchoir en main. M. Jules regardait devant lui.

— Bon, j'étais pas docteur, moi, c'est peut-être pour ça…

Dans la bouche de n'importe qui, cet aveu aurait été ridicule, mais venant de M. Jules, non. Louise comprit l'aveuglement qui avait été le sien, la cruauté de ce qu'elle avait imposé à cet homme.

– Je n'ai jamais aimé personne d'autre que ta mère, tu comprends ?

Voilà, c'était dit.

– Personne…

Il accepta le mouchoir de Louise.

La vanne était ouverte, le flot se déversa.

– Je l'ai vue partir dans cette histoire… Qu'est-ce que je pouvais faire, hein ? Elle n'écoutait personne.

Il fixait son verre vide et triturait le mouchoir. Tout à coup, comme sous l'effet d'une révélation, il se tourna vers Louise.

– J'étais un gros, tu comprends. C'est très spécial, les gros. On adore se confier à eux, mais c'est jamais d'eux qu'on tombe amoureux.

M. Jules dut sentir que le ridicule guettait, il se racla la gorge.

– Alors, je me suis marié avec… Bon Dieu, je ne me souviens même pas de son prénom. Germaine ! C'est ça, Germaine… Elle est partie avec un voisin et elle a eu rudement raison. Avec moi, elle aurait été malheureuse parce que, dans ma vie, il n'y a jamais eu d'autre femme que ta mère.

Le crépuscule, qui en fait souvent trop, donnait à cet instant une gravité poignante.

– Je n'ai jamais aimé qu'elle…, répétait-il.

Ce constat, qu'il avait pourtant dû faire mille fois pour lui-même, le submergea. Les larmes revinrent, que Louise essuya une à une, se faisant l'étrange réflexion qu'elle était, somme toute, dans la même position que M. Jules. Tous deux avaient espéré être aimés par une femme que sa passion portait ailleurs. Ce constat la saisit à la gorge. Dans cette Peugeot, se serrer l'un contre l'autre relevait du défi, ils y parvinrent avec naturel.

– Je vais vous lire la suite, vous voulez ?
– Si tu veux…
– C'est de 1906.
– Ah… Jeanne est enceinte, c'est ça…?
– Je crois…
Les premiers mots furent les plus coûteux, « Mon cher amour ». C'était douloureux, simple et nécessaire.

> Mon cher amour,
> Vous n'allez pas m'abandonner, n'est-ce pas ? Je vous ai donné ma vie tout entière, vous ne pouvez pas me quitter dans l'état où je suis.
> J'attends votre réponse, je ne vis plus que de vous, que vais-je devenir si vous venez à me manquer ?
> Répondez-moi vite.
>
> Jeanne

– Il a répondu quoi ? demanda M. Jules
– Je n'ai pas ses lettres, seulement celles de maman.
À quand remontait la dernière fois où elle avait pensé à sa mère en disant « maman » ?
– Oh, finalement, on s'en fout… Qu'est-ce qu'elle dit après ?

> 4 décembre 1906

> Mon cher amour,
> Je pars tout à l'heure. Je me suis rendue à vos raisons. Je me suis rangée à votre promesse.
> Je ne peux vous le dire que maintenant parce qu'on ne peut plus rien changer. J'ai très peur. Savoir que c'est un

392

*bébé de vous que je porte et que je vais l'abandonner me brise le cœur.*

*Ne m'abandonnez plus jamais, je vous en supplie.*

*Jeanne*

M. Jules ne dit rien. Il serrait dans ses mains le mouchoir humide, fronçait les sourcils. Sa tête se balançait sur ses épaules comme sous l'effet du vent.

Louise reprit :

*10 juillet 1907*

*Mon cher amour,*
*Ma lettre sera courte, je pleure tellement que je ne peux rien faire d'autre.*

*Jamais je n'aurais imaginé que ce moment viendrait : je ne veux plus vous voir. Non que je ne vous aime plus, ce serait impossible. Mais quelque chose en moi s'est brisé. Je ne suis plus moi-même. Plus tard peut-être, si je reste encore quelque chose pour vous. Oh, si vous aviez vu son petit visage… Je l'ai aperçu un très court instant. On faisait tout autour de moi pour que je ne le voie pas, c'était très cruel, alors je me suis levée malgré les douleurs et j'ai traversé la chambre si vite que personne n'a pu m'arrêter, j'ai couru jusqu'à l'infirmière qui le tenait dans ses bras et j'ai arraché le drap qui le recouvrait.*

*Oh, le petit visage de ce bébé !*

*Il restera dans mon esprit toute ma vie.*

*Je me suis évanouie. Lorsque je me suis réveillée, c'était trop tard, c'est ce qu'on m'a dit, c'est trop tard, vous n'y pouvez plus rien.*

*Je passe mes journées à sangloter.*

*Malgré le mal que tout cela me fait, je continue de vous aimer, mais vous voir, maintenant, serait au-dessus de mes forces.*

*Je vous aime et je vous quitte.*

*Jeanne*

M. Jules s'était ressaisi.

– Elle m'a dit qu'il était mort-né, tu comprends ça, toi ? Pourquoi elle ne m'a pas dit la vérité ? Si ça n'est pas à moi, à qui elle pouvait le dire, hein ? À qui ?

Jeanne avait accouché, et vu son bébé à l'instant où on le lui arrachait. Cette image, à elle seule, justifiait toute l'énergie que Louise mettait à retrouver Raoul.

Maintenant, ce n'était plus pour lui qu'elle agissait, mais pour Jeanne, cette mère qui avait dû tant souffrir.

«8 septembre 1912», lut Louise.

M. Jules et elle marquèrent le coup. Cette histoire d'amour qui se racontait sous leurs yeux en quelques lettres prenait un autre cours.

Jeanne s'était mariée avec Adrien Belmont en 1908.

Louise était née l'année suivante.

Cinq ans après l'avoir quitté, Jeanne avait renoué avec le docteur, en marge de son mariage.

Qui avait pris l'initiative de ces retrouvailles ? C'était Jeanne : «*Quel bonheur déjà que vous ne m'ayez pas oubliée, que vous acceptiez de me revoir...*»

Elle le revendiquait simplement : «*Je n'y tenais plus. Je m'étais éloignée de vous, mais vous étiez toujours en moi, alors je me suis décidée. Quitte à me damner, autant que ce soit dans vos bras...*»

Louise fut parcourue d'un frisson.

– Tu n'as pas froid, au moins ? demanda M. Jules.

Louise ne répondit pas et resta un long moment à regarder par la fenêtre la lumière de cette fin de journée, presque dorée, qui semblait tomber des arbres.

– Pardon ? Non, pas froid...

Si Louise avait mieux connu son père, cette partie de la correspondance de Jeanne l'aurait fait souffrir, mais il n'avait existé que sous la forme d'une photographie, d'ailleurs assez médiocre, c'était bien maigre pour provoquer de la douleur.

– Vous voulez entendre la suite ?

– Si ça ne t'ennuie pas...

*Novembre 1914*

*Mon cher amour,*

*Pourquoi avoir fait une chose pareille ? Cette guerre a-t-elle donc tant besoin d'un mort de plus que vous choisissiez d'y partir quand rien ne vous y obligeait ?*

*Vouliez-vous à ce point me quitter ?*

*Je prie tous les jours pour que ma petite Louise garde son papa. Faut-il en plus que je pleure toutes les nuits pour que cette guerre me conserve mon seul amour ?*

*Vous m'assurez de votre amour, mais qu'est-ce que c'est que cet amour auquel vous préférez la guerre ?*

*Revenez, n'est-ce pas ?*

*Revenez me chercher. Et gardez-moi.*

*Votre Jeanne*

L'engagement du docteur Thirion était surprenant. À la cinquantaine passée (on ne refusait personne dans cette guerre, surtout pas un médecin, il y avait du travail pour tout le monde), il avait fait le choix d'aller risquer sa vie sur le front.

La question que Jeanne lui posait était aussi sur les lèvres de Louise : pourquoi ? Par conviction ? C'était possible.

Tout à coup, dans l'esprit de Louise, surgit le souvenir de ces deux anciens combattants que sa mère avait hébergés à la fin de la guerre. Jamais, avant eux, Jeanne n'avait accepté de louer ce petit appentis. Avait-elle vu en eux quelque chose des deux hommes qu'elle avait aimés et qui s'y étaient engagés ?

– Je ne l'imaginais pas faire la guerre, ce gars-là, lâcha M. Jules.

Louise trouvait elle aussi à ce patriotisme quelque chose de biaisé. Jamais plus qu'à cet instant elle ne regretta d'être privée des lettres du docteur. Comprendre cette histoire d'amour n'était pas bien facile, mais n'en découvrir que la moitié… Le certain, c'est que le docteur s'était sacrifié. Il s'était engagé pour défendre son pays. Ou pour se défendre de son amour.

*9 août 1916*

*Mon mari a été tué le 11 juillet.*

*J.*

C'était écrit sur la page déchirée d'un cahier d'écolier.

Cette fois, la mort de son père serra le cœur de Louise.

Quel gâchis avait été ce mariage. Elle-même, enfant, n'avait servi à rien. Elle se moucha.

– Allez, allez, disait M. Jules en la prenant contre lui.

Il ne restait qu'une seule lettre.

C'est M. Jules qui s'y colla. Il avait une voix tremblotante et grave, on aurait dit à chaque mot qu'il s'apprêtait à tousser.

*Octobre 1919*

*Mon cher amour,*

*Vous écrire ma dernière lettre m'émeut comme le souvenir de notre première rencontre. Ce sont les mêmes battements de cœur.*

*La seule différence, c'est l'espoir puisque vous m'en privez. Puisque vous refusez de me rejoindre, de vivre avec moi, maintenant que la chose est possible.*

*Vous savez que vous me tuez, et vous le faites quand même.*

*Je me console en vivant dans l'amour que je vous ai porté. Je me dois à ma petite Louise que je ne veux pas abandonner comme vous faites avec moi. Sans elle, je mourrais dans l'instant. Sans regret.*

*Je n'ai jamais aimé que vous.*

*Jeanne*

C'étaient les mêmes mots que ceux de M. Jules une heure plus tôt. Partout l'amour se ressemble.

Ainsi, maintenant que, veuve, elle pouvait refaire sa vie avec lui, c'est le docteur qui s'y refusait.

– Quel salaud, dit M. Jules.

Louise fit non de la tête.

– Il avait accepté d'élever Raoul, l'enfant de Jeanne. Sans jamais le lui dire. C'était trop tard maintenant. Il était prisonnier de ce secret. S'il partait avec Jeanne, Mme Thirion serait allée tout lui raconter… Dans tous les cas, c'était la fin de leur histoire. Le docteur était pieds et poings liés, il ne pouvait plus rien faire.

Ils restèrent là un instant à considérer le désastre de cette histoire.

M. Jules avait sifflé la bouteille de vin à lui seul. Elle avait encore son verre à demi plein. Par un accord tacite, tous deux s'ébrouèrent enfin. Louise jeta le contenu de son verre par la portière. M. Jules descendit pour donner un coup de manivelle et faire démarrer la voiture.

Ils quittèrent les bois sans se parler.

Après quoi, fini la lumière dorée de fin de journée, retour sur la grande route qui sortait d'Orléans, pleine de charrettes chargées de meubles passant le long de champs où des chevaux assoiffés sautaient les barrières. L'exode des riches était terminé depuis plusieurs jours, maintenant c'étaient les autres qui peinaient à marcher dans une cohue d'uniformes mélangés aux paysans, aux civils, aux invalides, tout un peuple sur la route, les pensionnaires d'un bordel dans une voiture municipale, un berger avec trois moutons.

La voiture cahotait lentement dans le flot des fuyards qui était à l'image de ce pays déchiré, abandonné. C'était partout des visages et des visages. Un immense cortège funèbre, pensa Louise, devenu l'accablant miroir de nos peines et de nos défaites.

Après avoir parcouru une vingtaine de kilomètres au pas, la Peugeot resta figée dans un grand encombrement sur la route de Saint-Rémy-sur-Loire.

À côté, une femme s'arrêta elle aussi de pousser sa charrette pleine de ballots de linge.

– Il vous reste de l'eau ?

M. Jules répondit qu'il y en avait une bouteille, quelque part au fond du coffre. Il le dit du bout des lèvres, on sentait que c'était à contrecœur. Louise alla la chercher, la donna à cette femme.

– C'est pas de refus...

Ce n'étaient pas des ballots de linge dans sa charrette, mais des enfants. Ils dormaient tous les trois.

– Les grands ont dix-huit mois, dit la femme, la petite n'en a pas neuf...

Elle était jardinière d'enfants dans une ville dont Louise ne comprit pas le nom. Le maire avait ordonné l'évacuation immédiate. Les parents étaient venus en hâte chercher leurs enfants.

– Sauf trois, je ne sais pas pourquoi...

Elle devait le ruminer depuis le départ, ce pourquoi.

– Les parents des deux grands, ce sont des gens bien, ils ont dû être empêchés... La petite, elle, on ne connaissait pas la mère, elle venait juste d'arriver, comprenez-vous ?

Elle tremblait de peur, d'épuisement.

– Elle souffre, cette enfant, elle n'est pas sevrée... Qu'est-ce que vous voulez faire, elle ne sait pas manger, seulement boire...

La femme rendit la bouteille d'eau.

– Gardez-la, dit Louise.

M. Jules donna un coup de klaxon. Quand la file redémarrait, on ne savait jamais si elle allait avancer d'un mètre ou de mille, c'est comme ça qu'on se perdait dans cet enfer. Louise attrapa la correspondance de Jeanne, non qu'elle eût envie de la relire, mais par un de ces gestes machinaux qui trahissent une inquiétude.

À peine l'avait-elle saisie que, sans prévenir, comme toujours, le malheur vint s'abattre. Sous la forme, à quelques dizaines de mètres au-dessus d'eux, d'un ptéranodon aux ailes largement déployées, poussant un hurlement surpuissant, volant si bas qu'on aurait juré qu'il allait emporter entre ses serres bitume, arbres, voitures et fuyards, au lieu de quoi il mitrailla la route sur une centaine de mètres avant de reprendre de l'altitude en rugissant. Couchés au sol, tous les réfugiés furent écrasés, pétrifiés, anéantis par la violence de cette apparition, tous auraient voulu s'enfoncer sous la terre.

M. Jules s'était allongé précipitamment près de sa portière ouverte. Louise était restée dans la voiture, tétanisée, pas le temps de sortir. Un choc sur l'avant la fit sursauter, elle se cogna à la vitre, le hurlement surpuissant des sirènes la traversait de part en part, l'impact des balles au bruit sec, plat, répétitif, la transperçait, personne ne pouvait savoir s'il était blessé, parce que plus rien ne fonctionnait dans les cerveaux.

Après quoi les congénères du ptéranodon, impatients de prendre leur part du festin, se succédèrent, deux, trois, quatre, pour semer l'épouvante, chacun animé de la même fureur précise, systématique et meurtrière, faisant hurler ses trompettes de Jéricho, ruinant les volontés, vrillant les corps entiers jusque dans leur moelle, perçant les tympans, fouillant les poitrines, remplissant les ventres, submergeant les cerveaux. Les balles des mitrailleuses, déchaînées, déchiquetaient tout sur leur passage. Dans sa stupeur, tétanisée, les mains sur les oreilles, Louise ne savait plus si elle était encore vivante ou non. Couchée sur la banquette de la voiture saisie de soubresauts, terrifiée par le staccato des bombes et des rafales, elle ne ressentait plus rien. Son esprit comme son corps étaient liquéfiés.

Et tout à coup, ils partirent, laissant place à un silence poignant.

Louise décolle ses mains de sa tête.

Où est M. Jules ?

Elle pousse la portière de l'épaule, l'avant de la voiture est écrasé et fumant, Louise tremble sur ses jambes en faisant le tour du véhicule, voit M. Jules allongé sur la route, sur le ventre, son gros derrière prend toute la place. Elle se penche pour lui toucher l'épaule, il tourne lentement la tête vers elle.

– Ça va, Louise ? demande-t-il de sa voix caverneuse.

Il se relève lentement, tapote ses genoux, regarde la voiture, c'est la fin du voyage, il n'y a plus de voiture. Il n'y a plus rien d'ailleurs. Aussi loin qu'on peut voir, les véhicules sont éventrés, les corps allongés, partout des gémissements et personne pour aider.

Louise s'avance, effondrée.

À quelques mètres, elle reconnaît la robe bleue de la jardinière d'enfants, la femme est couchée au sol, les yeux ouverts, une balle lui a traversé la gorge.

Dans la charrette, les trois petits hurlent.

– Je vais rester là, dit M. Jules, qui vient de la rejoindre.

Elle le regarde, ne comprend pas. Il baisse les yeux, montre ses charentaises.

– À pied, je ne vais pas aller bien loin…

Il désigne les trois enfants terrorisés.

– Faut que tu les emmènes, Louise, qu'ils ne restent pas là.

M. Jules, le premier, perçoit les grondements dans le ciel. Il lève la tête.

– Ils reviennent, Louise, faut partir !

Il la pousse, soulève les bras de la charrette, les lui tend, allez, sauve-toi...

– Mais vous...

M. Jules n'a pas le temps de répondre.

Un premier chasseur, là-bas, mitraille la route. Louise empoigne la charrette, la pousse, elle est étonnamment lourde, il faut donner toute sa force, elle s'arrache enfin, avance d'un pas.

– Allez ! crie M. Jules. Allez ! Sauve-toi !

Louise se retourne.

La dernière vision qu'elle a de lui, c'est celle d'un gros homme debout dans ses charentaises à côté de l'épave de sa Peugeot et qui, au mépris des avions qui foncent vers lui à grande vitesse en mitraillant la route, lui fait signe de s'éloigner, de partir, de partir.

Louise, électrisée par la peur, enjambe le corps de la femme à la robe bleue dont la gorge déverse un flot de sang, traverse le bas-côté.

Les enfants hurlent, les avions approchent.

Déjà, Louise court dans le champ en poussant la charrette...

# 39

– *Credo um disea pater desirum, pater factorum, terra sine-nare coelis et terrae dominum batesteri peccatum morto ventua maria et filii...*

Ah, ce qu'il aimait ça !

Désiré s'était lancé sans disposer du plus petit rudiment de latin. Et comme il était rarement allé à l'église, il n'avait pas beaucoup d'idées non plus sur ce qu'il fallait y faire. Aussi improvisa-t-il des messes à sa façon, prononcées dans un langage qui avait une apparence de latin (quoique d'assez loin), scandées par la seule phrase qu'il maîtrisait : *In nomine patri et filii et spiritus sancti*, à quoi les fidèles, heureux de trouver enfin un repère, répondaient unanimement « Amen ! ».

Alice avait été la première à s'interroger :

« Cette messe, mon père, était très... déroutante. »

Le père Désiré avait retiré délicatement la chasuble trouvée dans la valise du prêtre qui avait dû, depuis, être enterré dans les vêtements de Désiré Migault avant de répondre :

« Oui, la liturgie ignatienne... »

Alice reconnut humblement qu'elle lui était étrangère.

« Même ce latin... », risqua-t-elle.

Le père Désiré lui offrit son bon sourire et expliqua qu'il

relevait de l'ordre de saint Ignatius, qui pratiquait une forme de service religieux « antérieure au deuxième concile de Constantinople ».

« Notre latin est, pourrait-on dire, l'originel. Plus près de la source, plus près de Dieu ! »

Et, comme Alice lui faisait part de son désarroi (« On ne sait comment faire, mon père, s'asseoir, se lever, s'agenouiller, répondre, chanter... »), il s'était montré rassurant :

« C'est une liturgie simple et dépouillée, ma fille. Lorsque je mets les mains comme ceci, les fidèles se lèvent. Et comme cela, ils s'assoient. Dans le rituel ignatien, les fidèles ne chantent pas, c'est le prêtre qui le fait pour eux. »

Alice avait fait passer le mot, plus personne ne s'étonnait de rien.

– *... Quid separam homines decidum salute medicare sacrum foram sanctus et proper nostram salutem virgine...*

Beaucoup de réfugiés étaient arrivés en l'espace de quelques jours. En conséquence, le chœur lui-même avait été envahi, il avait fallu dire les messes dans l'abside et la chapelle axiale, c'était bourré à craquer à chaque service, Désiré avait un succès fou, tout le monde ne pouvait pas entrer. Dans le cimetière, des croyants écoutaient la messe à travers les ouvertures laissées par les vitraux crevés.

Dans la journée, dès que le temps le permettait, Désiré officiait en plein air. Les mômes se battaient pour servir parce que, dans les interstices de la messe, il se tournait vers eux et leur faisait un clin d'œil appuyé, comme s'il était l'un des leurs et qu'il avait seulement joué à dire la messe comme un curé.

– *Confiteor baptismum in prosopatis vitam seculi nostrum et remissionem peccare in expecto silentium. Amen.*

– Amen !

La grande frustration de Désiré tenait à ce que, absorbé par les mille tâches consistant à faire survivre ses ouailles, il ne pouvait consacrer autant de temps qu'il le souhaitait à son exercice préféré entre tous, la confession. Il était fasciné de constater de combien de péchés pouvaient se charger ces êtres qui, tous, n'étaient que des victimes. Désiré avait l'absolution facile et généreuse, tout le monde voulait aller à confesse avec lui.

– Mon père...

C'était Philippe, un Belge large comme une barrique avec une voix de fille, on le soupçonnait d'être bigame parce qu'il voyageait avec deux sœurs jumelles indémêlables. C'était grâce à lui, électricien avant guerre, que le poste à galène du curé s'était hautement perfectionné et permettait à la chapelle d'être aussi bien informée que l'état-major.

– Il est passé sept heures...

Le père Désiré releva la tête de son ouvrage de couture (il cousait des sacs de couchage pour de nouveaux venus en écoutant un speaker qui confirmait la prise par les forces allemandes de Châlons-sur-Marne et de Saint-Valery-en-Caux).

– Allons-y !

Deux à trois fois par semaine, il se rendait à la sous-préfecture de Montargis dans un camion militaire qu'on avait trouvé abandonné à quelques kilomètres de là, en panne d'essence. Le père Désiré avait trouvé du carburant, rapatrié le camion, fait retirer la bâche et hisser sur le plateau, contre la cabine, la grande croix de Jésus qu'un orage avait jadis arrachée d'un mur de la chapelle. C'était une croix de près de deux mètres tournée vers l'avant de la route.

« Ainsi Jésus ouvre le chemin », avait dit Désiré.

Comme ce « véhicule de Dieu » dégageait en permanence un large panache de fumée blanche, Jésus crucifié s'avançait vers vous suivi des volutes d'un nuage nacré, on aurait dit des anges. Lorsqu'il entrait dans Montargis, les passants se signaient.

Au bruit, le sous-préfet Loiseau savait qu'il recevait la visite du père Désiré qui, en effet, ne tardait pas à entrer dans son bureau sans se faire annoncer, vu qu'il n'y avait plus grand monde d'opérationnel dans cette administration, hormis ce Georges Loiseau, un homme calme et déterminé qui avait décidé de rester à son poste jusqu'à ce que l'envahisseur l'en déloge.

– Je sais, mon père, je sais !

– Eh bien, mon fils, puisque vous savez, que faites-vous ?

Le père Désiré réclamait un fonctionnaire à cor et à cri, c'était une denrée rare en cette période. Il voulait que l'on recense les réfugiés de la chapelle Bérault pour que des droits leur soient ouverts, il voulait que l'administration lui octroie des subsides, qu'elle dégage des moyens concrets pour coucher, nourrir, soigner tout ce petit monde, il voulait un médecin ou une infirmière.

– Mon père, il n'y a plus personne...

– Il y a vous ! Venez en personne, Jésus vous en sera reconnaissant.

– Parce que Jésus lui-même est sur place ?

Oui, le sous-préfet plaisantait volontiers avec le père Désiré, c'était sa manière à lui de s'abstraire un instant d'une tâche éreintante, il passait son temps à donner des ordres à ce qui restait de ses services, à chercher de quoi assister la cohorte de réfugiés qui arrivaient dans le département, à mobiliser la gendarmerie, les services sociaux, les hôpitaux, c'était épuisant.

Désiré sourit.

– J'ai une idée.

– Ciel !

– À qui le dites-vous !

– J'écoute.

– Puisque vous ne vous préoccupez que des cas désespérés et ne venez jamais chez nous parce que nous parvenons à peu près à nous en sortir, que diriez-vous si je laissais, disons, une douzaine de réfugiés mourir de faim ?

– Douze, c'est peu...

– Combien vous faut-il de morts pour intervenir, monsieur le sous-préfet ?

– Franchement, mon père, en dessous de vingt, je me déplace difficilement.

– Je choisis les femmes et les enfants de préférence ?

– Ce serait délicat de votre part.

Les deux hommes se sourirent. Ils faisaient le même métier. Tous deux passaient leur temps à colmater les brèches ouvertes par la guerre. Ce type d'échange était rituel, après quoi on passait aux choses sérieuses. Désiré n'était jamais ressorti de ce bureau les mains vides. Il avait obtenu une fois des jerricans d'essence grâce à quoi il faisait rouler « le camion de Dieu » (et venait casser les pieds du sous-préfet), une autre fois l'autorisation de rapatrier le matériel d'une cantine scolaire.

– Ce qui me manque, c'est une présence, voyez-vous ? Un personnel de santé.

Loiseau avait toujours caché au prêtre qu'il disposait encore d'une poignée d'infirmières, mais la situation de la chapelle Bérault le préoccupait chaque jour un peu plus. Il n'avait pas encore pu se rendre sur place et la manière alarmante dont ce centre d'accueil improvisé grossissait l'incitait à y regarder de plus près.

– Je vous envoie une infirmière.

– Non.

– Comment ça, non ?

– Vous ne me l'envoyez pas, je l'emmène de suite.

– Parfait. Mais comme vous ne me la rendrez jamais, je viendrai moi-même la rechercher. Disons mardi. Dix heures.

– Vous recenserez ?

– Nous verrons…

– Vous recenserez ?

Le sous-préfet était fatigué. Il céda.

– Oui.

– Alléluia ! Pour cette belle action, vous méritez une messe, monsieur Loiseau. Que diriez-vous d'une messe ?

– Allons-y pour une messe…

Il était vraiment fatigué.


C'était une religieuse de la Compagnie des Filles de la Charité. Jeune. Avec un visage pâle aux traits fermes.

Elle tendit à Philippe une main blanche et longue.

– Sœur Cécile.

Le Belge, un instant désarçonné, la salua respectueusement, puis acheva de hisser sur le plateau les cartons et la valise que la jeune infirmière emportait avec elle.

En revenant de Montargis, le camion suivait une ligne

sinueuse et complexe permettant au père Désiré de ratisser dans les fermes avoisinantes tout ce qu'il pouvait pour nourrir les occupants de la chapelle. Il visitait les jardins potagers (« Ce ne sont pas des tomates que je vois là-bas ? »), explorait les caves (« Vous avez assez de pommes de terre pour tenir un siège, vous allez bien en céder la moitié pour le service de Dieu, non ? »).

« C'est de l'extorsion ! avait dit Alice en participant à la tournée la première fois.

– Pas du tout. Voyez comme ils sont heureux de donner ! »

Lorsqu'ils passèrent par Val-les-Loges, le père Désiré salua de la main Cyprien Poiré, qui travaillait dans un champ dans lequel, un peu plus loin, un veau était à l'attache.

– Prenez à droite ! cria le père Désiré.

Philippe le Belge stoppa, non pour donner satisfaction au père Désiré, mais parce que la route était coupée par un interminable défilé de véhicules militaires.

– Si c'est l'armée française, hasarda le père Désiré, je me demande si elle se dirige dans la bonne direction… Les Allemands, c'est par là, non ? ajouta-t-il en désignant le chemin opposé.

La jeune religieuse sourit. Au cabinet du sous-préfet Loiseau, on n'avait parlé que de cela pendant toute une matinée : la 7e armée se repliait sur la Loire et les véhicules que l'on voyait étaient sans doute les premiers à être passés…

– Mais où vont-ils ? demanda Désiré.

– Je me suis laissé dire qu'ils se rendaient à Montcienne, répondit la sœur, je n'en suis pas bien certaine…

La colonne passée, le camion de Dieu parvint enfin à s'engager dans un long chemin de terre qui conduisait à la ferme Poiré, un lieu-dit qui n'abritait que deux maisons. Là vivaient Cyprien, un agriculteur farouche, et sa mère, Léontine, avec qui il était fâché. Une guerre immémoriale opposait la mère et le fils qui ne se parlaient plus et occupaient chacun l'une des deux maisons qui se faisaient face. Ils pouvaient ainsi se regarder par la fenêtre et se maudire mutuellement sans avoir à se déplacer.

Le camion de Dieu se gara dans la cour, le père Désiré en descendit en contemplant les bâtiments d'un air satisfait. La religieuse qui l'accompagnait arriva à sa hauteur en même temps que la mère Poiré.

– Bonjour, ma fille, dit le prêtre.

Léontine hocha la tête. La présence du curé en soutane noire flanqué de cette religieuse tout en blanc l'impressionnait, comme si le Seigneur lui envoyait une délégation.

– Je suis venu prendre la planche de la remorque, vous pouvez me dire où elle se trouve ?

– La planche de la remorque... Pour quoi faire, mon père ?

– Pour charger le veau sur le camion.

Le visage de Léontine devint blanc. Désiré expliqua alors que Cyprien venait de faire don de ce veau à la chapelle Bérault.

– Ce veau est à moi, protesta Léontine.

– Cyprien dit qu'il est à lui...

– Peut-être qu'il le dit, mais ce veau est à moi !

– Bien, fit le père Désiré, accommodant. Cyprien l'offre à Dieu, vous le Lui reprenez... C'est à vous de voir.

Il tourna les talons et repartit vers le camion.

– Attendez, mon père !

Léontine tendit le bras et désigna un enclos de grillage.

– S'il vous donne le veau, alors, moi je vous donne le poulailler.

Au retour, lorsque Cyprien vit le camion chargé de ses volailles, son sang ne fit qu'un tour, il offrit le veau qui appartenait à sa mère. Il n'eut pas besoin de la planche pour le faire monter lui-même sur le plateau.

# 40

Ils étaient cinq ou six prisonniers autour de Gabriel à observer, par l'interstice d'une fenêtre, ce qui se passait dans la cour. La plupart d'entre eux étaient épuisés par une nuit sans sommeil. Dorgeville, le cagoulard, avait gémi sans discontinuer ; la douleur le faisait hurler au moment où on se rendormait tout juste, c'était pénible. « Crève, charogne ! » criaient les anarchistes, relayés parfois par des communistes.

Il n'était pas six heures du matin, mais, pour ce qu'on pouvait apercevoir dehors, les soldats et les gardes mobiles étaient déjà en ordre de marche. Sanglés dans leurs uniformes, se passant des cigarettes allumées, piétinant dans la poussière, ils observaient leurs officiers qui, le visage tendu, faisaient cercle autour du grand capitaine.

– Qu'est-ce qui se passe ? demanda le jeune communiste qui s'était levé, chancelant.

– Le bombardement d'hier leur a fait peur, répondit un détenu, l'œil rivé à la fente. On prend des décisions... Et ça n'a pas l'air de se passer tout seul.

Comme à chaque moment où le groupe se sentait menacé, la nouvelle fit le tour du baraquement en un éclair, une quinzaine de détenus se précipitèrent vers la fenêtre, qu'est-ce qu'il se passe, laisse-moi voir.

– Je ne sais pas ce qu'ils manigancent, mais... L'adjudant-chef n'a pas l'air d'accord avec le capitaine...

Gabriel mit sa main sur l'épaule du jeune homme qui ne parvenait pas à retrouver des forces, il était souvent saisi de tremblements.

– Tu devrais aller te reposer...

Puis il revint observer la scène. Maintenant, c'était l'adjudant-chef qui s'exprimait. La posture martiale et guindée du capitaine confirmait qu'il y avait du désaccord dans l'air...

Le portrait que Gabriel se faisait de cet adjudant-chef ne cessait de changer. Autant le caporal-chef Bornier, sans doute excité par le manque d'alcool, par tempérament aussi, et par haine des prisonniers, avait laissé la veille parler sa vraie nature, autant lui était resté lucide. Il semblait refuser de se laisser engloutir, sans un geste, dans le naufrage collectif dont tous, détenus comme gardiens, promettaient d'être les victimes. Gabriel avait compris que c'était à son action qu'on devait d'avoir un peu mangé la veille au soir. Personne ne s'était demandé comment il était parvenu à ravitailler, même faiblement, un camp de près de mille bonshommes affamés... Les hommes avaient trop faim pour se poser des questions.

Lorsque, tard dans la soirée, l'adjudant-chef était passé voir les blessés, Raoul avait réclamé de l'eau et des linges propres. Il était revenu lui-même partager le peu qu'il avait trouvé entre Gabriel, qui souffrait de sa cuisse perforée, il aurait fallu des analgésiques, et Dorgeville, dont le pied avait doublé de volume, la balle y était restée fichée, il aurait fallu un chirurgien, l'adjudant-chef en était préoccupé.

La plaie de Gabriel était, en fait, moins compliquée qu'on ne l'avait craint. La balle avait traversé la cuisse en biais, les dégâts étaient spectaculaires et douloureux, mais pas trop inquiétants. Raoul l'avait rassuré :

« C'est juste le muscle, mon sergent-chef, rien d'autre ! Dans deux jours, tu cours comme un lapin. »

Puis la nuit était venue, rendue éprouvante par les gémissements de Dorgeville.

Raoul, soucieux comme il ne l'avait jamais été, allongé sur le dos, tint longtemps entre ses mains la lettre de Louise, dont plusieurs lignes s'étaient gravées dans son esprit. Le nom de Belmant ou Belmont ne lui disait rien, mais cette femme était bien renseignée. Sa date de naissance était exacte, comme l'adresse de Neuilly… Le souvenir de ce boulevard Auberjon lui faisait mal comme une blessure. Il n'avait jamais été aussi malheureux que dans cette maison immense, lorsqu'il était la proie de cette folle de Germaine Thirion, l'hypocrisie incarnée…

« Je suis votre demi-sœur, était-il écrit. Nous avons la même mère. » Quel âge pouvait-elle avoir ? Était-elle plus jeune ou plus âgée que lui, tout était possible, on voit des femmes accoucher d'enfants à vingt ans de distance. Mais la phrase qui lui revenait à l'esprit avec le plus d'insistance était : « J'ai des informations très importantes sur votre naissance et votre enfance. »

Elle en savait plus que lui. Lui ignorait la date à laquelle il avait été confié à la famille Thirion.

– Tu ne dors pas ? avait demandé Gabriel.

– Si, un peu… Et toi, tu as mal, mon sergent-chef ?

– Ça lance, j'ai peur que ça s'infecte…

– T'inquiète pas, la plaie est propre, ça va se remettre tout seul, ça va te faire mal encore un moment, mais c'est tout.

Ils chuchotaient, la tête à quelques centimètres l'un de l'autre.

– Je peux te demander ?

– Quoi ?

– Cette lettre... Elle est arrivée comment ?

La pente de la confidence n'était pas naturelle à Raoul et évoquer ce courrier, c'était parler de son contenu. Il n'aimait pas cela. Il y a des enfants que les coups, les sévices, les malheurs rendent peureux puis lâches. Ils avaient, à l'inverse, renforcé le caractère de Raoul, faisant de lui un être résistant jusqu'à la provocation et barricadé contre les atermoiements et les épanchements. Mais cette lettre, comme tombée du ciel, avait créé en lui une sorte de précipité chimique qui le remuait jusqu'à l'âme, l'effet de ce mystère l'agitait, des révélations l'attendaient quelque part sur sa mère, sa véritable mère, et c'était quelque chose à quoi il n'était pas préparé. N'avoir pas de mère, on s'y fait, surtout quand on en a une de substitution que l'on peut haïr. Mais il s'était toujours défendu de penser à l'autre, la vraie, celle qui l'avait... selon les périodes, selon les âges, il disait « abandonné » ou « perdu » ou « protégé » ou « vendu », les versions étaient nombreuses.

– Tu n'es pas obligé d'en parler...

– C'est l'adjudant-chef, lâcha Raoul. Il l'a glissée dans ma poche pendant la fouille.

Pour Gabriel, c'était très énigmatique. Raoul connaissait-il l'adjudant auparavant ? Pourquoi l'officier aurait-il ainsi joué au facteur pour un détenu dont il avait la garde ?

– C'est une lettre de ma sœur... Enfin, pas vraiment...

La situation était confuse. Il avait toujours vu Henriette comme une sœur, tout en sachant pertinemment qu'il n'en était rien. Devait-il maintenant considérer comme sa véritable sœur une femme qu'il n'avait jamais vue ? et que peut-être il ne verrait jamais ? Il avait échoué à s'évader de ce camp et, maintenant que Gabriel était blessé, une nouvelle tentative était impossible. S'évader, avoir une chance de retrouver cette femme étaient peu probables.

Bien des choses le tracassaient. Comme cette date du 17 novembre 1907 à laquelle il avait été recueilli par la famille Thirion.

– C'est sevré à quel âge, un bébé ? demanda-t-il.

La question était si surprenante que Gabriel craignit de l'avoir mal comprise.

– Je ne sais pas, je suis fils unique, répondit-il, je n'ai pas eu de nourrisson autour de moi... Mais je dirais entre neuf et douze mois, quelque chose comme ça.

Raoul en avait quatre lorsqu'il avait été recueilli par la famille Thirion.

Les interrogations se pressaient, il eut besoin d'air, il s'assit.

– Ça ne va pas ? demanda Gabriel.

– Si, si, mentit Raoul, qui écartait son col pour respirer.

C'était un homme très changeant. C'est peu dire qu'il s'était montré à l'égard de Gabriel agressif, violent, truqueur, et même méchant. Sa nouvelle attitude, Gabriel la datait de cette aventure du pont de la Tréguière. Un fait de guerre qui ne marquerait pas l'histoire militaire, mais qu'ils avaient accompli ensemble. Gabriel n'aimait pas cette idée d'une « camaraderie de guerre », on la trouvait dans tous les romans, c'était un poncif dont il n'avait pas envie d'être la victime. Il devait néanmoins constater qu'un lien entre eux s'était créé.

Soudain, alors qu'il observait Raoul en train d'élargir son col, tendant le cou pour chercher de l'air, peut-être parce qu'il avait parlé de bébé, que cela renvoyait à l'enfance, deux images lui vinrent à l'esprit. La première était sa découverte de Raoul Landrade pissant sur le lit de la chambre parentale dans la grande maison bourgeoise qu'ils avaient pillée. La seconde, un fait qu'il avait gardé en mémoire sans y prendre garde : à la prison du Cherche-Midi, Raoul avait négocié avec un gardien qu'il poste pour lui une lettre à destination de sa sœur.

– Comment elle s'appelle, ta sœur ?

Raoul ne bougea pas. Que devait-il dire ? Henriette ? Louise ? Répondre « je ne sais pas » était idiot, même si c'était la meilleure réponse. Il se contenta de tendre la lettre à Gabriel.

Il faisait trop sombre pour la lire. Il y avait un rai de lumière là-bas, sous la porte de la chambre des officiers. Gabriel claudiqua silencieusement jusque-là, s'allongea au sol et, tendant la lettre sous le mince filet qui passait, il déchiffra plus qu'il ne lut la lettre de Louise Belmont.


– Ils vont se foutre sur la gueule ? demanda soudain un détenu, l'œil toujours rivé à la fenêtre.

Là-bas, au beau milieu de la cour, l'adjudant-chef répondait fermement à son capitaine. Symptôme de la période, la supériorité du grade n'assurait plus l'autorité sur les subordonnés.

– Nous avons l'ordre d'avancer jusqu'à Saint-Rémy-sur-Loire.

Le capitaine montrait une carte, personne ne savait comment il se l'était procurée.

– À Saint-Rémy, un ravitaillement est prévu. Des vivres devraient être sur place dans la soirée.

L'information ne provoqua pas l'enthousiasme qu'il avait escompté. Un ravitaillement avait été annoncé l'avant-veille, qui n'était jamais arrivé, et sans le miracle d'un adjudant-chef plus débrouillard que les autres, on aurait crevé de faim, on avait donc tendance à se méfier des bonnes nouvelles et des promesses de la hiérarchie militaire.

– De Saint-Rémy, poursuivit le capitaine, les prisonniers seront acheminés par camion jusqu'au camp de Bonnerin, dans le Cher.

Il avait regardé Fernand et complété :

– Les gardes mobiles, eux, seront relevés à Saint-Rémy. Leur mission sera achevée. Les autres unités poursuivront jusqu'à l'arrivée à Bonnerin, où elles seront relevées à leur tour.

Fernand avait poussé un soupir de soulagement. Pour lui la nouvelle ne pouvait être meilleure. Saint-Rémy était à une trentaine de kilomètres d'ici. En camion, ils y seraient en moins de deux heures. Il serait alors officiellement relevé de sa mission. Il y avait peut-être dix kilomètres à faire ensuite pour gagner Villeneuve-sur-Loire, et même moins puisque la chapelle Bérault était à mi-chemin. À midi, il pouvait être là-bas, où il retrouverait Alice. Après, séjour chez sa sœur, retour à Paris, on verrait ce que dicteraient les événements.

– Voilà pour la théorie, conclut le capitaine.

Tous s'étaient figés.

– Dans la pratique, nous n'avons pas de véhicules pour nous rendre à Saint-Rémy, nous devrons marcher.

La nouvelle mit un certain temps à faire son chemin dans les esprits. Près de mille prisonniers sur la route qu'il faudrait garder, surveiller, encadrer, mais aussi soigner puisqu'il y avait des blessés... C'était tout simplement une folie.

Au silence du capitaine, il était clair que d'autres mauvaises nouvelles attendaient leur tour.

– Par ailleurs, certaines unités ont été réaffectées à la défense du pays. Aussi nos effectifs seront-ils légèrement réduits.

Tous s'étaient tournés vers les effectifs restants, Annamites et tirailleurs marocains pour l'essentiel, pas mal de soldats étaient partis à la première heure du jour.

– Nous avons trente-quatre kilomètres à parcourir. Nous partirons à huit heures. Nous serons ainsi à Saint-Rémy pour dix-huit heures, ce qui est absolument parfait.

Avec la naïveté des hommes sûrs d'eux, il était émerveillé par ce hasard qui, selon ses calculs, plaçait Saint-Rémy à une journée de marche très exactement du camp des Gravières.

– J'ai décidé de composer huit groupes de cent vingt prisonniers, chacun confié à un sous-officier de garde mobile qui aura quinze hommes sous ses ordres.

Quinze hommes pour en garder plus de cent... Fernand cherchait ses mots.

– C'est impossible.

C'était venu comme un cri. Le capitaine se tourna vers lui.

– Pardon ?

Les autres sous-officiers regardaient Fernand, soulagés qu'un autre se lance dans le commentaire sur une situation qui dépassait l'entendement.

– Nous ne pourrons jamais garder mille prisonniers en marche sur la route...

– C'est pourtant la mission que nous confie l'état-major.

– Il n'y a pas de camions, pas de trains ?

Le capitaine ne répondit pas, il roulait sa carte soigneusement.

– Exécution !

– Attendez, mon capitaine... J'ai deux blessés, l'un pourra difficilement marcher, le second pas du tout. Et...

– Moi aussi, j'ai des invalides, murmura quelqu'un, mais d'une voix si discrète qu'on ne sut jamais qui s'était exprimé.

– C'est bien dommage pour eux.

Le capitaine fit silence et déclara en articulant chaque syllabe :

– Nous avons l'ordre de ne laisser personne derrière nous.

La menace ne pouvait être plus claire.

– Ce qui veut dire... ? risqua pourtant Fernand, qui ne parvenait pas à y croire.

Le capitaine Howsler n'avait pas prévu de s'expliquer sur ce point à cet instant précis, mais, contraint par les circonstances, il annonça d'une voix ferme :

– Le 16 mai dernier, le général Héring, gouverneur militaire de Paris, a sollicité du plus haut niveau de l'État l'autorisation de tirer sur les fuyards éventuels et cette autorisation lui a été accordée. J'estime qu'elle vaut pour nous. Les fuyards et les traînards, c'est tout un.

Le silence qui suivit fut peuplé des images que chacun se faisait d'une telle situation.

– Il y a le code, dit alors Fernand.

Il avait la voix ferme, ne tremblait pas, le capitaine Howsler en fut brièvement impressionné.

– Quoi, le code ?

– L'article 251 stipule qu'«aucun condamné ne doit être mis en route sans avoir été visité et reconnu en état de supporter les fatigues du voyage».

– Vous avez trouvé ça où, vous ?

– Dans le code de la gendarmerie.

– Ah ! Eh bien, le jour où l'armée française sera soumise au code de la gendarmerie, vous viendrez m'en reparler. Mais pour l'instant vous êtes placé sous mes ordres ; votre code, vous pouvez vous le mettre où je pense.

La discussion était close.

– Exécution, bordel de merde ! Vous préparez de quoi cantiner ce soir, vous leur donnez ce qui reste à bouffer, je veux un départ à huit heures pétantes !


Fernand réunit son unité.

– Nous avons une centaine de détenus à escorter sur plus de trente kilomètres. Mais nous n'avons pas de véhicules.

– On va y aller... à pinces ? demanda le caporal-chef Bornier, scandalisé.

– Tu vois une autre solution ?

– On va risquer de se faire mitrailler pour cette racaille ?

Autour de lui on perçut des grognements d'approbation, auxquels Fernand voulut couper court :

– Oui, c'est exactement ce qu'on va faire.

Il laissa planer quelques secondes de silence et ajouta d'un ton qu'il espérait encourageant :

– Ensuite, la mission prend fin. Ce soir, tout est terminé, demain, on rentre à la maison.

Fernand se mordit les lèvres. «À la maison...» Il était de plus en plus difficile d'y croire.

Chez les prisonniers, la réaction ne fut guère plus enthousiaste.

– Saint-Rémy, dit quelqu'un, c'est trente bornes, au bas mot.

En se mettant debout avec difficulté, Gabriel montra sa cuisse.

– Ça tire...

– Fais voir...

Raoul défit les bandages. À l'armée, il avait vu pas mal de blessures de toutes sortes.

– C'est pas si moche que ça... Essaye de marcher...

Gabriel fit quelques pas en boitant, mais ça irait.

La blessure du cagoulard, c'était autre chose, s'il n'était pas confié rapidement à un chirurgien, la septicémie ne tarderait pas à se charger de lui.

Préparer mille prisonniers à une marche de plus de dix heures ne pouvait se faire en un claquement de doigts. Les préparatifs traînèrent en longueur. On distribua ce qu'il restait de vivres pour éviter de porter des sacs, les sous-officiers durent intervenir à plusieurs reprises pour vérifier l'équité de la distribution et éviter de nouvelles échauffourées entre détenus. Le capitaine Howsler passait entre les groupes en faisant claquer sa carte d'état-major roulée comme une cravache. Il avait l'air très satisfait de la tournure des choses et distribuait ses ultimes consignes à l'encadrement. Les quelques soldats qui n'avaient pas été envoyés ailleurs avaient relevé leur calot sur la nuque pour assister à ce spectacle navrant.

Après avoir ramassé le maigre paquetage qu'ils trimbalaient depuis le Cherche-Midi et qui se réduisait d'étape en étape, les détenus, alignés par deux, attendaient sous le soleil. Les uniformes placés en serre-files semblaient assez clairsemés.

Il était presque dix heures du matin.

Le capitaine tint à ce que, « en application stricte des instructions sur la conduite des prisonniers en temps de guerre », les armes soient chargées devant les détenus. Le cliquetis des culasses de fusil fit un bruit solennel et menaçant.

– Les tentatives d'évasion seront immédiatement réprimées ! hurla-t-il.

Puis il se porta à l'avant de la colonne et ordonna le départ de la première unité, qu'après un coup de sifflet martial, il précéda de son grand pas déterminé.

On vit s'éloigner une première centaine de prisonniers en file indienne, soulevant la poussière de la cour.

– Les groupes vont partir les uns après les autres, expliqua Fernand aux membres de son unité. Nous serons en dernière position. Ce qu'il faut absolument éviter, c'est l'étirement de la colonne, que les premiers s'éloignent trop des derniers. Rester groupés, c'est l'essentiel. Devant, on ne marche pas trop vite, derrière, on ne traîne pas.

Théoriquement, ça semblait faisable, mais un doute planait sur les esprits. Quoiqu'ils en aient reçu de nombreux depuis le début de l'offensive allemande, personne n'avait l'expérience d'un ordre aussi imbécile.

On attendit longtemps que les autres groupes se soient à leur tour éloignés.

Maintenant que Fernand avait dépensé une partie de son

argent pour ravitailler le camp, son sac marin disposait de davantage de place. Il se détourna des regards, posa un baiser rapide sur la couverture de son exemplaire fatigué des *Mille et Une Nuits* et l'y fourra.

Vint le moment pour lui de donner du sifflet à son tour.

Au-dessus, haut dans le ciel, passait une escadrille allemande. Il était près de onze heures du matin.

# 41

Louise courait dans le champ en poussant sa charrette qui cahotait, les enfants criaient et là-bas, derrière elle, les avions allemands piquaient de nouveau sur la route qu'ils mitraillaient. Louise pensa qu'ainsi à découvert elle constituait une cible facile et accéléra encore, une roue heurta une racine, la charrette manqua basculer, Louise la retint juste à temps, les enfants redoublèrent de hurlements, elle reprit sa course. Évidemment, aucun chasseur allemand n'eut l'idée, ni même sans doute la tentation, de se dérouter pour aller cueillir une fuyarde cavalant en plein champ derrière une sorte de brouette, mais la peur d'être fauchée lui serrait la gorge, la poitrine, elle fixait, loin devant, une ligne d'arbres qu'elle désespérait d'atteindre, sa respiration haletante commençait à siffler, ses poumons blanchissaient.

Elle s'était sauvée sans rien, absolument sans rien, un instant il lui sembla être une jeune femme totalement nue courant en aveugle sur un boulevard...

Elle s'arrêta enfin, hors d'haleine, se retourna. La route déjà était loin, elle ne distinguait pas le détail de ce qui s'y passait, mais lui parvenaient, comme si elle était encore en dessous, les ronronnements des avions et la tonalité suraiguë de leurs sirènes. Elle repartit, arriva aux arbres qui bordaient une petite route qu'elle emprunta sur sa droite. Il lui semblait que son corps était en flammes. Elle ralentit enfin l'allure, cherchant son souffle. Le paysage était légèrement vallonné, ici et là quelques bois, une ferme, une seule. Que fallait-il faire ? S'y rendre ? Repensant à l'accueil que M. Jules et elle avaient reçu des paysans, elle préféra continuer. À un kilomètre ou deux devant elle, on distinguait des bosquets, des bois peut-être.

Elle prit conscience alors que depuis qu'elle s'était enfuie, les trois enfants n'avaient cessé de hurler, elle en fut paniquée.

Elle s'arrêta, se pencha sur le berceau improvisé et pour la première fois regarda ces trois enfants. Les deux garçons étaient vêtus d'une layette bleue tricotée à la main. Elle attrapa le coin du drap pour essuyer leur nez qui coulait. Le geste eut un effet calmant. Peut-être aussi de découvrir un nouveau visage devant eux...

– Allez, dit-elle en saisissant le premier et en le soulevant. On tient déjà debout ou pas ?

Il se dressa sur ses jambes et resta accroché de la main à la roue de la charrette. Le second vint le rejoindre. Elle leur parlait doucement tout en surveillant, loin sur sa gauche, la route où maintenant toute trace de l'attaque allemande avait disparu, le ciel était de nouveau calme et tranquille comme un suaire.

Elle prit le nourrisson dans ses bras, fixant au loin les fumées provoquées sans doute par les voitures incendiées. Elle chanta une berceuse, le bébé s'apaisa.

En se contorsionnant, elle inspecta la carriole, souleva le tas de couvertures et de draps sur lequel les enfants étaient installés et découvrit, qui avait glissé là pendant le trajet, le paquet ficelé contenant la correspondance de Jeanne qu'elle avait lancé devant elle, dans la charrette, seule chose qui avait survécu parce qu'elle l'avait dans la main au moment du naufrage. Elle le glissa sous les couvertures et poursuivit sa visite, trouva quelques pièces de vaisselle, des couverts en fer-blanc, des vêtements en vrac, une miche de pain, un bidon d'eau, deux bocaux de compote de fruits, des boîtes de biscuits, un paquet de chocolat fondu, trois conserves de légumes, un pochon de riz blanc et un sac de farine pour nourrissons. Assise dans l'herbe du bas-côté, le plus jeune entre les jambes, elle entreprit de déchiqueter des morceaux de pain qu'elle tendit aux jumeaux. Tous deux, d'un seul mouvement, se laissèrent tomber sur les fesses et se mirent à mastiquer avec avidité. La petite fille sentait mauvais. Louise découvrit un lange inutilisé et entreprit de la changer. Elle ne savait pas dans quel sens il fallait rabattre les trois pans et, comme elle ne trouva pas d'épingles de nourrice, elle se contenta d'emmailloter l'enfant et de faire une sorte de nœud qui ne tiendrait pas bien longtemps. Elle préféra jeter le lange plutôt que de l'emporter ainsi souillé, comment le laverait-elle ?

La nuit tombait. Saisie par le doute, Louise observa une nouvelle fois, sur sa droite, la seule ferme alentour et lui trouva dans sa solitude l'espèce de repli sur soi qu'évoquent souvent les bâtiments en fer à cheval, un aspect inhospitalier. Ayant remis les jumeaux dans la charrette puis le bébé, elle reprit sa marche.

*Malbrough s'en va-t-en guerre,*
*Mironton, mironton, mirontaine.*

427

C'est la chanson qui lui était venue à l'esprit. Les enfants se laissèrent bercer un moment.

Avançant seule sur cette route droite en direction des bosquets qui se profilaient au loin, Louise tentait l'inventaire de ce qu'il lui faudrait faire, changer ces enfants, les nourrir, leur dénicher un endroit pour dormir et surtout leur trouver un accueil, où plaçait-on les enfants trouvés ?

> *Aux nouvelles que j'apporte,*
> *Mironton, mironton, mirontaine,*
> *Aux nouvelles que j'apporte,*
> *Vos beaux yeux vont pleurer.*

Lui vint l'image de M. Jules seul sur la route, « Allez, Louise ! Sauve-toi ! ». M. Jules avait-il été tué en charentaises sur une route de campagne par un chasseur allemand ?

> *On vit voler son âme,*
> *Mironton, mironton, mirontaine,*
> *On vit voler son âme,*
> *Au travers les lauriers.*

Alors que, temporairement calés par les morceaux de pain, les jumeaux somnolaient de nouveau, la petite fille se remit à pleurer, Louise avait les nerfs en pelote, le contrecoup de cette fuite soudaine, de cette responsabilité que les événements lui avaient imposée... Elle s'en voulait de cette réaction. On la vit bientôt marcher en poussant la charrette très lentement d'un seul bras, l'autre chargé de ce bébé dont la tête s'était réfugiée dans son cou.

La campagne était nimbée d'une légère brume nocturne lorsqu'elle arriva aux bosquets. Ce n'était pas ce qu'elle avait cru, un bois, mais la route à nouveau, celle qu'elle avait quittée deux heures plus tôt. Le flot discontinu des réfugiés se poursuivait, avançant mécaniquement, le pas lourd, portant des valises. Des vélos, mais plus aucune voiture...

Louise ne parvenait pas à s'orienter. L'endroit où elle avait abandonné M. Jules et sa Peugeot à demi calcinée, était-ce sur sa droite? sur sa gauche? Les trois petits s'étaient réveillés. Il était urgent de s'organiser, de leur donner à manger quelque chose de consistant, de les changer, de les faire boire... « Il n'est même pas sevré... » L'expression lui revint en mémoire. Comment fait-on pour nourrir un enfant qui ne sait pas mâcher? Avait-elle ce qu'il fallait? En proie à toutes ces questions, Louise avait emprunté une nouvelle fois la route, se fondant dans le flux des réfugiés, refusant de s'arrêter tant qu'elle ne se serait pas organisée, chantant de plus en plus fort pour tenter d'apaiser les pleurs qui secouaient la charrette :

*Les uns avec leurs femmes,*
*Mironton, mironton, mirontaine,*
*Les uns avec leurs femmes,*
*Et les autres tout seuls.*

Le long de la route, un nombre impressionnant de voitures et de camions gisaient dans les fossés, comme des carcasses dans un cimetière. Des moteurs fumaient encore, des carrosseries accidentées, portes largement ouvertes, laissaient apercevoir des monceaux de valises éventrées, de cartons béants vidés à la hâte par des mains fébriles. Louise marchait assez vite parce que le flux des voyageurs s'était clairsemé, mais aussi parce que nombre d'entre eux avaient choisi de s'arrêter pour la nuit, improvisant, de l'autre côté des fossés, des camps sauvages faits de morceaux de bâche, de couvertures, de draps, chacun devait prier que la pluie ne vienne pas ajouter à la catastrophe.

C'est le feu qui poussa Louise à avancer encore. Un feu le long du talus, fait de bois mort, autour duquel une famille mangeait avec une avidité jalouse, le dos à la route.

Louise arrêta la charrette à quelques pas d'eux. Les cris des trois bébés firent tourner les têtes vers elle. En un éclair, Louise mesura l'indifférence des deux adolescents, l'hostilité du père, la tristesse de la mère.

Louise assit les jumeaux par terre et, le nourrisson dans les bras, entreprit de disposer au sol le peu qu'elle avait, ensemble disparate impropre à composer un repas. Elle rompit de nouveau du pain pour les garçons. La femme, près du feu, l'observait du coin de l'œil. On entendait dans le champ des vaches meugler avec insistance. Louise ouvrit le sac d'une farine qui fleurait vaguement la vanille et versa de l'eau dans l'écuelle en fer-blanc. Aussitôt d'énormes grumeaux se formèrent. Les garçons, mâchant leur pain, la regardaient avec curiosité, le bébé s'impatientait, Louise écrasait les grumeaux du dos de la cuillère, mais le mélange refusait de se faire.

— Si vous ne chauffez pas l'eau, ça ne marchera pas.

La femme était debout devant elle. Une cinquantaine d'années, assez forte, dans une robe à fleurs qui ressemblait à un couvre-lit.

— Laisse, Thérèse ! dit l'homme resté devant le feu.

Mais la femme devait avoir l'habitude de l'entendre et de

ne pas l'écouter. Elle prit l'écuelle et alla verser le tout dans une petite casserole, ces gens-là étaient autrement mieux équipés que Louise. Pendant qu'elle faisait réchauffer la bouillie sur le feu, son mari lui parlait à voix basse, des phrases entrecoupées dont on ne distinguait que la tonalité pressée, autoritaire et querelleuse.

Louise, pendant ce temps, avait posé le bébé à qui elle avait donné son hochet – un sifflet en bois muni d'une anse que la petite fille agitait à bout de bras – et elle sortit les bocaux de compote de fruits, mais les couvercles avaient été serrés à chaud et la poigne de Louise ne suffit pas. Elle se dirigea droit vers l'homme, qui la regarda venir comme s'il était prêt à se battre. Elle s'arrêta devant le plus grand des deux adolescents.

– Je n'ai pas la force, vous pourriez…?

Il empoigna aussitôt le bocal, provoquant un petit *plop* et, victorieux, tendit vers Louise d'une main le pot, de l'autre le couvercle, comme s'il s'agissait d'une prise de guerre.

– Merci, dit Louise, vous êtes bien aimable…

Elle lui aurait proposé une nuit à l'hôtel, il n'aurait pas été plus heureux.

La mère avait touillé la bouillie.

– Faites attention, dit-elle, c'est chaud…

Faire manger la petite fille se révéla bien difficile. Pleurnichant sans cesse dans l'attente impatiente d'un sein ou d'un biberon, elle n'ouvrait la bouche que pour recracher le peu que Louise parvenait à lui donner. Après une demi-heure d'insistance, la jeune femme était épuisée, l'enfant aussi. Les jumeaux, assis à deux pas, jouaient avec la couverture. Louise eut alors l'idée de diluer encore la bouillie jusqu'à en faire un liquide qu'elle parvint, cuillerée après cuillerée, à verser entre les lèvres de l'enfant qui, épuisée, s'endormit soudain, comme assommée par ses vains efforts, elle n'avait quasiment rien dans le ventre.

C'était la première fois que Louise la détaillait. Des traits fins, des cils délicieusement recourbés, des petites oreilles délicates et des lèvres roses, elle la trouva si jolie qu'elle en fut émue. Elle repensa fugitivement à la lettre où Jeanne écrivait : « Oh, le petit visage de ce bébé ! » Elle fut confondue par l'étrange route qu'avaient empruntée leurs destins. Jeanne et elle, toutes deux avaient été privées d'un bébé. Louise en avait maintenant trois sur les bras.

Les jumeaux étaient des garçons très joueurs et souriants. Louise s'amusa avec eux à cacher la cuillère, le hochet, le gobelet, ils riaient. Les deux adolescents avaient cette fois tourné le dos au feu et à leur père pour regarder cette jolie jeune femme aux mains blanches, dont le masque d'épuisement s'éclairait d'un sourire douloureux.


Deux heures plus tard, tout est calme.

Les enfants sont changés, le bébé s'est réveillé et Louise est parvenue à faire glisser de nouveau entre ses lèvres quelques cuillerées de bouillie liquide et froide.

Tout ce qu'elle a trouvé, c'est de se coucher en chien de fusil dans la charrette, le bébé au creux du ventre, un garçon de chaque côté.

Au-dessus d'eux, le ciel est d'un bleu profond, constellé, la respiration des trois enfants est lourde et calme. Louise caresse le crâne chaud et doux du bébé.

# 42

Fernand, lui aussi, avait donné un coup de sifflet à l'intention de ses troupes, mais n'importe quel mélomane aurait distingué dans la note qu'il émettait une nuance d'inquiétude qui tranchait avec celle, martiale et satisfaite, du capitaine Howsler. Il avait fallu plus d'une heure pour mettre en marche sept groupes de plus de cent prisonniers. Fernand, qui redoutait les fatigues du voyage pour certains détenus, leur avait permis d'attendre assis le signal du départ.

Il avait profité de cette attente pour affiner sa stratégie. Redoutant que les plus véloces ne creusent un écart difficile à maîtriser avec les plus lents, il se placerait en tête de la colonne et reléguerait le caporal-chef Bornier en milieu de peloton, où ses velléités agressives auraient moins d'occasions de se manifester.

C'était justement à la hauteur de Bornier que se trouvaient Raoul et Gabriel qui, malgré l'ordre alphabétique, avaient réussi à être côte à côte. Si l'encadrement fermait les yeux sur ces petits arrangements, les armes chargées, le visage tendu des gardes mobiles, l'agitation des Annamites montraient assez que la tolérance s'arrêterait là.

La discipline s'étant un peu relâchée pendant cette longue

attente, les détenus avaient pu parler à voix basse. Allez savoir comment ils étaient arrivés – c'est l'éternel mystère des prisons –, des bruits couraient sur les nouvelles de la guerre. Le général Weygand, disait-on, était d'avis de demander un armistice. La rumeur circula d'un bout à l'autre de la colonne. Tout le monde comprit qu'il importait peu que la nouvelle soit vraie ou fausse, c'était surtout la première fois que l'idée d'une défaite s'exprimait aussi clairement, et que le propos soit prêté au commandant en chef de l'armée française en disait long sur le peu de crédit que l'on accordait maintenant aux communiqués officiels émanant de l'état-major, qui soutenaient que la France tenait la dragée haute à l'envahisseur.

– Quoi ? demanda Raoul.

Il n'était plus tout à fait le même depuis la réception de cette lettre énigmatique signée Louise Belmont. Sans doute lassé d'y penser sans cesse, pris d'une soudaine hargne, il l'avait le matin déchirée pour en disperser les morceaux, cela ne changeait rien, son contenu continuait de le préoccuper.

– On va s'en sortir, tu verras, dit Gabriel. Tu pourras aller trouver cette personne et tirer tout ça au clair.

Ils étaient prisonniers, placés sous le coup d'une accusation de pillage et sans doute de désertion, la situation leur donnait plus de chances d'être tués sur cette route que d'être déférés devant un tribunal… Se montrer optimiste était assez ridicule et Gabriel le sentit.

– Je veux dire…

Raoul Landrade fixait ses chaussures. C'est sans lever la tête qu'il dit :

– Elle devait avoir quoi… Trente, trente-cinq ans… Pas davantage… On fait encore des mômes à cet âge-là…

Gabriel tenta de comprendre de qui il s'agissait, mais ne voulait pas poser de questions.

– Tu vois, enchaîna Raoul en le regardant, je me dis... Et si la Thirion, cette salope, était ma vraie mère... Elle était d'âge, au fond, non ?

– Pourquoi t'aurait-elle abandonné pour te reprendre trois mois plus tard ?

– C'est ça qui me perturbe. Je pense qu'elle a été obligée. Ça pourrait expliquer sa haine pour moi...

Le mot était lâché.

– C'est pas tant de savoir qui est ma vraie mère qui me tracasse, que de découvrir que ça pourrait être cette salope.

Raoul avait attrapé le bras de Gabriel et le serrait fort.

– C'est que... je ne vois pas le vieux être mon père, tu comprends ? C'est peut-être pour ça qu'elle a été obligée de me reprendre. Parce qu'elle m'a fait avec un autre type. Ça pourrait tout expliquer. Le vieux, en colère de se voir cocu, l'aurait obligée à me reprendre. Et alors là...

Tout était possible, bien sûr, mais Gabriel n'adhérait pas à cette hypothèse, qui paraissait plus le fruit d'une rumination hargneuse que le résultat d'une réflexion saine.

– Vous allez fermer vos gueules, tas de pédés !

Bornier arpentait la colonne, intimant le silence à tous, menaçant de son fusil. Personne ne pensait sérieusement qu'il s'en servirait sur des détenus assis en rang, mais un coup de crosse sur le crâne ou dans les côtes restait très possible...

On entendit le sifflet de l'adjudant-chef.

Le moment du départ était enfin arrivé.

Gabriel boitait légèrement, mais sa plaie ne s'était pas rouverte. L'état de Dorgeville était plus inquiétant. Soutenu par ses camarades, le journaliste claudiquait lourdement, on voyait mal comment il marcherait plus de trente kilomètres jusqu'à Saint-Rémy. Le jeune communiste, lui aussi accompagné par ses camarades, était plus loin derrière, Gabriel ne le voyait pas, mais sa situation ne devait pas être bien meilleure.

La file s'allongea rapidement sur cent cinquante mètres, puis sur deux cents. Fernand, à intervalles réguliers, attendait sur le bord de la route pour exhorter les détenus à accélérer l'allure, mais très vite il retournait à l'avant pour exiger que l'on ralentisse le pas. À jouer ainsi les chiens de berger, deux heures après le départ, il était fourbu.

Le soleil de l'après-midi tapa fort et l'ambiance sur la route était préoccupante. Les réfugiés qui se dirigeaient eux aussi vers Saint-Rémy s'arrêtaient pour laisser passer les prisonniers, mais, voyant que la file s'allongeait démesurément, ils finissaient par marcher à leurs côtés, rendant plus difficile la surveillance. Les hurlements des gardes mobiles qui les exhortaient à s'écarter du chemin avaient pour effet de radicaliser les commentaires déjà désobligeants. On entendit des « traîtres », des « espions », des « cinquième colonne », moins on comprenait de quoi il s'agissait, plus ces centaines d'hommes apparaissaient comme des ennemis. Fernand ne craignait pas que le cortège, ainsi escorté de militaires armés, soit pris à partie par les réfugiés, mais l'atmosphère d'agressivité pesait sur cette situation déjà invraisemblable. Comment, se demandait-il, en était-on venu à donner un ordre aussi aberrant que de lancer à pied sur la route de la fuite plus de mille prisonniers escortés par quelques poignées de militaires ?

En milieu d'après-midi (ils marchaient depuis plus de quatre heures), et parce qu'ils restaient à portée de fusil,

Fernand laissa des détenus faire un écart pour boire à un ruisseau. Si on voulait qu'ils avancent, on ne pouvait pas les empêcher de se désaltérer, mais ces petites entorses à la règle perturbaient sans cesse la marche, l'adjudant-chef commençait à être dépassé.

Lorsqu'il se retournait, il ne parvenait pas à voir la queue du peloton, c'était partout des groupes de deux, trois ou quatre hommes, entre lesquels des gardes ou des soldats, accablés par la chaleur, avaient l'air maintenant de marcher de façon indépendante... Il comprit que des évasions avaient dû se produire. Déjà, il lui semblait que certains visages avaient disparu. À moins de regrouper tout le monde, de procéder à des appels et de prendre plus de retard, il n'y avait plus rien à faire.

Vers seize heures, il se trouvaient encore à plus de six kilomètres de leur destination. De temps à autre il entendait, là-bas, loin devant, claquer un coup de fusil, puis un autre, comme s'il avait été en promenade dans la campagne avec Alice un dimanche après l'ouverture de la chasse.

Le capitaine Howsler, tout comme Fernand, s'inquiétait de l'étirement de ce cortège et, vers dix-huit heures, il se posta sur le bas-côté de la route pour vérifier que tous les groupes avançaient à cadence acceptable. Le rythme ne cessait de ralentir. Son visage exprimait le vif mécontentement des hommes qui voient avec amertume que les événements ne se plient pas à leur volonté. Son regard vindicatif se posait sur les détenus et, pire encore, sur les soldats et les gardes qui n'étaient pas en meilleure forme physique que leurs prisonniers et qui ahanaient lamentablement, alors que les premiers groupes, loin devant, n'étaient peut-être qu'à quelques kilomètres de l'arrivée.

Le groupe de Fernand fut bientôt coupé en deux par le passage de camions militaires qui bloquèrent la route. Où allaient-ils ainsi, personne ne le savait, mais, contraints d'attendre, on en profita pour s'asseoir et reprendre des forces.

À ce moment-là, Gabriel n'allait pas bien. Sa jambe s'était soudain dérobée sous lui, il était tombé, assez mal, Raoul avait été impuissant à le retenir. Quelques centaines de mètres plus loin, Landrade avait fait un rapide écart pour saisir, sur une charrette à l'abandon, un morceau de ridelle brisé d'un mètre de longueur et, ficelant comme il avait pu une chemise roulée à l'extrémité, il lui avait bricolé une béquille. Gabriel ne marcherait pas plus vite, mais il souffrirait moins.

Ils commencèrent à dépasser les essoufflés, les boiteux, les épuisés des groupes précédents que des gardes ne cessaient d'engueuler. Peu à peu se regroupait à l'arrière le lot de ceux qui auraient bien du mal à aller jusqu'au bout. Ainsi, porté à tour de rôle par ses camarades, le journaliste Dorgeville, dont l'état d'épuisement nécessitait des pauses de plus en plus fréquentes, avait-il été totalement distancé. On distinguait à plus de cent mètres de là le petit groupe d'hommes qui s'occupaient de lui et se relayaient pour le porter.

Fernand était passé devant le capitaine Howsler depuis un bon moment lorsqu'il comprit que l'officier n'était pas resté là sur la route dans le seul but de surveiller l'avancée de ses troupes. Il guettait la queue du cortège.

Fernand, affolé, se retourna et se mit à courir.

Raoul avait passé le bras de son camarade sur son épaule.

– Pars devant, disait Gabriel en haletant.

– Qu'est-ce que tu ferais sans moi, Ducon !

Ils profitèrent d'un instant où la surveillance s'était relâchée pour faire une courte halte et retrouvèrent, qu'ils avaient perdu de vue depuis quelque temps, le jeune communiste, plus fantomatique que jamais, littéralement traîné par deux camarades à peine moins épuisés que lui.

À ce moment-là, tous virent arriver sur eux le grand capitaine Howsler, martial comme jamais, flanqué d'un petit peloton d'Annamites raides et imperturbables et du caporal-chef Bornier.

– Vous, dit le capitaine à Bornier, restez ici, montez la garde !

Le caporal-chef cambra les reins, tout à la fierté de la mission, et, saisissant son fusil, regarda Gabriel, Raoul et les communistes d'un air farouche.

Pendant ce temps, le capitaine et ses Annamites s'étaient dirigés vers la queue du cortège, le petit groupe essaimé de traînards. On vit de loin la haute stature du capitaine Howsler plantée au milieu de la route, les mains dans le dos. Le peloton des Annamites regroupa tout ce petit monde devant le fossé.

On entendit des ordres.

Un coup de feu claqua.

Puis un autre.

Et un troisième.

Raoul se retourna. Venant de l'autre côté, à deux ou trois cents mètres, l'adjudant-chef approchait en courant, gesticulant, hurlant quelque chose que personne ne comprit. Le caporal-chef Bornier était livide.

– Debout ! cria le capitaine.

On ne l'avait pas vu arriver. C'était à Gabriel et au jeune

communiste qu'il s'adressait. Mais comme les deux hommes peinaient à se lever, il hurla :

– Poussez-vous tous !

Il était furieux. Il tendit le bras vers les détenus valides.

– Vous, écartez-vous !

Raoul comprit que maintenant tout était en place pour clôturer le drame.

Là-bas, trois prisonniers avaient été abattus et abandonnés dans le fossé.

Là, deux détenus invalides étaient à leur tour prêts à prendre une balle dans la tête.

Fernand, toujours courant, mais de plus en plus essoufflé, s'approchait en criant « Attendez ! Attendez ! », le capitaine s'adressa au caporal-chef Bornier :

– Soldat ! Exécutez-moi ces hommes, c'est un ordre !

Raoul tendit très lentement le bras, saisit l'extrémité de la béquille de Gabriel et la ramena vers lui, assurant sa prise, posant une main au sol qui lui permettrait de se mettre debout. Pendant ce temps, les Annamites s'étaient approchés et fixaient Bornier dont la lèvre tremblait.

Maintenant la voix de Fernand s'entendait :

– Arrêtez !

Mais il était encore loin, souffrant d'un point de côté, grimaçant, il avançait lentement en se tenant le flanc.

– En joue ! hurla le capitaine en sortant son pistolet.

Bornier leva son fusil, mais il tremblait, le regard perdu… Il parvint enfin à viser la tête de Gabriel, qui voulut parler, lui aussi tremblait, ses jambes étaient en eau, il regardait le canon du fusil de Bornier braqué sur lui comme s'il sortait d'un cauchemar.

Raoul, pendant ce temps, tenant solidement le morceau

de ridelle, évaluait la distance qui le séparait du capitaine, du caporal-chef et des Annamites.

Fernand arrivait, hors d'haleine.

– Arrêtez ! cria-t-il à nouveau.

– Feu ! hurla le capitaine.

Mais le caporal-chef Bornier avait relâché son fusil qui pointait maintenant vers le bas, il hochait la tête, les larmes aux yeux, on aurait juré que c'était lui qui allait mourir.

Le capitaine tendit alors le bras, visa le jeune communiste et tira, la tête du garçon bascula violemment vers l'arrière. Le bras toujours tendu, il se tourna ensuite vers Gabriel.

La scène se figea, tous les visages se levèrent. Le capitaine resta un instant tétanisé, le pistolet braqué.

À moins d'un kilomètre, une escadrille allemande, dans l'exact prolongement de la route, piquait vers le sol.

Les Annamites coururent se jeter dans le fossé. Bornier se coucha à terre.

Raoul sauta sur ses pieds, faucha d'un grand coup de béquille les jambes du capitaine Howsler qui s'écroula, et il passa devant Fernand, qui s'était lui aussi allongé sur le ventre. Déjà il s'agenouillait, saisissait Gabriel à la taille, se relevait, et, portant son camarade sur l'épaule, se mettait à courir...

Le capitaine était estourbi, Bornier ressemblait à un caillou, les Annamites avaient enroulé leurs bras au-dessus de leurs têtes.

À l'instant où l'escadrille passait au-dessus de lui, Fernand sortit son pistolet et le pointa dans le dos de Raoul, qui n'avait pas seulement parcouru dix mètres.

Il tira à deux reprises.

# 43

La vache tourna la tête et poussa un mugissement puissant.

– Doucement !

Louise hurlait en chuchotant. Elle accompagna son cri d'un mouvement de la main. L'adolescent fit signe qu'il avait compris. Louise se tourna vers l'autre et d'un geste lui demanda d'avancer sur la droite.

Elle se retourna. Là-bas, devant le fossé, le père, les bras croisés, regardait ce spectacle avec le visible désir qu'il vire à la débandade. C'est le plus grand des adolescents qui tenait la corde, dont Louise savait qu'elle ne servirait à rien si la vache en décidait autrement.

Au second geste de Louise, tous trois approchèrent lentement.

– Tout doux, ma belle, dit Louise, tout doux.

La vache hocha la tête, mais ne bougea pas.

Elle avait mugi toute la nuit dans le champ, de l'autre côté de la route, c'est ce qui avait donné l'idée à Louise.

« Elle n'a plus son veau, avait-elle expliqué aux adolescents, son lait lui fait mal, et justement, son lait... »

Elle portait la petite fille qui n'avait cessé de pleurer

depuis son réveil aux premières heures du matin. Les garçons avaient réagi comme des toréadors, la poitrine avantageuse, prêts à dompter la terre entière. Ce ne fut pas nécessaire. La vache ne bougeait pas, ils arrivèrent sur elle très lentement.

— Allez, ma belle, disait Louise, allez...

Et elle fit un clin d'œil aux adolescents qui, parvenus à sa hauteur, impressionnés par la stature de la bête, lui tapaient affectueusement sur le flanc du bout des doigts.

Près de la route, le père avait gardé les bras croisés. Louise pensa un bref instant à M. Jules, qui prenait lui aussi des postures comme celle-ci, même devant les clients.

Elle posa la casserole par terre, s'agenouilla devant le pis extraordinairement volumineux et saisit un trayon gonflé et brûlant, la vache fit sursauter tout le monde en pliant nerveusement la patte arrière. Louise exerça une pression. Rien ne vint. Elle recommença plus fort, sans résultat. Elle ne savait pas comment procéder. Le lait était là et elle ne savait pas le tirer.

— Ça vient pas ? demanda le plus grand des garçons.

Lui aussi tenta sa chance. De nouveau la vache balaya l'air de sa queue et gifla les visages, mais elle n'avançait ni ne reculait, sentant qu'elle pouvait être délivrée. Louise essaya encore, tirant, pressant, rien n'y fit. Tous trois se regardèrent, impuissants, attristés. Louise ne voulait pas s'avouer vaincue, il devait bien y avoir une solution.

— Poussez-vous...

C'était le père. Il s'avançait d'un pas impérial avec ce geste de la main qui disait son agacement devant la maladresse des autres, son impatience d'être débarrassé d'une corvée et son mépris de devoir se livrer à une tâche aussi prosaïque qui lui rappelait ce qu'il avait été autrefois, un garçon de ferme.

À genoux devant le pis, il cala la casserole entre deux mottes de terre, saisit un trayon dans chaque main et d'un coup d'un seul fit gicler le lait si puissamment qu'il se perdit dans l'herbe. Puis on entendit le claquement métallique et crémeux du liquide qui remplissait la casserole. La vache dodelinait très lentement de la tête.

— Toi, dit le père à son fils, va me chercher autre chose de plus grand, grouille-toi !

Il n'avait pas jeté un regard sur Louise, qui murmura :

— Merci...

Il ne répondit pas, les giclées de lait moussaient dans la casserole, le fils revint avec un seau dont Louise vit qu'il n'était pas très propre, mais elle ne dit rien, il y avait de quoi nourrir les trois enfants pendant une journée et peut-être davantage si le lait ne tournait pas trop vite...

On avait vidé les bocaux de compote de fruits pour les remplir de lait. Le bébé avait mangé, roté et s'était endormi, un pâle sourire aux lèvres. Les jumeaux avaient des moustaches blanches que Louise essuya à l'aide d'un torchon à la propreté douteuse.

— Bon courage, dit la mère.

— Merci, répondit Louise, à vous aussi.

Les adolescents, la gorge sèche, virent Louise s'éloigner comme un mirage.

Tout le monde disait qu'il fallait continuer jusqu'à Saint-Rémy-sur-Loire. Les rumeurs allaient bon train sur cette destination, tantôt on y trouverait des refuges, de la nourriture, une administration, tantôt les Boches y violaient les femmes sous les yeux de leurs maris avant de les décapiter, ils étaient pires que les communistes. Mais ces bruits étaient les mêmes depuis le départ de Paris, que certains avaient quitté quatre, cinq ou six jours plus tôt, la rumeur elle-même s'était épuisée et ne faisait plus trembler personne.

Louise s'arrêta à plusieurs reprises pour faire marcher les bambins, leur donner de l'exercice, les fatiguer aussi pour qu'ils dorment de nouveau et qu'elle puisse avancer.

Le peu de provisions dont elle disposait avait fondu, l'eau commençait à manquer, le lait avait tourné dans la matinée, il aurait fallu des langes propres pour changer les enfants, sans compter les jambes qui pesaient lourd, elle aurait donné dix ans de sa vie pour que ce cauchemar cesse. Trouver un refuge pour les enfants était une obsession. Les confier à quelqu'un qui saurait s'occuper d'eux.

Lorsqu'elle passa le panneau annonçant Saint-Rémy-sur-Loire, le bébé fut pris de diarrhées.

La ville croulait littéralement sous l'afflux des réfugiés, la mairie était prise d'assaut, la grande salle des mariages accueillait des familles entières tout comme la cour de la caserne des pompiers, les trois écoles communales, l'annexe de l'hôtel de ville, le square Joseph-Merlin ; la place de l'église Saint-Hippolyte ressemblait à un camp de Gitans ; la Croix-Rouge avait dressé une large tente en face du collège, où l'on avait servi des soupes du matin au soir jusqu'à la veille, mais où il n'y avait plus rien à distribuer, dans l'attente du ravitaillement qui n'arrivait toujours pas. C'était le lieu de rassemblement, le centre de la vie, le carrefour des rumeurs, Louise s'y rendit en hâte.

La ville vous précipitait dans un autre âge, une période

sauvage dans laquelle laisser sa charrette quelque part, c'était ne jamais la retrouver, poser un enfant par terre, c'était le perdre aussitôt. «Mon bébé est malade...», disait-elle pour avancer vers la tente de la Croix-Rouge. «Et alors, tout le monde a un enfant malade, c'est pas une raison!» répondait une femme, et cette charrette était encombrante, «Vous n'allez pas me rouler sur les pieds, tout de même!» criait une autre, Louise se confondait en excuses, on se pressait contre la table des bénévoles submergés, on demandait quand les vivres allaient arriver, personne n'en savait rien, c'était une cohue à n'en plus finir pour accéder à un endroit d'où tout le monde repartait dépité, il fallait revenir, tout manquait, les médicaments, le linge propre, les légumes pour la soupe, tout.

Louise n'obtint rien, le bébé hurlait, les deux garçons hurlaient, c'était un désespoir, avec ça cette diarrhée incessante, le lait de vache, trop riche sans doute...

Et à qui remet-on les enfants trouvés?

À la mairie, lui disait-on, mais il n'y avait personne là-bas pour le confirmer. À la Croix-Rouge, risquait quelqu'un, mais elle en venait, on lui avait dit que c'était impossible pour le moment, qu'on accueillerait sans doute les enfants dans deux ou trois jours, mais pour l'heure, il n'y avait pas de quoi les héberger, les bénévoles manquaient, et le bébé puait affreusement, Louise en avait les bras souillés jusqu'aux coudes.

Elle chercha la fontaine, il y avait la queue, mais on la laissa passer, surtout pour s'écarter de son chemin, le bébé semblait à l'agonie. Louise serrait les dents, il lui aurait fallu trois paires de bras, ce ne sont pas les miens, disait-elle, vous ne savez pas où on peut déposer les enfants trouvés...?

Il fallait soigner ce bébé de toute urgence. Son désespoir vira à la fureur.

On la vit soudain avancer sa charrette jusqu'à la devanture du café de la place où elle laissa les deux grands, advienne que pourra, et alla d'un pas décidé, le bébé dans les bras, jusqu'au comptoir, sur lequel elle posa le sac de riz, les trois carottes et la pomme de terre qu'elle était parvenue à glaner.

– J'ai besoin de préparer de la soupe et du riz pour ce bébé qui est malade, dit-elle au patron.

Il y avait du monde dans l'établissement, mais il était difficile de savoir qui étaient les consommateurs qui discutaient entre eux, certains buvaient, d'autres mangeaient, tous commentaient les rares nouvelles qui ne cessaient de circuler dans la ville.

– Les Norvégiens se sont rendus…

– Weygand a dit que la situation était désespérée…

– Pour les Norvégiens ?

– Non, pour nous…

– Ma petite dame, on fait pas la soupe, ici. On n'a pas de quoi d'ailleurs. Faut voir avec la Croix-Rouge…

C'était un homme au teint couperosé, au cheveu rare, à la denture jaune. Louise leva les bras et posa le bébé hurlant sur le comptoir.

– Cet enfant va mourir dans quelques heures si on ne le nourrit pas.

– Eh là, eh là… C'est pas à moi qu'il faut dire ça !

– C'est à vous que je le dis parce que vous pouvez lui sauver la vie. Il me faut du gaz et de l'eau, rien d'autre, c'est trop demander ?

– Mais, mais, mais…

Il en avait le souffle coupé, de ce culot.

– Je vais le laisser sur votre comptoir jusqu'à ce qu'il meure. Pour que tout le monde puisse le voir mourir... Venez !

Les voix s'étaient éteintes.

– Venez, approchez-vous, ce bébé va mourir...

Le silence commençait à dérouler son serpent de mauvaise conscience autour de ce nourrisson qui se tordait de douleur et sentait la diarrhée.

– Bon bah... C'est exceptionnel, hein !

Une femme arriva. Sans âge. Entre trente et cinquante ans, impossible de dire.

– Allez-y, je vais vous le garder.

– C'est une fille, dit Louise.

– Comment elle s'appelle ?

Il y eut un blanc.

– Madeleine.

La femme sourit.

– C'est joli, Madeleine...

Tandis qu'elle préparait la soupe de légumes pour les garçons et le riz, conservant précieusement l'eau de cuisson pour la faire boire à la petite, Louise se demanda d'où lui venait ce prénom qui avait ainsi jailli de sa bouche, mais elle ne trouva pas.

# 44

Dans huit caisses en bois à claire-voie caquetaient, piaillaient, glouglouttaient, cacardaient douze poules, autant de poulets, trois dindes, cinq canards et deux oies. Tout ce petit monde passait la tête par les planches, comme impatient de se faire décapiter. La difficulté, c'était le veau. Il n'était tenu que par une corde au cou ficelée à une ridelle et chancelait sur le plateau. Le camion de Dieu n'avançait pas vite. À chaque virage, le veau menaçait de passer par-dessus bord.

– Dites-moi, mon père, demanda sœur Cécile, que comptez-vous faire de cette bête ?

– Mais, ma chère sœur, la manger !

– Je croyais que le vendredi, on faisait maigre, dit sœur Cécile.

– Ma sœur, répondit le père Désiré d'une voix suppliante, on fait maigre quatre jours sur cinq chez nous ! Le bon Dieu est au courant...

Philippe le Belge ne cessait de se retourner pour vérifier la stabilité de la bête. La religieuse insista :

– Et vous comptez le tuer vous-même, mon père ?

Le père Désiré se signa rapidement, Jésus, Marie, Joseph.

– Non pas ! Que Dieu m'épargne une telle épreuve !

Tous deux se tournèrent vers ce veau magnifique aux oreilles largement écartées, au regard doux, au mufle humide...

— Je vous accorde, ma sœur, que le cas est difficile.

— Faudrait un boucher..., lâcha Philippe le Belge sur un ton suraigu qui fit sursauter tout le monde.

— En avez-vous un parmi vos ouailles, mon père ? demanda Cécile. Dieu a bien dû pourvoir à vos nécessités, non ?

Il se contenta d'écarter les mains pour signifier qu'il s'en remettait au Seigneur.

La présence de ce veau valut au camion de Dieu un accueil des plus enthousiastes à la chapelle Bérault. On déchargea la basse-cour, on attacha le veau dans le pré contigu au cimetière, on fit chauffer de l'eau pour plumer les volailles.

— Est-ce qu'il n'est pas merveilleux ? demanda Alice à sœur Cécile.

Toutes deux regardaient le père Désiré parquer les oies en faisant rire les enfants qui s'étaient groupés autour de lui.

— Oui, merveilleux, tout à fait, répondit Cécile.

Les deux femmes passèrent dans le recoin du collatéral où Alice avait tendu quelques draps en guise de cloisons et où se tenaient ceux qu'elle estimait les plus malades. Épuisement, dénutrition, défaut d'hygiène, plaies non cicatrisées...

En renouvelant les compresses pour cautériser un ulcère variqueux (« La viande sera la bienvenue, l'apport en protéines va aider à la guérison... »), la religieuse remarqua l'alliance d'Alice.

— Mariée ?

— Depuis vingt ans...

— Il est sous l'uniforme ?

— Depuis trente ans. Il est garde mobile.

Alice baissa la tête, en proie à une soudaine émotion. Il y eut un instant de gêne.

– Je n'ai aucune nouvelle de lui, comprenez-vous, ma sœur. Il est resté à Paris, je ne sais pourquoi, il devait me rejoindre, mais...

Elle fouilla dans sa poche, sortit son mouchoir, s'essuya les yeux avec l'air de s'excuser.

– Je ne sais pas ce qu'il est devenu...

Elle tenta un sourire.

– Je prie tous les jours avec le père Désiré pour le retour de Fernand.

Sœur Cécile lui tapota la main.

Après les soins aux malades, la religieuse demanda à Alice de l'accompagner auprès du père Désiré.

– Vous avez ici trois cas qui nécessitent une hospitalisation.

Puis se tournant vers Alice :

– Cet ulcère variqueux pourrait virer à la gangrène. L'adolescent que vous m'avez montré présente des symptômes qui font penser à un diabète, je n'ai pas ici de quoi m'en assurer. Et pour cet homme, si vous me confirmez la présence de sang dans ses selles depuis plusieurs jours, on pourrait craindre un problème intestinal d'une certaine ampleur...

Alice tremblait d'émotion, elle se sentait coupable. Le père Désiré la prit contre lui.

– Ma fille, rien de tout cela n'est de votre faute, vous avez fait ce que vous pouviez avec des moyens quasi inexistants ! C'est même miraculeux que tout ce petit monde soit encore vivant ! Personne n'est mort et c'est vous qui avez fait ce miracle !

Sœur Cécile se voulait pragmatique :

– Il n'y a plus de place à l'hôpital de Montargis. Et il n'y a pas d'autre hôpital.

– Ah, dit Désiré, nous allons avoir besoin que Dieu nous aide ! Mais en attendant de recevoir Son secours, peut-être pourrions-nous déjà faire de notre mieux, qu'en dites-vous ?

Il demanda à Philippe le Belge de préparer le camion, c'est toujours ainsi qu'il faisait au moment du départ, il commandait le camion comme s'il fallait atteler. La religieuse en profita pour prendre le bras d'Alice et l'attira à l'abri des regards.

– Vous avez fait de l'excellent travail, Alice, bravo, ce n'était pas facile...

Il y avait, quelque part dans cette phrase, un sous-entendu qu'Alice percevait confusément. Aussi ne se hâta-t-elle pas de répondre.

– Mais, voyez-vous, nous ne pouvons pas donner plus que ce que nous avons...

Cela voulait-il dire qu'on allait abandonner tous ces gens à leur état ? renoncer ? Alice approuva vaguement et, estimant la conversation achevée, fit un pas, mais sœur Cécile la retint. Elle lui avait saisi le bras, sa main descendit au poignet, son autre main alla au visage, son pouce appuya sous son œil...

– Il y a en fait non pas trois, mais quatre cas... quelque peu urgents. Alice, avez-vous des problèmes de santé ?

Elle parlait et elle lui prenait le pouls, lui palpait la gorge, la conversation avait glissé vers l'examen clinique, Alice tenta de s'y soustraire.

– Cessez de bouger, dit sœur Cécile d'une voix ferme.

Sans demander la permission, elle avait posé sa main sur la poitrine d'Alice, près du cœur.

– Vous ne m'avez pas répondu, des problèmes de santé ?

– J'ai eu des craintes, mais…

– Cardiaques ?

Alice approuva silencieusement. La religieuse lui sourit.

– Il serait bon maintenant de vous reposer. En l'absence de place à l'hôpital, je doute que le père Désiré trouve une solution, mais…

– Oh, la coupa Alice, il va trouver, rassurez-vous, il va trouver.

Et il y avait dans sa voix une telle conviction que la religieuse en fut ébranlée.

– Sœur Cécile ! appelait l'abbé, tout sourire, debout sur le marchepied du camion qui s'apprêtait à sortir de la chapelle. Nous allons au-devant de la providence. Nous devrons prier en chemin que le Seigneur nous accorde Son aide, nous ne serons pas trop de deux pour solliciter Son intervention, je crois…

Moins d'une heure plus tard, le camion de Dieu entrait dans la caserne de Montcienne où venaient de prendre leurs quartiers plusieurs unités de la 29e division d'infanterie, celles qu'on avait vues passer près de la ferme de Cyprien Poiré.

L'irruption du camion de Dieu fit grande impression. Les soldats qui avaient reçu l'ordre de se replier avaient déjà le moral en berne, les rumeurs d'armistice couraient comme des rats, voir entrer cette immense croix, ce Jésus douloureux enrubanné d'une fumée blanche avec, à son pied, un curé en soutane noire levant les bras et appelant le ciel à son secours, ébranla tout le monde.

Le silence se fit, nombre d'hommes se signèrent précipitamment, le colonel Beauserfeuil descendit dans la cour.

La jeune religieuse qui sortit de la cabine serra la gorge de tous, des uns parce qu'elle était en cornette, des autres parce que, entièrement vêtue de blanc, elle survenait comme un ange.

Le père Désiré s'avança à son tour. Ce couple en imposait.

— Mon père...? dit le colonel, un homme au visage carré en forme de boîte, avec des yeux clairs et des favoris qui se fondaient dans une épaisse barbe blanche surmontée d'une moustache rousse, presque orangée.

— Mon fils...

À la manière respectueuse, déférente même, dont il le salua, Désiré comprit que ce colonel avait de la religion.

— Je crois bien que Dieu m'envoie vers vous...

Ils s'entretinrent dans le bureau improvisé du colonel.

Dans la cour, les soldats s'étaient mis à fumer en regardant la religieuse qui attendait sagement près du camion, au volant duquel Philippe le Belge était resté comme s'il craignait qu'on le lui vole. Un soldat osa s'avancer. Sœur Cécile fut bientôt au centre de toutes les attentions, on lui proposa du café, elle sourit enfin, de l'eau peut-être ? Elle déclina.

— Mais si vous pouviez nous céder quelques sacs de café, du sucre et des biscuits, j'accepterais volontiers...

Pendant ce temps, le père Désiré et le colonel Beauserfeuil regardaient par la fenêtre l'objet de la conversation : un véhicule lourd portant une grande croix rouge, élément opérationnel de l'hôpital militaire de campagne...

— C'est impossible, mon père, vous le comprenez bien...

— Mon fils, puis-je vous poser une question ?

Le colonel se contenta d'attendre.

— La radio l'a annoncé il y a quelques heures. Paris est

occupé par les troupes allemandes. Il paraît que le drapeau du Reich flotte sur la tour Eiffel. Selon vous, dans combien de temps le gouvernement va-t-il se rendre à l'ennemi ?

La formulation était blessante. Demander un armistice, c'était proposer la paix. Se rendre à l'ennemi, c'était accepter la défaite.

– Je ne vois pas…

– Je vais vous expliquer, mon fils. Combien avez-vous de blessés ici ?

– Euh… Pour le moment…

– Aucun, vous n'en avez aucun. Dans ma chapelle, une dizaine de personnes seront mortes demain et une autre dizaine après-demain. Peu m'importe ce que vous direz à votre hiérarchie, l'essentiel est ce que vous direz au Seigneur lorsque vous comparaîtrez devant Lui. Pourrez-vous, sans conséquence, Lui dire que vous avez préféré obéir à vos chefs plutôt qu'à votre conscience ? Souvenez-vous : « Les enfants d'Israël dirent à l'Éternel : "Dis-nous le chemin et nous l'emprunterons. Montre-nous la voie et nous la ferons nôtre"… »

Avant d'aller briller à Saint-Cyr, le colonel avait fait le petit séminaire. Mais il avait beau chercher, il ne se rappelait pas ce verset…

Déjà le père Désiré enchaînait :

– En cas de besoin, en moins de deux heures, ce véhicule peut être de retour ici. En attendant, à qui aura-t-il manqué ? Alors qu'à nous, mon fils… « La main de Dieu se pose là où le cœur de l'homme fait offrande de sa foi. »

Décidément, les souvenirs du colonel étaient plus lointains qu'il le pensait, parce que ce verset-là non plus ne lui disait rien.

Désiré, lui, n'était pas mécontent de ses trouvailles. Ah, il adorait ce boulot ! Improviser des versets, c'était comme réécrire la Bible.

Le camion sanitaire fit demi-tour et suivit le camion de Dieu. Le colonel se signa à son passage. Il emportait des médicaments, des pansements, des instruments et un médecin-major chargé de rapatrier le tout dans un délai maximum de quarante-huit heures.

Dans la cabine, sœur Cécile se tourna vers Désiré.

– Vous êtes très convaincant, mon père… De quel ordre m'avez-vous dit que vous releviez ?

– Saint Ignatius.

– Saint Ignatius… C'est étrange…

Comme le père Désiré la regardait avec curiosité, elle ajouta :

– Je veux dire, c'est peu fréquent.

Désiré perçut une infime nuance de fermeté dans la voix de la jeune femme, à quoi il répondit par un large sourire, le plus séducteur dont il disposât.

Qu'on ne se méprenne pas, Désiré n'était pas un homme à femmes. Ce n'était pas faute d'occasions, car ses multiples incarnations lui avaient bien souvent attiré les faveurs féminines. Avocat ou chirurgien, pilote d'avion ou instituteur, il plaisait. Or c'était une règle à laquelle il n'avait jamais dérogé : jamais de femmes pendant le service. Avant, oui ; après, volontiers ; mais pendant, jamais. Désiré était un professionnel.

Non, s'il souriait aussi joliment à sœur Cécile, c'était uniquement pour gagner du temps. Non pas le temps bref qui sépare la question de la réponse, mais celui, bien plus conséquent, que, homme ou femme, on accorde toujours aux gens qui nous séduisent. Leur charme suspend pour un moment notre incrédulité, on rejette à plus tard l'examen des raisons que l'on aurait de douter au profit du plaisir de l'instant.

Car les intonations de sœur Cécile ne relevaient pas de la moquerie. Elles éveillaient en lui une alerte qu'il repérait infailliblement. Quelqu'un doutait de son personnage.

Il n'y avait aucune exception au fait que ce signe avant-coureur conduisait tôt ou tard à l'obligation de s'enfuir, il y était accoutumé, mais une question le travaillait. Pourquoi était-ce arrivé si tôt, ils se connaissaient depuis moins d'une journée...

# 45

Raoul l'avait porté sur son dos dans le bois sur une centaine de mètres avant de le poser au sol, haletant.

– Bordel de merde, on les a eus, ces enfoirés, non ?

Il suffoquait, regardait autour de lui, l'air de ne pas y croire lui non plus, puis reprit Gabriel.

– Faut pas traîner, allez, en route.

Gabriel était sous le choc, le pistolet du capitaine restait tendu vers lui, le jeune communiste ne cessait de recevoir une balle dans la tête, le bruit du coup de feu l'emplissait encore, il en avait des nausées, sa jambe ne le portait plus, il serait tombé, il n'aurait plus bougé, il aurait attendu d'être trouvé et tué.

L'escadrille allemande, en fait, n'avait pas mitraillé la route. Des avions de reconnaissance peut-être, mais pourquoi avaient-ils alors piqué vers le sol ? Pour affoler les populations en fuite ? C'était possible. Cette guerre, on ne savait plus ce qu'elle voulait faire.

Ils avaient peut-être parcouru trois cents mètres dans le bois, déjà la route se dessinait à travers les arbustes. Gabriel réalisa alors que c'était celle par laquelle ils étaient arrivés.

Ils étaient revenus sur leurs pas !

Un peu plus loin le corps de Dorgeville devait pourrir dans le fossé, le petit communiste devait se raidir et d'autres sans doute.

– Allez, viens par ici, mon sergent-chef, tu vas monter là-dedans.

C'était, garé sur le bas-côté, un véhicule de déménagement portant un nom italien peint sur la bâche, ils l'avaient dépassé peu de temps avant que surgissent le capitaine, son pistolet et ses Annamites, et l'adjudant essoufflé qui demandait d'arrêter.

– C'est pas logique de revenir par ici, tu comprends, expliqua Raoul en hissant Gabriel sur le plateau du véhicule. Ils n'auront pas l'idée. Ils vont nous chercher devant, dans la ligne de fuite, vers la Loire, jamais derrière.

Gabriel se recroquevilla en chien de fusil avec une épouvantable envie de dormir, Raoul surveillait la route par un trou dans la bâche.

– Vas-y, mon pote, disait-il sans se retourner, ça va te faire du bien.

Gabriel, harassé de fatigue, s'endormit aussitôt.


Il se souvenait, le matin, de s'être réveillé, puis, comme si le choc n'était pas encore passé, Gabriel avait sombré à nouveau dans le sommeil.

Maintenant, il était seul.

Il parvint à rouler sur le côté puis à ramper jusqu'à la bâche. Le véhicule était garé sur le côté de la route qu'on voyait serpenter paresseusement sous le soleil matinal, le flux des marcheurs s'était un peu tari. Leur densité répondait à la règle du hasard qui dispose les éléments par grappes. Vous en aviez des centaines puis, pendant quelques heures, on n'en voyait plus guère, le flot reprenait plus tard. Gabriel vit surtout des cyclistes chargés de sacs. Faute d'essence, il n'y avait quasiment plus de véhicules à moteur.

Soudain, Gabriel se plaqua au sol. Une colonne de camions militaires passa. Armée française. Eux avaient du carburant. Comme les réfugiés, ils semblaient longer la Loire. Où allaient-ils ? Alors, il se souvint : « Reste là, avait dit Raoul. Je vais faire un tour. » Mon Dieu… Ils avaient failli être abattus sur le bord d'une route. Après leur fuite et l'agression sur le capitaine, s'ils étaient arrêtés, ils seraient passés par les armes, et Raoul était parti « faire un tour », comme s'ils avaient pris une chambre dans un hôtel d'une ville étrangère et que Landrade avait été pressé d'aller faire du tourisme. Le convoi de véhicules militaires faisait trembler la route. Et si Raoul était capturé, qu'est-ce que je deviendrais ? se demanda Gabriel, qui se serait giflé de penser une chose pareille. Landrade lui avait sauvé la vie et lui s'inquiétait pour sa petite personne…

Ce scrupule ne dura pas plus que l'écoulement de la colonne militaire, chenille aveugle et laborieuse qui laissait derrière elle un vide terrible, comme une désertion. Gabriel regarda autour de lui. Le camion dans lequel il se trouvait n'était pas un gros engin. Un buffet Henri II sanglé contre les ridelles occupait l'essentiel de l'espace, les gens avaient emporté de ces choses… Traînaient au sol des sacs en toile de jute éventrés, des caisses brisées, de la paille, les pilleurs étaient passés par là.

Gabriel sentait sa jambe engourdie, mais les linges qui l'entouraient n'étaient pas sanguinolents. Il entreprit de dérouler les bandages pour regarder la plaie. Elle suppurait.

Cela lui fit peur. En percevant un bruit de voix, Gabriel se plaqua précipitamment contre le buffet. C'était Raoul disant :

– Un lapin entier, la chance, hein !

Il passa la tête par la bâche.

– Alors, mon sergent-chef, on est d'attaque ?

Mais il ne lui laissa pas le temps de réagir, déjà il se tournait vers la route en répétant :

– Bon Dieu de merde ! Un lapin entier, on se fait pas chier !

Cette image de lapin réveilla la faim de Gabriel. Depuis quand n'avaient-ils pas mangé ? Voilà aussi qui devait concourir à sa faiblesse. Mais un lapin...

– Comment on va le faire cuire ? demanda-t-il.

Nouvelle apparition du visage de Raoul, hilare.

– Pas la peine, y a plus de lapin, mon pote ! Il l'a bouffé tout entier !

Gabriel se pencha hors du camion.

– Je te présente Michel, dit Landrade.

C'était un énorme chien au pelage strié de gris, avec une tache blanche au poitrail, une grosse truffe noire et une langue rose d'une trentaine de centimètres... Il devait peser dans les soixante-dix kilos.

– C'est comme ça qu'on a fait ami-ami avec Michel. J'avais trouvé un lapin, je lui ai donné à bouffer. Maintenant, entre lui et moi, c'est à la vie à la mort. Pas vrai, Michel ?

– Mais ce lapin, objecta timidement Gabriel, on aurait pu tenter de le faire cuire et...

– Bah oui, je sais, mais on est toujours récompensé d'une bonne action. Tiens, la preuve, devine un peu ce qu'on te rapporte.

Gabriel dut sortir la tête du camion pour découvrir une

large caisse en bois montée sur quatre roues en fer, qui portait encore la publicité « Mon savon, c'est Monsavon » en lettres bleues. Et tout s'éclaira lorsqu'il s'aperçut que Raoul avait enroulé une ficelle autour du poitrail de Michel.

– Si monsieur le baron veut bien se donner la peine...

C'est ainsi que Michel tirant la caisse à savon dans laquelle Gabriel avait pris place suivit Raoul Landrade qui chantait à tue-tête :

– On les aura ! Nous vaincrons parce que nous sommes les plus forts !

Résultat d'un étrange croisement dans lequel on devait trouver du cane corso, le chien, d'une rare puissance et d'une placidité à toute épreuve, tirait la charrette avec aisance. Lorsque Landrade s'arrêta de chanter, ils n'eurent plus pour les accompagner que le bruit strident, crispant des roues en fer sur la route qui vous cisaillait l'âme.

Raoul avait profité de son escapade du matin pour se repérer.

– Saint-Rémy-sur-Loire est par là, à une douzaine de kilomètres, avait-il expliqué. Mais là-bas, on risque d'être reconnus. Le mieux, c'est d'éviter Saint-Rémy et de filer jusqu'à Villeneuve. Là, on devrait être tranquilles. Et on trouvera ce qu'il faut pour ta jambe.

Le plan de Raoul consistait à aller vers le sud. Ils étaient deux déserteurs coupables de pillage, sans doute recherchés, et des prisonniers évadés. Il était judicieux d'éviter les ponts comme les routes de grand passage. Plus tard, ils pourraient repiquer vers l'est et tenter de traverser la Loire pour gagner Villeneuve, ensuite, on verrait bien.

Dès la première pause, tous deux comprirent que ce stratagème astucieux trouverait vite ses limites. Michel avait besoin de boire beaucoup et on devinait quelle quantité de nourriture lui serait nécessaire... Raoul l'avait découvert attaché dans la cour d'une maison en bordure de village. Les propriétaires devaient craindre qu'il ne les suive... Dès qu'ils s'arrêtaient, Michel venait poser sa truffe sur les genoux de Raoul.

– Il est chouette, ce clébard, non ?

Gabriel avait en mémoire un certain petit singe de cirque dont Landrade était tombé fou et qui n'avait pas bien terminé. La taille de Michel interdirait à Raoul de le balancer dans un fossé, mais on voyait mal comment allait s'achever cette nouvelle aventure.

Leur feuille de route les condamnait à faire des tours et des détours sur des routes secondaires pour ne pas se mêler au flot des réfugiés qui, eux, allaient au plus direct. Le chemin était plus long, il serait plus difficile de trouver à manger... Et la blessure de Gabriel aurait eu besoin de soins.

– C'est rien, disait Raoul, mais il faudrait drainer...

Ils n'avaient évidemment rien pour le faire.

# 46

Louise était allée chercher les enfants dans la charrette garée dehors. Elle les avait nourris dans le café même. La femme, qui les avait gardés pendant qu'elle préparait le riz et la soupe, les installa au fond de la salle.

– Eh là ! avait crié le patron depuis le comptoir. Pas sur le billard, vous allez tout saloper !

– Fais pas chier, Raymond…, avait répondu la femme sans le regarder.

Louise ne sut jamais qui elle était : sa femme, sa mère, une cliente, une voisine, sa maîtresse ?

Le bruit des verres au comptoir, le chuintement du percolateur, le claquement de la porcelaine sur le zinc… L'établissement sonnait un peu comme La Petite Bohème. Qu'était-il arrivé à M. Jules ? Louise n'imaginait pas qu'il soit mort. Elle cherchait à se persuader qu'il était vivant et, la plupart du temps, elle y parvenait.

Cette dernière heure l'avait vidée. Elle non plus n'avait pas mangé depuis longtemps. Elle se sentait sale.

La femme l'avait conduite dans l'arrière-salle où il y avait un robinet et un évier. Elle sortit deux torchons rêches d'un placard, désigna le morceau de savon et ajouta :

– Je ferme à clé. Tapez sur la porte quand vous aurez terminé.

Ce fut une toilette comme doivent en faire les prostituées dans les chambres d'hôtel, c'est cela qui lui vint à l'esprit. Elle lava et rinça sa culotte et la remit mouillée.

Avant de frapper à la porte, elle se hissa sur la pointe des pieds, ouvrit la porte du placard, attrapa des torchons, les fourra sous sa blouse, respira à fond, mais elle les reposa.

– Prenez-les quand même, dit la femme, vous en aurez besoin plus tard.

La femme avait changé les enfants pendant l'absence de Louise. Elle comprit qu'il fallait partir. Cette femme avait fait à peu près tout ce qu'elle pouvait.

– Merci, dit Louise. Vous savez où je pourrais déposer les enfants, ce ne sont pas les miens… ?

Oui, elle était allée à la mairie. Non, la Croix-Rouge, ça n'était pas possible. Alors peut-être la préfecture. La femme répondait maintenant d'une voix saccadée, comme si elle avait peur que Louise ne laisse les trois enfants sur le billard et se sauve.

Alors Louise fut de nouveau dans la rue.

On lui avait donné deux bouteilles d'eau, l'eau de riz dans un bocal à cornichons et les torchons. La femme avait roulé un petit morceau de savon dans du papier journal. Louise se sentait moins sale, les enfants avaient été changés, nourris. Mais tout serait à refaire dans quelques heures. Une fatigue épouvantable la saisit. Elle s'aperçut qu'elle n'avait pas posé la petite auprès des jumeaux, elle l'avait conservée dans le creux de son bras et poussait la charrette avec l'autre, ce qui était difficile.

Mentalement, elle fit la liste de ce qu'elle devait trouver absolument.

Elle croisa une femme qui poussait un landau.

– Pardon, vous n'auriez pas un lange à me céder ?

La femme n'en avait pas. Près de la fontaine, elle demanda à une autre :

– Vous pourriez me donner une poignée de lessive ?

Et comme elle n'avait pas un sou sur elle :

– Vous n'auriez pas deux francs à me donner, on vend des pommes là-bas...

Insensiblement, sans même s'en rendre compte, Louise devint mendiante.

Elle avait quitté Paris pour retrouver un certain Raoul Landrade, elle aurait pu être une de ces femmes qui, comme elle l'avait vu à la gare du Nord, passent entre les rangs en tendant une photographie. Au lieu de quoi, elle tendait la main aux réfugiés pour quémander un quignon de pain, un verre de lait, un morceau de sucre.

La misère est une institutrice infaillible. Louise apprit en quelques heures à prononcer les mots qui convenaient selon qu'elle sollicitait un homme ou une femme, quelqu'un de jeune ou de vieux, à présenter le visage empourpré par la confusion ou la mine tendue du désespoir.

– La mienne s'appelle Madeleine, et la vôtre ?

Après quoi, l'air de rien, elle demandait :

– Vous n'auriez pas une brassière à me céder pour les grands, même du deux ans pourrait convenir...

En fin d'après-midi, elle avait récupéré de quoi changer les trois enfants (elle refit la queue à la fontaine du centre-ville) et nourrir les deux grands. Elle avait un kilo de pommes, trois langes, des épingles à linge, un morceau de

466

ficelle de plus d'un mètre. Un jeune papa, dans le dos de sa femme, lui donna une barboteuse qui se révéla trop grande quand elle l'eut passée à l'un des jumeaux. Elle avait aussi trouvé un morceau de bâche qu'elle avait roulé dans la charrette, en prévision de la pluie. Cette charrette en fin de journée devenait très lourde à tirer. De mendiante à voleuse, il n'y avait pas si loin, elle lorgna des landaus. Elle resta un long moment à faire mine d'attendre quelqu'un, surveillant une mère qui aurait besoin de laisser sa poussette un instant sur le trottoir, mais lorsqu'il s'agit de passer à l'acte, elle se ravisa et s'éloigna à grands pas, honteuse non d'avoir projeté de voler, mais de sa lâcheté, je ferais une bien mauvaise mère, se disait-elle, mais elle continuait de pousser sa charrette de la main gauche parce qu'elle tenait toujours le bébé sur le bras droit, elle ne cessait de lui parler, de lui chanter des berceuses, marchant ainsi dans la rue avec son accoutrement de bohémienne, elle avait l'air d'une folle.

En fin de journée, elle était harassée.

Parce qu'elle y était maintenant quelque chose comme une mendigote (c'était un mot de M. Jules, ça, « mendigote »), Louise prit cette ville en grippe. Puisqu'il n'était pas possible de trouver un refuge pour ces enfants, elle décida de partir, elle aurait peut-être davantage de chance dans la campagne. Devait-elle aller jusqu'à la préfecture, quelqu'un le lui avait conseillé. Laisser les enfants dans une ferme, peut-être ? Le souvenir des Thénardier la fit frémir, elle pressa le pas.

Elle sortit de la ville et emprunta la grand-route qui partait vers Villeneuve.

Les diarrhées du bébé étaient revenues, elle dut le changer deux fois coup sur coup, ça ne pouvait pas durer comme ça, tous les torchons y étaient passés, la petite présentait un ventre ballonné et pleurait sans discontinuer, elle souffrait.

C'est alors que la pluie arriva. Une pluie à grosses gouttes qui promettait de s'intensifier, le ciel était noir au-dessus d'elle, les rares véhicules qui passaient éclaboussaient d'eau le bas-côté, elle eut bientôt les pieds gelés. Elle sortit en hâte le morceau de bâche qu'elle essaya de tendre au-dessus des enfants avec la cordelette et les épingles à linge, mais le vent l'emporta, elle le vit s'élever et battre des ailes en virevoltant dans le ciel comme un milan pris au lacet.

Elle attrapa tout ce dont elle disposait comme linge pour en recouvrir les petits qui, effrayés par le premier éclair, se mirent à hurler.

Elle pensa à abandonner les jumeaux. Elle allait rebrousser chemin et les déposer dans une église. Puisqu'elle les avait recueillis, si elle les laissait dans une église, quelqu'un d'autre viendrait les prendre. Elle pleurait, mais la pluie noyait tout, ses larmes, la route, les arbres, on n'y voyait plus à trois mètres. Elle continuait d'entasser les lainages, n'ayez pas peur, criait-elle pour couvrir le tonnerre qui grondait, pensant, oui, quelqu'un qui saurait s'en occuper, pas quelqu'un comme moi. La foudre s'abattit quelque part dans le champ, sur sa droite, faisant hurler les trois enfants.

Louise regarda le ciel, écarta les mains, c'était la fin.

Transpercée par cette pluie sauvage, elle devint délirante, vit des visages terrifiants dans les énormes nuages noirs qui roulaient au-dessus d'elle, des épées et des lances dans les éclairs. Elle crut que la foudre venait de tomber sur elle lorsqu'elle aperçut, sur fond de nuages qui tonnaient comme une voix d'ogre, une immense croix se profiler sur la route, au-dessus d'elle. Mais cette croix était bien réelle, posée sur un camion.

Un homme sauta jusqu'à elle, les cheveux plaqués par la pluie, souriant comme un ange, un jeune homme vêtu d'une soutane noire.

– Ma sœur, cria-t-il pour couvrir les roulements de tonnerre, je crois que Dieu vient d'avoir pitié de vous...

# 47

La longue marche pénitentiaire s'était achevée dans la soirée sur le grand terrain d'aviation au nord de Saint-Rémy.

Maintenant, les détenus étaient assis, sans distinction de groupe, comme en vrac, sur la piste en ciment.

– Ils sont tous là ? demanda le capitaine Howsler.

– J'en ai bien peur…, répondit Fernand.

L'officier pâlit. Aucun doute, les prisonniers étaient nettement moins nombreux qu'au départ.

– Procédez à l'appel ! cria le capitaine.

Les sous-officiers exhumèrent leurs listes chiffonnées et commencèrent une litanie de noms sans cesse scandée de silences qu'ils clôturaient par un « manquant » prononcé d'une voix forte. Le capitaine faisait les cent pas en boitant légèrement, le coup porté au mollet par Raoul Landrade avait laissé des séquelles. Fernand fut chargé de regrouper les informations, il les nota sur sa propre liste et tendit le résultat.

– Quatre cent trente-six hommes sont manquants, mon capitaine.

Plus du tiers des prisonniers s'étaient fait la belle. Il y avait maintenant sur la route pas loin de cinq cents pillards, voleurs, anarchistes, communistes, réfractaires et autres saboteurs en liberté. Du point de vue même du commandement, l'armée venait de renforcer la cinquième colonne d'un stock considérable de traîtres et d'espions...

– Plusieurs manquants, mon capitaine, sont dus à des décès...

Cette information sembla ragaillardir l'officier. Dans une guerre, un manquant, c'est un échec ; un mort, c'est une victoire. Les sous-officiers furent appelés au rapport. On dénombra les morts. On nota les causes.

– Treize au total, mon capitaine, annonça Fernand. Six fuyards ont été abattus. Sept autres détenus ont été...

Comment dire ?

– Oui ? l'encouragea le capitaine.

Fernand ne savait pas.

– Ce sont des...

– Des traînards, adjudant-chef, des traînards !

– C'est cela, mon capitaine, des traînards qui ont été abattus eux aussi.

– Conformément aux ordres !

– Conformément aux ordres, absolument, mon capitaine.


On ne s'y attendait pas, mais un ravitaillement était prévu. Pour près de mille hommes. On avait crevé de faim au camp des Gravières, maintenant on avait quasiment trop à distribuer.

– Dites-moi, adjudant-chef...

Fernand se retourna. Le capitaine l'avait pris à part.

– Vous allez me faire un rapport sur ce qui s'est passé au kilomètre 24, n'est-ce pas ?

C'est ainsi qu'on appellerait dorénavant «l'incident» auquel il avait participé directement, le kilomètre 24.

– Dès que possible, mon capitaine.

– Faites-moi déjà votre rapport oral, que je voie ce que vous allez y mettre.

– Eh bien, mon capitaine...

– Avancez, avancez !

– Très bien. Après avoir fait abattre trois traînards au kilomètre 23, vous avez achevé un malade au kilomètre suivant d'une balle dans la tête. Vous vous apprêtiez à faire de même pour un autre détenu souffrant de la jambe...

– Qui traînait la jambe !

– Absolument, mon capitaine ! Lorsqu'une escadrille allemande passant au-dessus de la route a créé une diversion, dont un détenu a profité pour vous faire chuter et s'évader en compagnie d'un complice.

Le capitaine avait la bouche ouverte et fixait Fernand comme s'il le voyait pour la première fois.

– Excellent, adjudant, excellent ! Et vous-même, qu'avez-vous fait lors de cette évasion ?

– J'ai tiré par deux fois, mon capitaine. Malheureusement, mon tir a été perturbé...

– Par...?

– Par mon souci de venir en aide à mon supérieur qui venait d'être blessé, mon capitaine.

– Impeccable ! Et vous avez poursuivi les fugitifs...

– Tout à fait, mon capitaine, je me suis élancé à leur poursuite, évidemment.

– Et...?

– Et j'ai tourné sur ma gauche, mon capitaine, alors que les fugitifs, sans doute, avaient tourné à droite.

– Et... ?

– Mon devoir ne consistait pas à courir après deux fugitifs, mon capitaine, mais à escorter cent vingt prisonniers jusqu'à Saint-Rémy-sur-Loire !

– Parfait...

Il était vraiment content. Tout le monde avait fait son devoir. Personne n'avait rien à se reprocher.

– Bien sûr, il me faut votre rapport avant votre départ.

La formulation alerta Fernand.

– Précisément, mes hommes me demandent quand ils seront relevés de leur mission, mon capitaine.

– Au départ des prisonniers vers la base de Bonnerin.

– C'est-à-dire...

– On ne sait pas encore, adjudant-chef. Un jour, deux jours, j'attends les instructions.

Ça n'en finissait pas.


Ce terrain d'aviation était encore moins bien équipé que le camp des Gravières pour accueillir six cents hommes. On y avait trouvé des tentes de campagne, mais il n'y avait pas de lits. Les repas étaient arrivés en nombre suffisant, mais il n'y avait pas de quoi réchauffer, on mangea la soupe froide, de toute manière, chaude elle n'aurait pas été bien meilleure.

Fernand avait rassemblé le groupe de détenus dont il était responsable. Sur la centaine du départ, il en restait soixante-sept. « Vingt-trois pour cent de manquants, se dit-il, c'est bien meilleur que la moyenne générale. »

Il décida que la discipline serait relâchée, juste ce qu'il faut.

– Nous ne savons pas combien de temps nous allons devoir attendre ici, expliqua-t-il à ses hommes.

– Parce que ça va être long ?

Bornier avait souvent besoin qu'on lui répète les choses, Fernand y était accoutumé.

– Personne ne le sait. Mais si ça venait à durer, nos lascars ne tarderaient pas à s'énerver. Autant leur donner un peu d'air dès maintenant.

En toute chose, l'anticipation échappait totalement au caporal-chef Bornier, mais, contrairement à son habitude, il ne hurla pas. Lui aussi avait été secoué par l'événement du kilomètre 24 et en portait encore tout le poids.

On laissa donc les détenus parler entre eux. Les groupes, les clans s'étaient reformés, ces choses-là survivent à tout, mais dans l'ensemble, les prisonniers étaient très partagés. Certains pensaient qu'ils avaient raté le coche et auraient dû tenter l'évasion. D'autres estimaient qu'ils étaient encore vivants justement parce qu'ils n'avaient rien tenté. Les communistes avaient perdu trois des leurs, les cagoulards deux, les anarchistes deux aussi, etc. Tous savaient maintenant avec certitude que les menaces de l'encadrement n'étaient pas une figure de rhétorique.

La nuit sur le terrain d'aviation fut très silencieuse. On n'entendit que les vols des appareils allemands haut dans le ciel. On s'y était fait.

Fernand remuait de sales pensées sur lui-même. Comme il n'y avait rien d'autre de disponible, il s'était fait un oreiller avec son sac marin. Il dormait sur quelque chose comme un demi-million de francs. Cet argent, pour lequel il n'avait pas quitté Paris avec Alice, le dégoûtait. Quel gâchis. Il était devenu voleur pour assouvir un fantasme que la guerre s'était chargée de faire exploser en plein vol. Il aurait été mieux avisé de conduire sa mission convenablement... À la liste des reproches qu'il s'adressait (voleur, menteur, lâcheur, etc.), il pouvait maintenant ajouter traître. Il avait eu dans son viseur le dos des deux fuyards et avait délibérément tiré en l'air. Sans réfléchir. Ce réflexe, il le comprenait maintenant : il venait de voir le capitaine tuer un prisonnier d'une balle dans la tête, il ne s'imaginait pas capable de tirer dans le dos d'un homme désarmé, d'autant que ce prisonnier était précisément celui à qui il avait remis, quelques heures plus tôt, une lettre de sa fiancée, ça ne créait pas des liens mais ça rapprochait.

Fernand se retourna furieusement. Il glissa la main dans son sac, rencontra des billets de banque, chercha son livre, le trouva, le serra. Alice lui manquait terriblement.

## 48

– L'orage n'est pas venu jusqu'à nous ? demanda le père Désiré, surpris, en descendant du camion.

– Non, Dieu soit loué ! dit Alice, qui pensait à ce qu'il aurait fallu faire en urgence pour protéger l'extérieur du camp si l'orage avait choisi de faire halte à la chapelle Bérault.

– Oui, Dieu soit loué ! dit le père Désiré.

– Qu'est-ce qui vous est arrivé, mon père ?

Il était trempé de la tête aux pieds. Sa soutane dégoulinait d'eau.

– Un don du Ciel, ma fille. Ou plutôt quatre !

Ce disant, il ouvrit la porte de la cabine du camion et en fit descendre une jeune femme aux yeux hagards, portant un bébé dans les bras. Alice, aussitôt, en fut émue. On ne se représente jamais la Sainte Vierge comme une petite grosse, et si Alice avait dû dire comment elle l'imaginait, elle aurait dit : la voici. Cette jolie femme au visage ferme, presque sévère, avait souffert, ses traits étaient tirés, mais, sans doute parce qu'elle tenait ce bébé dans ses bras, qu'elle le serrait contre sa poitrine, il s'exhalait d'elle quelque chose de simple et de farouche, d'une sensualité animale. Elle aussi était trempée. Alice courut chercher une couverture qu'elle lui mit sur les épaules.

Le père Désiré, lui, pour ménager de la place à cette mère et à ses enfants, avait fait le voyage sur le plateau du camion balayé par l'orage. Lorsqu'elle se retournait pour le regarder par la petite vitre arrière, Louise le voyait debout malgré les mouvements du véhicule, les bras largement ouverts, le visage tendu vers le ciel qui se déchaînait, hurlant face à la croix de Jésus : « Merci, Seigneur, pour Tes bontés ! »

Désiré était très en forme.

Louise fit deux pas, tenta un sourire, tendit le bébé à Alice, puis elle fit descendre de la cabine les jumeaux, deux petits êtres affolés qui regardaient autour d'eux avec une avidité mêlée de crainte.

– Mon Dieu…, dit Alice.

– C'est aussi ce que je me suis dit, répondit le père Désiré.

Ce que découvrait Louise échappait à son entendement.

Elle sortait d'une ville rendue sauvage par la guerre, dans laquelle faire survivre trois enfants en bas âge relevait du défi. Elle avait maintenant sous les yeux une sorte de camp de bohémiens fait de toiles accrochées, de fils tendus, de sacs de couchage en paille, de caisses empilées, grouillant d'activité, avec là-bas une rôtissoire sur laquelle tournaient des volailles, derrière, un potager surplombé de tuyaux gris cendre qui amenaient de l'eau, plus loin encore, un veau à l'enclos au regard doux et naïf près d'un carré dévasté où vaquaient quatre cochons et au centre un énorme camion militaire à croix rouge avec, au-dessus de l'escalier métallique qui conduisait à la porte, un auvent de fortune. Et partout des hommes occupés, des femmes affairées, du linge qui séchait, des tables qu'on dressait sur des pierres tombales, des enfants qui couraient entre les tentes, des poissons frais que quelqu'un avait déversés sur l'herbe et que des femmes, couteau en main, ouvraient et vidaient. Il y avait sur la droite une sorte de carré des anciens où, sur toutes sortes de chaises et de fauteuils rapiécés, des personnes âgées devisaient, et sur la gauche un enclos, comme un poulailler, mais qui renfermait des petits enfants qui se jetaient en riant de l'eau à la figure, couraient, tombaient, se relevaient. Bientôt une femme en blouse noire à l'allure de paysanne enjamba la clôture en disant d'une voix ferme et douce : «Ça suffit, les enfants, on va se calmer maintenant ! »

— Bienvenue, ma sœur, dans la maison du Seigneur.

Louise se retourna et regarda ce jeune curé qui était survenu comme une apparition. Âgé d'une trentaine d'années, il avait des yeux brillants, des sourcils fins, un menton volontaire. Et un sourire simple, franc, d'une gaieté limpide.

— Alors, qu'est-ce qu'il a, ce bébé ?

Sœur Cécile lui palpait déjà le ventre, l'œil soucieux.

— Je n'ai pas pu le nourrir corr… Il n'est pas…

— Il faut lui faire un biberon, tout va rentrer dans l'ordre, rassurez-vous.

Elle s'éloigna aussitôt vers d'autres tâches.

— Bien, dit le père Désiré, Alice va s'occuper de vous, et quand cet ange aura pris son biberon, nous vous trouverons une petite place. Je m'occupe de ces deux-là, ne vous inquiétez pas, ce sont des jumeaux, n'est-ce pas ?

— Ce ne sont pas les miens…, commença Louise mais le prêtre était déjà parti.

Il y avait de l'autre côté de la chapelle une nursery improvisée où séchaient des langes et où, sur une table, se trouvait un ensemble hétéroclite de produits sanitaires, savons, talc, lotions, lessives, biberons, tétines, tous de différentes marques, de différentes provenances.

Louise changea le bébé. Alice prépara un biberon d'une bouillie liquide dont elle testa la chaleur sur le dos de sa main, ça devrait aller. Louise jetait un regard envieux sur Alice, sur sa poitrine, le genre dont toutes les femmes devaient rêver.

En se faisant ces réflexions, Louise se bagarrait avec le lange.

– C'est plus pratique si vous passez le pan de ce côté-ci...

– Oui, bien sûr, balbutia-t-elle. C'est la fatigue...

– Puis en dessous, comme ça, et vous repassez ici...

Le bébé fut enfin emmailloté.

– Comment s'appelle-t-elle ? demanda Alice.

– Madeleine.

– Et vous ?

– Louise.

Ensuite, ce fut la cérémonie du biberon, que l'enfant avala avec avidité.

– Venez ici, dit Alice en l'entraînant plus loin, nous serons mieux.

Le père Désiré, marteau en main, consolidait l'enclos qui abritait les cochons. La nuit descendait. Les deux femmes s'assirent sur un banc de pierre, près de l'entrée de la chapelle. De là, elles voyaient le camp dans son ensemble.

– Impressionnant..., dit Louise.

Elle était sincère.

– Oui, dit Alice.

– Je parlais du père abbé.

– Moi aussi.

Elles se sourirent.

– D'où vient-il ?

– Je n'ai pas très bien compris, répondit Alice en fronçant les sourcils, il me l'a dit… Mais peu importe, l'essentiel, c'est qu'il soit là ! Et vous, d'où venez-vous ?

– Paris. Nous sommes partis lundi dernier…

La petite avait fait son rot et commençait à somnoler.

– À cause des Allemands ?

– Non…

Louise avait répondu trop vite. Pouvait-elle expliquer qu'elle avait quitté Paris pour chercher un demi-frère dont elle avait appris l'existence quelques jours plus tôt, qu'elle s'était lancée en toute inconscience sur les routes de la débâcle en compagnie d'un patron de restaurant en charentaises qui…

– Enfin, oui, se reprit-elle. À cause des Allemands.

Alice expliqua alors à Louise ce qu'elle savait du camp, comment le père Désiré l'avait fabriqué de ses propres mains. Il y avait dans sa voix, lorsqu'elle décrivait son inlassable activité, de l'admiration, mais aussi une nuance d'amusement, presque de moquerie.

– Le père Désiré vous amuse ?

– J'avoue que oui. Tout dépend de la manière dont vous le regardez. D'un côté, c'est un prêtre, de l'autre, c'est un enfant. On ne sait jamais lequel va prendre le pas sur l'autre, c'est assez surprenant.

Après un court silence pendant lequel Alice chercha ses mots, elle se lança :

– Vos enfants… Il y a un papa ?

Louise rougit, ouvrit la bouche, ne sut quoi dire. Alice regardait ailleurs.

– Vos jumeaux sont là-bas (elle désignait la chapelle). C'est là qu'on regroupe les enfants les plus jeunes dans la journée, il y a trois femmes pour s'en occuper, par roulement.

– Si je peux aider, moi aussi...

Alice lui sourit gentiment.

– Vous venez d'arriver, prenez votre temps.

# 49

Ils dormirent la première nuit dans une grange après avoir partagé des fruits grappillés dans un verger et mangé des salades crues. Michel avait flairé fruits et salades, puis il était parti.

La paille sentait bon, la campagne était calme, et si Gabriel n'avait pas été aussi inquiet pour sa jambe, il se serait endormi presque heureux.

— Tu penses qu'il va revenir ? demanda Raoul, soucieux.

La grange était plongée dans l'obscurité.

— Il a faim, répondit Gabriel, qui opta pour la sincérité. Il va devoir s'éloigner pas mal pour trouver quelque chose. Après, je ne sais pas s'il va revenir…

Les deux hommes sentaient parfois une souris passer furtivement entre leurs pieds.

— Pourquoi tu as déchiré ta lettre ? reprit Gabriel après un silence.

— J'en avais marre d'y penser… Mais ça continue de me remuer.

— À cause de…

— De cette salope.

— Elle était si vache avec toi ?

– Tu ne peux pas savoir. Tu trouveras pas beaucoup de mômes à avoir passé autant d'heures dans une cave sans lumière. Je ne disais jamais rien, ça la foutait hors d'elle. Ce qu'elle aurait voulu, c'est que je chiale, c'est ça qu'elle voulait, me voir chialer. Me voir supplier. Mais plus elle me corrigeait, plus elle m'enfermait, plus je lui tenais tête. À dix ans, j'aurais été assez fort pour la tuer. Mais je me contentais d'en rêver, jamais de rébellion, elle ne m'a jamais entendu me plaindre, je n'ai jamais levé la main sur elle, je la regardais fixement, sans rien dire, ça la rendait dingue.

– Tu t'es demandé pourquoi elle…

– Je me dis qu'elle a eu envie d'un autre môme, qu'après une fille, elle a voulu un garçon. Mais qu'elle ne pouvait plus en avoir. Je ne vois pas d'autre raison. Alors ils m'ont pris chez les pupilles de la nation et…

L'explication ne lui convenait pas, mais elle lui faisait toujours aussi mal. Et il n'en avait pas d'autre.

– J'ai dû décevoir.

Phrase terrible.

– Ils ne pouvaient pas me rendre, ça ne se fait pas, c'est la loi qui veut ça, tu prends un môme, mais si tu tombes sur un tocard, tu dois faire avec.

– Adopter un nourrisson de quatre mois…

– Pour se donner l'impression de l'avoir fait soi-même, il n'y a pas mieux.

On sentait que sa théorie avait longuement maturé, Raoul avait réponse à tout.

– Dans la famille, il n'y avait personne pour te défendre ?

– Il y avait Henriette, mais elle était jeune. Et le vieux, lui, il n'était jamais là, toujours en visite. Ou à son cabinet. Dans la salle d'attente, il y avait des gens jusqu'à pas d'heure, on ne le voyait jamais. Il pensait que j'étais un enfant difficile à élever. Il plaignait sa femme...

Tard dans la nuit, Michel regagna la grange. Il sentait épouvantablement la charogne, mais Raoul le laissa venir contre lui.

La nuit ne fut pas bénéfique à la blessure de Gabriel.

Au matin, la plaie était plus purulente que la veille.

Raoul trancha :

— Maintenant, mon sergent-chef, il te faut un toubib, du matériel, un drain, des pansements propres.

On voyait mal comment ce serait possible. La ville la plus proche restait Saint-Rémy-sur-Loire, qu'ils avaient espéré fuir et sur laquelle ils étaient maintenant contraints de piquer. Le fleuve se trouvait quelque part sur leur gauche, mais pour trouver un pont, il faudrait faire pas mal de kilomètres...

On attela Michel, on se dirigea vers la Loire.

Si on trouvait un moyen de passer de l'autre côté, on laisserait le chien sur cette rive. C'était la décision de Raoul. Le nourrir allait être acrobatique. Sans compter que le trio, assez spectaculaire, ne manquerait pas d'attirer l'attention. Michel ne pouvait pas faire partie du voyage.

Gabriel sentait bien que l'affaire était mal engagée, parce que Raoul avait perdu son bel entrain et montrait un visage tendu, anxieux. Lui si plein de ressources ne voyait ni comment ils passeraient la Loire, ni comment ils rejoindraient Saint-Rémy, ils risquaient d'être arrêtés par un quelconque gendarme ou un soldat, et ils ne savaient même pas où en était l'armée allemande. Peut-être aussi la perspective d'abandonner à son tour Michel, comme ses propriétaires l'avaient fait, le conduisait-elle à ruminer de sombres pensées.

Ils abordèrent la Loire en fin de matinée. À cet endroit, elle n'était pas très large, mais c'était tout de même un fleuve impressionnant, il y avait bien une centaine de mètres à franchir pour parvenir de l'autre côté, sans compter le courant.

– Toi, dit-il à Michel, tu montes la garde. Quelqu'un arrive, tu le bouffes, ça te calera...

Et il disparut.

Une heure passa, puis une seconde. Jamais Gabriel ne crut que Raoul s'était enfui. C'était une certitude étrange. Peut-être lui était-elle nécessaire parce que sa jambe le faisait souffrir, qu'il lui était devenu impossible de la palper, le mot de gangrène l'obsédait, imaginer Raoul l'abandonner était au-dessus de ses forces.

Il était presque seize heures lorsque Michel se leva, renifla l'air et disparut. Vingt minutes plus tard, il revint accompagné de Raoul qui jurait comme un charretier. Mais sa voix ne venait pas du champ, ni du chemin de gauche, mais de la droite, du fleuve. Il avait déniché une barque de pêche assez loin en amont et l'avait amenée jusqu'ici en la halant depuis la rive, ce qui en aurait tué plus d'un.

– On va traverser à la rame ? demanda Gabriel, affolé.

– Bah non, dit Raoul, j'ai la barque, mais il n'y avait pas de rames.

Il était crotté jusqu'aux genoux et transpirait, ça se voyait, l'effort lui avait pris beaucoup de ses forces. Sans les rames, on voyait mal à quoi servirait la barque.

– Je crois que Michel va être du voyage finalement...

Quelques longues minutes plus tard, le chien, de nouveau harnaché, ne tirait plus la caisse Monsavon, mais nageait. La truffe tout juste hors de l'eau, il tractait, pour traverser la Loire, la barque dans laquelle étaient installés nos deux fugitifs.

La pauvre bête parvint épuisée sur l'autre rive et s'allongea dans l'herbe. Elle respirait lourdement, la langue pendante, l'œil givré. Pendant que, tant bien que mal, à cloche-pied, Gabriel hissait la caisse à savon hors de la barque, Raoul lui tapotait le flanc en disant :

– Ah, le sauvetage fluvial, c'est pas rien ! On en a vu crever pour moins que ça.

Le chien n'allait pas bien. Le manque de nourriture consistante associé à l'effort démesuré pour tirer une barque dérivant sans cesse dans un flot parfois vif avait eu raison de sa belle forme physique, ses membres restaient flasques et son souffle court.

Ce furent deux hommes, l'un s'appuyant sur une béquille de fortune faite d'un échalas trouvé dans un champ, l'autre tirant une charrette dans laquelle agonisait un chien de la taille d'un veau, qui entrèrent dans le lieu-dit La Serpentière, quatre ou cinq maisons dont une seule n'avait pas les volets clos et à laquelle ils sonnèrent.

Une vieille femme vint ouvrir. Méfiante, elle n'entrebâilla la porte que de quelques centimètres, c'est pour quoi ?

– On cherche un médecin, madame.

Le visage de la vieille donna l'impression qu'elle n'avait pas entendu le mot depuis des décennies.

– Ça… faudrait voir à Saint-Rémy s'il en reste.

Ils avaient dépassé le panneau un peu plus tôt. Huit kilomètres à parcourir. La vieille toisa Gabriel de haut en bas, achevant son inspection par les pansements puis la béquille. Son examen ne se révéla pas bien positif.

– Je vois que ça, Saint-Rémy.

Elle allait refermer la porte lorsque sa curiosité fut piquée par la carriole que Raoul masquait en partie. Elle pencha la tête, plissa les yeux.

– C'est un chien que vous avez là ?

Raoul s'écarta.

– Michel. Il est assez mal en point lui aussi...

La transfiguration fut immédiate, on aurait dit qu'elle allait fondre en larmes sur le pas de sa porte.

– Mon Dieu...

– Je crois que c'est le cœur qui est en train de lâcher.

La vieille se signa rapidement puis se mordit le poing.

– Saint-Rémy, ça fait une trotte, dit Raoul.

– Vous devriez... oui, vous devriez aller voir le père Désiré.

– Il est docteur ?

– C'est un saint homme.

– Je préférerais un médecin. Ou un vétérinaire.

– Le père Désiré ne fait pas de médecine, mais il fait des miracles.

– C'est pas mal aussi les miracles...

– Vous le trouverez à la chapelle Bérault.

Elle tendit le bras vers la petite route qui partait sur la gauche.

– C'est à moins d'un kilomètre.

# 50

Quelques habitants du coin, principalement des paysans qui passaient à proximité du terrain d'aviation où l'on continuait d'attendre les ordres, donnaient les nouvelles qui leur parvenaient par la radio.

On apprit ainsi qu'un cessez-le-feu concernant Paris avait été signé sous la menace des Allemands de détruire la ville. Quelqu'un avait entendu dire que, sur tous les bâtiments publics, les drapeaux français avaient été remplacés par des drapeaux à croix gammée. Le soir, ils apprirent qu'en l'absence de journaux, des voitures circulant dans les rues diffusaient des messages par haut-parleurs à l'intention de la population, les informant que les troupes allemandes occupaient la capitale.

On attendit une seconde journée puis une troisième et enfin, à l'étonnement général, le dimanche vers midi, une vingtaine de camions d'une unité de la 29e division d'infanterie vint stationner. Un colonel se fit connaître, qui avait l'ordre de prendre en charge les prisonniers pour les conduire à Bonnerin.

Pour Fernand, pour ses hommes, c'était terminé.

Après que le capitaine Howsler eut confirmé qu'il était relevé de sa mission, Fernand emmena ses hommes à l'écart d'une tente que des soldats commençaient à démonter. Il serra la main de ses collègues qui, chacun, avaient leur projet. Les uns voulaient chercher un train pour Paris, ce qui faisait rire les autres qui, eux, voulaient s'éloigner encore vers le sud. Personne ne parlait de reprendre le service, on ne savait plus où était la hiérarchie, leur seul chef, c'était Fernand qui disait « Allez, les gars, à plus tard, et bonne chance à tous ».

Il prit à part le caporal-chef Bornier.

– Cet ordre d'abattre un détenu... C'était une sale affaire, hein ?

Bornier baissa la tête.

– C'est marrant, ajouta Fernand, quand tu obéis aux ordres, parfois, tu es un vrai con. Et quand il faut prendre des initiatives, parfois, tu t'y prends plutôt bien...

Bornier releva la tête et sourit, il était content, soulagé.

Après quoi Fernand lui donna une brève tape sur l'épaule, enfila son havresac et prit la route.

Il se sentait sale. Ce n'était pas que métaphorique, il y avait deux jours qu'il n'avait pas fait de toilette convenable, il puait comme un ours. Il tourna vers la Loire, il trouverait bien un coin pour se laver, il avait dégoté un morceau de savon au fond de son sac. Il emprunta un sentier qui descendait vers le fleuve, s'arrêta. Le calme de la Loire, son cours sinueux entre les vallons, tout ça était d'une beauté à couper le souffle.

Il retira chemise, chaussures, chaussettes, remonta son pantalon jusqu'aux genoux.

Vers dix-sept heures, il abordait Saint-Rémy-sur-Loire.

On se souvient de l'état dans lequel se trouvait cette pauvre ville, littéralement assiégée par l'arrivée de réfugiés, où le peu qui restait d'administration était submergé par les besoins. Le sous-préfet Loiseau avait quitté Montargis la veille pour une tournée d'inspection dont le résultat était accablant. Cet homme énergique cochait infatigablement des listes pour affecter, sur les lieux où l'on concentrait les réfugiés, des fonctionnaires qui, pour la plupart, n'avaient pas dormi depuis quatre jours. Le matin, il avait réquisitionné un garage municipal pour héberger des services sociaux, on cherchait des tables, on vida une école, on y trouva du papier mais pas de crayons.

Fernand songea à se mettre à la disposition de la préfecture, mais n'en fit rien. Maintenant qu'il approchait de la chapelle Bérault, qu'un panneau annonçait à trois kilomètres, ses soucis et ses désillusions commençaient à fondre, l'image d'Alice s'imposait de nouveau. Comment avait-il pu se distraire de l'inquiétude concernant son état de santé ? Lui qui avait failli, quelques jours plus tôt, sauter dans un camion et partir en urgence la chercher avait traîné sur la route, pris le temps d'une toilette, il accéléra le pas.

Sur son dos, dans son sac marin, ballottait son livre au-dessus d'une pile de billets de cent francs.

# 51

Raoul Landrade s'était bien compliqué la tâche en voulant pousser la caisse à savon plutôt que de la tirer. Elle ne cessait de dévier de sa trajectoire, l'obligeant à toutes sortes de contorsions qui ajoutaient encore à sa fatigue depuis le halage de la barque le long de la Loire.

« Tire-la plutôt », avait proposé Gabriel.

Mais Raoul s'y refusait, car ainsi il pouvait voir Michel, le surveiller. Non qu'il y eût grand-chose à faire, le chien se mourait, il ne bougeait plus, sa grosse tête posée sur le côté, la langue pendante, les membres flasques, l'œil vitreux. Le bruit de la carriole avec ses roues en fer vous portait sur les nerfs. Raoul ajoutait au chemin des détours pour éviter ici un nid-de-poule, là une crevasse, il grimaçait sous l'effort, son visage était blanc, comme passé à la poudre de riz.

Gabriel avait songé à prendre le relais, mais sa béquille l'en empêchait.

Si Michel était en bien mauvaise posture, sa plaie à lui ne s'était guère arrangée. N'importe qui d'autre aurait trouvé vexant de voir Raoul plus inquiet pour ce chien qu'il ne connaissait pas deux jours plus tôt que pour le camarade avec qui, somme toute, il avait fait toute la guerre, mais

Gabriel ne s'en formalisait pas. Il l'avait vu changer ces derniers jours. Cela remontait à l'arrivée de la lettre dont il
s'était rageusement débarrassé, mais qui l'avait frappé. Les
questions qu'elle posait, les réponses qu'elles promettaient
avaient fissuré l'édifice mental sur lequel il avait construit sa
vie, Gabriel commençait à le connaître un peu, il n'allait pas
très bien.

Approchant de la chapelle Bérault, Gabriel se demandait
anxieusement à quoi servirait un prêtre quand il avait besoin
d'un médecin, peut-être même d'un chirurgien. Il s'imaginait
unijambiste, comme ces anciens combattants de la Grande
Guerre qu'il avait vus, dans son enfance, vendre dans les rues
de Dijon des billets de la Loterie nationale pour survivre.

Lorsqu'il se penchait, il voyait, au-delà du profil tendu de
Raoul, la grosse gueule de Michel à demi mort.

C'est dans cet état d'esprit qu'ils arrivèrent devant la grille
ouverte de la chapelle Bérault que rien n'annonçait.

Ils s'arrêtèrent. Virent cette étrange agitation industrieuse
et désordonnée.

– C'est ici, demanda Raoul, que l'on fait des miracles ?

Il était dubitatif, c'était un camp de Gitans.

– Oui, mes frères, dit une voix, c'est ici !

Ils cherchèrent d'où venait cette exclamation claire et juvé-
nile, levèrent la tête et découvrirent, dans l'orme qui montait
la garde au seuil de la chapelle, une soutane voletante qu'ils
prirent pour un corbeau. C'était un curé. Glissant le long
d'une corde, il atterrit à leurs pieds. Il était jeune et souriant.

– Eh bien, dites-moi, dit-il en se penchant sur la carriole,
voilà un brave chien – et il avisa Gabriel – et un soldat qui
semblent avoir bien besoin de l'aide du Seigneur.

Personne ne s'y attendait, Gabriel non plus : Raoul s'effondra d'un coup.

Son camarade tenta de le retenir, mais en fut empêché par sa béquille. La tête de Raoul cogna sur une pierre, cela fit un bruit sourd, inquiétant.

– Seigneur Dieu ! dit le père Désiré. À moi, enfants du bon Dieu ! Au Ciel !

Alice et sœur Cécile arrivèrent en même temps.

La religieuse s'agenouilla près de Raoul, lui souleva la tête, vérifia la contusion, la reposa doucement au sol.

– Allez chercher la civière, Alice, s'il vous plaît...

Alice se précipita vers le camion. Cécile, en prenant le pouls de Raoul, regarda au-dessus d'elle ce jeune homme qui chancelait sur une béquille.

– Il est épuisé, cet homme... Épuisé. Et vous, qu'avez-vous ? demanda-t-elle à Gabriel.

– Une balle m'a traversé la cuisse...

La religieuse plissa les yeux et, avec des gestes d'une rapidité surprenante, défit le pansement de Gabriel.

– Ça n'est pas bien beau, mais enfin... (elle tâtait les bords de la plaie)..., on s'y prend encore à temps. Vous viendrez voir le médecin tout à l'heure.

Gabriel acquiesça, se tourna vers le corps inanimé de Raoul, puis vers la carriole.

– Quelqu'un pourrait s'occuper de son chien ?

– Nous n'avons qu'un docteur, répondit sœur Cécile, pas de vétérinaire.

La phrase fit grand effet sur Gabriel, cela se vit à son visage dont les traits se contractèrent, il ouvrait la bouche lorsque le père Désiré intervint :

– Le bon Dieu aime toutes Ses créatures, Il ne fait pas

d'exceptions. Je suis bien certain que notre médecin fera de même. N'est-ce pas, sœur Cécile ?

Elle ne se donna pas la peine de répondre. Le père Désiré s'adressa à Gabriel :

– Prenez le temps de vous reposer, je vais m'occuper du chien.

Ayant dit cela, il poussa la carriole dans le camp en direction du camion militaire.

Alice arriva avec la civière, une toile roulée autour de deux bâtons qui faisaient poignées, comme pour une chaise à porteurs. Sœur Cécile observa Alice, son teint blanc...

– Ça va ?

Alice tenta un sourire, ça va...

– Restez là, reprit la religieuse, je vais demander à quelqu'un d'autre. Philippe !

Le Belge, là-bas, faisait la vidange du camion de Dieu. Il arriva à grandes enjambées. Quelques secondes plus tard, tous deux avaient roulé Raoul sur la civière posée au sol et l'emportaient en courant vers le camion.

Ils venaient de s'éloigner lorsque Gabriel vit Alice la bouche ouverte qui se tenait la poitrine... Elle tomba soudain à genoux.

Tout le monde tombait, signe des temps.

Jetant précipitamment sa béquille, il la releva, la prit dans ses bras et partit en boitant vers le camion, on aurait dit un couple de jeunes mariés se dirigeant vers la chambre nuptiale.

Louise avait assisté de loin à toute la scène mais n'avait pu intervenir. Tout ça était allé trop vite, elle était de garde auprès des enfants de moins de dix ans et suivait une nouvelle phase du spectacle permanent qu'on aurait pu appeler

« les jumeaux contre le reste du monde », ça n'était pas le genre de situation qu'on pouvait laisser sans surveillance. Sans compter que la petite dormait profondément dans ses bras, elle n'avait trouvé nulle part où la poser.

Elle vit le groupe arriver au camion, la porte s'ouvrir, la civière entrer et, à sa suite, Gabriel avec Alice dans les bras. Il y eut un moment de confusion, après quoi une main repoussa Gabriel, la porte claqua.

Ne restèrent devant le perron métallique avec Gabriel que Philippe le Belge et la carriole, que le père Désiré avait amenée jusque-là et dans laquelle Michel agonisait.

Voir un jeune homme traverser en boitant une partie du camp en portant dans ses bras cette femme évanouie qui depuis deux jours s'occupait d'elle et de ses trois enfants émut profondément Louise.

Elle l'observa.

Il regardait le chien puis soudain, comme s'il avait pesé sa décision, il grimpa rageusement les marches. Il s'apprêtait à frapper du poing à la porte lorsqu'elle s'ouvrit à la volée. C'était la religieuse, une seringue à la main, qui le frappa du coude, ne restez pas dans mes pattes. Elle dévala l'escalier, se pencha sur le chien, attrapa une poignée de peau et enfonça l'aiguille.

– Ça va aller, dit-elle. C'est costaud, ces bestiaux-là. Mais poussez-vous donc !

Et elle donna encore de l'épaule contre Gabriel pour qu'il lui laisse l'accès au camion, dans lequel elle remonta en claquant la porte une nouvelle fois derrière elle.

Gabriel se pencha, le chien semblait mort, il posa la main sur son poitrail. Il dormait.

Le jeune homme revint sur ses pas ramasser sa béquille

et le bandage que la religieuse avait retiré, puis il s'avança jusqu'à un banc de pierre, un peu plus loin, où il s'effondra plus qu'il ne s'assit.

– Vous permettez ? demanda Louise.

Il se poussa légèrement en souriant, sa béquille contre son épaule.

– C'est un garçon ou une fille ? demanda-t-il.

– Une fille. Madeleine.

Louise ajouta en murmurant :

– Mon Dieu…

– Ça ne va pas ? s'enquit Gabriel.

– Si, si, tout va bien.

« Madeleine », venait-elle de se souvenir. Ce prénom était celui de la sœur d'Édouard Péricourt, le jeune soldat à la gueule cassée que Mme Belmont avait eu comme locataire à la fin de la Grande Guerre. Albert Maillard, qui tenait Édouard à bout de bras, avait dit que c'était une très gentille personne, bien qu'il soit un jour allé dîner chez les Péricourt et qu'il en soit revenu très déprimé. Louise elle-même l'avait aperçue une fois, cette Madeleine, et elle ne savait pas ce qu'elle était devenue, mais Édouard avait toujours parlé d'elle comme du seul membre de sa famille qui l'eût réellement aimé.

– Elle est bien jolie, cette petite Madeleine…

Gabriel parlait davantage de la maman, mais c'est une chose qu'il n'aurait pas dite dans ces circonstances. Louise ne s'y trompa pas, elle accepta le compliment en souriant comme s'il lui avait été adressé directement.

Désignant l'ensemble du camp, Gabriel demanda :

– Qu'est-ce que c'est exactement, ici ?

– Exactement, je crois que personne ne le sait. Ça ressemble à un camp de réfugiés, mais c'est une église, ça tient de la paroisse de village et du camp de scouts. C'est un camp... œcuménique.

– C'est pour cela qu'il y a des religieuses ?

– Non, sœur Cécile est la seule. C'est une sorte de rançon obtenue par le père Désiré. Il a fait chanter M. le sous-préfet...

– Le véhicule sanitaire également ?

– Je crois que le père Désiré le considère plutôt comme une prise de guerre. Momentanée...

Elle regardait la plaie à la jambe de Gabriel.

– C'est une balle qui m'a traversé la cuisse. Au début, tout allait bien, mais ça s'envenime...

– Le médecin va vous voir, je pense.

– Il paraît. La sœur a regardé, elle prétend que ce n'est pas grave, je voudrais l'y voir... Enfin, je ne me plains pas. C'est pour mon camarade que je suis le plus inquiet, il s'est épuisé sur la route...

– Vous venez de loin ?

– De Paris. Puis d'Orléans. Et vous ?

– Je crois que tout le monde vient des mêmes endroits.

Après quoi ils se turent un long moment, regardant le camp, cette fourmilière. Ce qu'il y avait de commun à ces deux êtres, c'était l'impression diffuse d'être arrivé quelque part. Il y avait dans cet endroit agité, désordonné et industrieux un côté rassurant, sécurisant, que ni l'un ni l'autre n'avaient connu depuis longtemps. Elle pensa à M. Jules, elle pensait beaucoup à lui depuis son arrivée ici. Avait-il trouvé lui aussi un refuge ? Elle refusait de penser qu'il était mort.

Depuis qu'elle l'avait rejoint sur ce banc, qu'il l'avait

regardée se pencher sur son bébé, Gabriel était taraudé par une question :

– Et le papa de cette petite Madeleine... Soldat ?

– Il n'y a pas de papa.

Disant cela, elle souriait et n'avait pas le visage d'une femme qui annonce une pénible nouvelle. Gabriel continua de se masser la jambe pensivement.

– Vous devriez aller jusqu'au camion et attendre votre tour en bas des marches, dit Louise.

Gabriel fit signe qu'il comprenait.

– Oui, vous avez raison, mais avant... Vous ne savez pas si je pourrais manger quelque chose ?

Louise indiqua au jeune homme la rôtissoire près du potager.

– Allez voir là-bas, demandez M. Burnier. Il va râler, dire que ça n'est pas l'heure, mais il vous donnera de quoi attendre le repas du soir.

Gabriel salua Louise d'un sourire et se dirigea vers l'intérieur du camp qui grouillait d'activité.

## 52

Gabriel redoutait ce moment où il lui faudrait gravir les quatre marches métalliques, entrer dans le cabinet de campagne du médecin-major et faire examiner sa jambe. Sœur Cécile s'était montrée rassurante, c'était son rôle de religieuse d'apaiser. La chose doit se rencontrer, mais on imagine mal une nonne regarder une plaie et pronostiquer une amputation.

Comme il craignait d'affronter la vérité, Gabriel trouvait sa blessure plus douloureuse.

– Qu'est-ce que vous foutez là, vous ?

Voilà la question que le major lui posa d'emblée. Le jeune homme oublia sa douleur l'espace d'un instant, frappé par la surprise.

– Vous êtes donc tous là du Mayenberg ?

Le major était celui avec qui autrefois (le temps avait compté double depuis lors), sur la ligne Maginot, il jouait aux échecs, celui qui lui avait trouvé cette place de sous-officier de détail.

– Bah oui, j'ai vu machin, là... Comment il s'appelle, ce lascar ?

Il consulta ses fiches.

– Landrade, Raoul ! Lui aussi, il était au Mayenberg !
Merde alors, toute la ligne Maginot se retrouve à l'arrière,
quel désastre !

Tout en parlant, il avait poussé Gabriel sur la table d'examen, défait les bandages et entrepris de nettoyer la plaie.

– Je vois que vous avez remplacé l'asthme par le tir à balle
réelle, c'est téméraire...

– Une balle allemande...

Disant cela, Gabriel serrait les dents, cherchait une tran-
sition :

– Vous êtes ici...

Avec ce médecin, une question complète n'était pas nécessaire, les premiers mots suffisaient.

– Quel bordel, mon vieux ! J'ai connu quatre affectations
en huit semaines. Vous regardez la liste de mes déplacements
et vous comprenez pourquoi on est en train de perdre cette
putain de guerre. Personne ne savait quoi faire de moi. C'est
pas que je sois indispensable à la victoire, mais enfin, je sais
faire des choses qui peuvent être utiles, mais je t'en fous !

Il s'arrêta, fit un geste vague, désignant l'environnement.

– Et maintenant, me voilà ici...

Gabriel se tendit sous la douleur.

– Ça fait mal ?

– Un peu...

Le major n'avait pas l'air convaincu. Ce n'était pas
comme ça qu'il voyait les choses.

– Un hôpital de campagne a été détaché ici ? demanda
Gabriel en se cramponnant aux montants du lit.

Quand il voulait souligner un propos, le major s'arrêtait,
suspendait longuement son geste, on était content qu'il ne
soit pas chirurgien.

– Le père Désiré s'est fait des entrées partout. Il avait besoin d'un camion sanitaire, il est allé le chercher. Il a emmené le camion et moi avec. On dit qu'avec lui, rien ne semble jamais aussi simple que ce qu'il a décidé, et je peux vous le confirmer, c'est tout ce qu'il y a de plus vrai !

En poursuivant sa tâche, le major remuait la tête, l'air de dire, quel bordel...

– Quel bordel ! Ici, vous trouvez des Belges, des Luxembourgeois, des Hollandais... Le curé dit qu'en France, les réfugiés étrangers ont plus de mal encore que les autres à se débrouiller. Il en a accueilli un, deux, puis trois, je ne sais combien ils sont aujourd'hui, une palanquée, en tout cas, depuis hier, j'ai pas arrêté. Il paraît qu'il fait le siège de la sous-préfecture pour que quelqu'un vienne faire un recensement. Il prétend que ces gens ont des droits ! En pleine guerre, quel con ! Bref, personne ne venait. Alors il est retourné voir le sous-préfet et ça s'est passé exactement comme d'habitude. Le sous-préfet sera là mardi. Du coup, il a annoncé qu'on ferait une messe en plein air, c'est un drôle de loustic, je peux vous le dire.

– Et vous..., commença Gabriel.

– Oh moi, le coupa le docteur qui n'avait pas besoin d'écouter la question, le colonel Beauserfeuil m'a prêté pour deux jours, mais vu la tournure des événements, je vais finir comme vous...

– Finir... comment ?

– Prisonnier des Boches, cette question ! Bon, allez, relevez-vous...

Il se déplaça jusqu'à la table qui tenait lieu de bureau, s'assit et regarda Gabriel.

– Vous et moi, nous avons toujours été prisonniers,

finalement. Au Mayenberg avant. Maintenant ici. Nous changerons une troisième fois pour une prison boche. Je préférais les précédentes, mais on ne choisit pas.

Gabriel était resté assis sur la table.

— Et pour ma jambe ?

— Quoi, votre jambe ? Ah oui, votre jambe…

Il s'abîma dans le document qu'il avait sous les yeux.

— Ce n'est pas une balle allemande qui vous a traversé la cuisse, vous me prenez pour un con ?

Le médecin n'avait encore posé aucun diagnostic, Gabriel attendait et rien ne venait. Il explosa :

— Absolument, major, puisque vous aimez la vérité, c'est une balle de votre armée qui m'a traversé la jambe ! Maintenant, vous allez me dire si je vais garder cette putain de guibole ou la donner à bouffer aux cochons !

Le docteur sembla sortir d'une rêverie. Il n'était nullement vexé, c'était un médecin philosophe.

— Un : une balle française, vous ne m'apprenez rien. Deux : désolé, les cochons vont devoir chercher leur pitance ailleurs. Trois : j'ai posé un drain qu'on changera toutes les six heures. Si vous suivez mes prescriptions, la semaine prochaine, vous marcherez jusqu'au bordel le plus proche. Quatre : vous feriez une partie d'échecs avec moi ce soir ?

Le soir même, le major perdit deux parties, il était heureux comme un pape.


La nuit était bien avancée lorsque Gabriel alla se coucher. Pour rejoindre Raoul, il devait traverser une large partie du camp, le chemin le plus direct passait par la chapelle, dans laquelle il n'était pas encore entré. Sur le seuil, il marqua un temps d'arrêt, la nef, la croisée du transept et jusqu'au chœur étaient occupés par des litières, des grabats, des matelas. Dormaient là des dizaines de gens, des familles entières. Gabriel leva les yeux. La toiture était percée ici et là, c'était comme à la belle étoile. L'atmosphère n'évoquait nullement une concentration de corps entassés. Il y avait au contraire... Gabriel chercha le mot.

– Une harmonie...

Il se retourna.

Le père Désiré était près de lui, les mains dans le dos, qui regardait lui aussi cette vaste assemblée de corps endormis.

– Alors, demanda le père Désiré, et cette jambe ?

– Elle tiendra, m'assure le major.

– C'est une âme en peine, mais un bon docteur. Vous pouvez le croire.

Gabriel demanda des nouvelles d'Alice.

– Elle va bien. C'était spectaculaire mais sans gravité. Il lui faut du repos. Car le Seigneur a encore besoin d'elle !

Gabriel était soulagé mais il s'inquiétait aussi pour Raoul. Le père Désiré dut le sentir :

– Votre camarade va très bien lui aussi. Il aura une sale bosse au crâne, mais terminer la guerre avec une bosse, n'est-ce pas un cadeau du Seigneur ?

D'un geste, Gabriel dut convenir que, Seigneur ou pas, Raoul comme lui-même s'en tiraient bien, de cette guerre.

– Mardi, reprit le père Désiré, pour saluer la venue de M. le sous-préfet, nous dirons une messe. Oh, il n'y a rien d'obligatoire, bien sûr, ne vous croyez pas tenu. «Jésus dit à ses apôtres : "Ne suivez pas mon chemin. Suivez le vôtre, car il vous conduira jusqu'à moi." »

Le père Désiré partit d'un petit rire, qu'il étouffa en se

masquant les lèvres, les yeux gourmands, comme un enfant qui vient de dire une bêtise.

– Dormez bien, mon fils.

Il accompagna son vœu d'un discret signe de croix.

De fait, Gabriel passa une nuit paisible. Raoul et lui avaient été installés pas très loin des auges des cochons, ça ne sentait pas très bon et ces bêtes-là n'ont jamais de repos, elles fouillent, fouissent, couinent, grognent, c'est épuisant. Sauf pour deux hommes pressés de dormir. Auprès de Raoul, Gabriel découvrit sans surprise le corps allongé de Michel. Lui-même lui caressa la tête, l'animal dormait profondément, la respiration tranquille.

Aux premières heures du jour, ils étaient éveillés. L'habitude de la guerre.

Lorsque Gabriel béquilla jusque dans la cour, Raoul tenait déjà son bol de café d'une main, de l'autre, il flattait le crâne de Michel, assis près de lui.

– Il va mieux à ce que je vois, dit Gabriel.

Raoul avait son regard des mauvais jours.

– Je ne crois pas que je vais rester longtemps ici.

C'était incongru. Où pensait-il aller ? Paris s'était mis à l'heure de Berlin. Le père Désiré avait entendu à la radio que le gouvernement s'était replié sur Bordeaux. On ne voyait pas ce qu'il y avait d'autre à faire qu'attendre la reddition définitive, et pour ça, on était aussi bien ici qu'ailleurs.

Gabriel suivit le regard de Raoul et tomba sur la sœur Cécile, qui s'entretenait avec le père Désiré près de la chapelle.

– Elle trouve que Michel bouffe trop. Il paraît qu'il y a

déjà tout juste pour les gens, elle pense que « nourrir un chien n'est pas une priorité ».

Il acheva son bol.

— Je vais faire un peu de toilette, voir le toubib pour qu'il me donne de quoi soigner Michel et je me barre.

Gabriel voulut intervenir, mais Raoul était déjà parti. Michel le suivait d'un pas lourd, fatigué. Gabriel décida d'aller voir le père Désiré pour arranger cette affaire. Sur le chemin, il croisa Louise qui venait d'accompagner les jumeaux à la garderie et avait attrapé une tasse de café au passage.

— Cette jambe, alors ?

— Elle sera d'attaque pour la prochaine guerre, le major est très confiant.

Tous deux s'étaient assis sur une tombe. Gabriel s'étonna :

— Ça ne porte pas malheur, vous êtes sûre ?

— Le père Désiré trouve que c'est même hautement recommandé. Il dit que ces tombes sont remplies de sagesse. Ce doit être une variante œcuménique du bain de siège.

Louise rougit de cette image.

— Je ne connais même pas votre nom...

Il lui tendit la main.

— Moi, c'est Gabriel.

— Moi, c'est Louise.

Il garda sa main dans la sienne. Ça ne pouvait être qu'un hasard, des Louise, il y en a tant... Mais la lettre que Raoul avait reçue datait de trois ou quatre jours seulement, elle provenait sans doute de la région puisque c'est l'adjudant-chef qui la lui avait remise...

— Louise... Belmant ?

– Belmont, répondit-elle, surprise.

Gabriel était debout.

Je ne sais pas comment, Louise comprit.

– Je vais chercher quelqu'un... Vous devriez m'attendre ici... S'il vous plaît...

Quelques instants plus tard, il revint avec son compagnon, à qui il avait simplement dit : « Louise est ici... »

– Louise, je vous présente mon camarade, Raoul Landrade. Je vous laisse...

Il s'éloigna.

C'est aussi ce que nous allons faire. Louise et Raoul ont besoin d'intimité et puis nous connaissons l'histoire. Regardez seulement ceci, qui est émouvant. Raoul s'est assis à côté de Louise, ils n'ont pas encore prononcé le moindre mot, il a fouillé le fond de sa poche et exhumé un minuscule bout de papier, le seul morceau de la lettre qu'il ait conservé, sa signature : Louise.

Ils avaient parlé toute la journée, ne s'étaient déplacés que pour les soins que Louise devait donner à la petite Madeleine, mais ils avaient continué de parler, Raoul voulait tout savoir sur sa mère, cette histoire de folie, cette dépression lui procuraient une émotion douloureuse. Découvrir qu'elle avait vécu à Paris, à portée de main, qu'il aurait suffi au docteur de lui dire la vérité pour qu'il ait une mère... Comprendre que Jeanne n'avait jamais su que son enfant était à Neuilly, à trois pas d'elle, dans la maison même où elle avait servi comme domestique... C'était cela le plus effrayant, ce qui lui fit le plus mal : comprendre que le docteur qui l'avait abandonné aux mains de sa femme, cette marâtre, était son véritable père. Et n'avait jamais levé le petit doigt pour le protéger d'elle.

En milieu de matinée, de retour de la tournée alimentaire sur le camion de Dieu, le père Désiré passa près d'eux, s'arrêta, les regarda et vit à leurs mains mêlées, à leurs visages penchés l'un vers l'autre, aux larmes que Raoul essuyait maladroitement, qu'il se passait là quelque chose de poignant.

– Le Seigneur, commença-t-il, vous a placés sur la même route. Et quel que soit le chagrin que vous ressentez, dites-vous qu'Il a bien fait parce que ce chagrin vous fortifie.

Il fit un signe de croix au-dessus de leurs têtes et s'éloigna.

À midi, Raoul avait dans les mains le petit paquet de lettres de Jeanne que Louise avait miraculeusement conservé dans la débâcle.

– Lis-les, disait-elle.

– Tout à l'heure, répondait-il, il ne se décidait pas.

Puis enfin, ils s'étaient posé mille questions, le paysage de leur histoire commençait à s'éclairer, Raoul se lança et défit le nœud.

– Non, reste, dit-il.

Et il se mit à lire.

« 5 avril 1905 ».

Il était dix-neuf heures à peu près, le soir tombait. Le père Désiré avait toujours insisté pour que le dîner soit servi tôt. Pour les enfants, disait-il. « Il est bon qu'ils dînent en famille, mais ils doivent se coucher tôt, alors mettons le couvert de bonne heure. » Ce moment du dîner était la plus grande surprise pour tous les arrivants. Il n'y avait pas de déjeuner en commun, chacun faisait comme il voulait, mais le dîner, c'était autre chose.

« C'est un peu notre messe », commentait le père Désiré.

À l'heure prévue, les familles et les groupes se dispersaient sur les pierres tombales et les quelques tables qu'on réservait aux enfants les plus jeunes et aux réfugiés les plus âgés. Mais personne ne commençait à manger tant que le père Désiré n'avait pas dit son bénédicité. Tous les visages étaient tournés vers lui, les fourchettes et les cuillères regardaient le ciel. D'une voix forte, le regard dans les nuages, il déclamait :

– Bénissez, Seigneur, cet instant de partage. Permettez à nos corps de prendre des forces pour Vous servir. Permettez à nos âmes de nous fortifier de Votre Présence. Amen.

– Amen !

Tout le monde commençait à manger en silence, puis les voix chuchotaient et c'était bientôt un brouhaha de cantine qui ravissait le père Désiré. Il aimait ce moment. Il avait à cœur d'adapter son bénédicité à la situation de la journée, voire à la situation de l'instant.

Ce soir-là, il dit :

– Seigneur, Toi qui nous offres de quoi nourrir nos corps, Tu nourris aussi nos âmes, car Tu nous permets de rencontrer l'autre, cet autre si proche et si différent, cet autre en qui nous nous reconnaissons, et Tu nous aides à lui ouvrir nos cœurs comme Tu nous as ouvert le Tien. Amen.

– Amen !

On mangea.

Alice, au moment du bénédicité, offrait toujours un visage

pâmé, comme envahi par la bonté du Seigneur, la beauté de l'instant et la grâce du père Désiré.

Mais pas ce soir-là.

Son regard était hypnotisé par un point obscur à l'entrée du jardin. Là se tenait un homme barbu, vêtu d'un uniforme sale, un sac marin pendu au bout de son bras.

– Fernand !

Elle se leva, porta ses mains à ses lèvres et dit :

– Mon Dieu…

– Amen ! dit le père Désiré.

– Amen ! répéta la foule.

## 53

– Ça n'est pas pareil, insistait Fernand. Il est là, tu comprends ? Ils sont là tous les deux.

Il parlait à voix très basse, le dortoir était surpeuplé.

Alice le serrait contre elle. Il avait passé, comme il l'avait toujours fait, une main sur son sein, ce sein ferme, plein, accueillant, délicat, maternel, amoureux, satiné, il n'avait jamais assez de qualificatifs pour les seins d'Alice. Cette sensation retrouvée l'avait ému aux larmes. Il avait posé toutes ses questions. Comment va ton cœur ? Pourquoi es-tu là ? Vas-tu cesser de te fatiguer ? Que fais-tu exactement ? Ils n'ont donc personne d'autre que toi pour aider ? Désolé, mais ce curé a l'air de tout ce qu'on veut, sauf d'un curé ! On va rentrer à Villeneuve, tu vas te reposer. Non ? Mais pourquoi non ? Etc.

Alice connaissait son Fernand comme si elle l'avait tricoté. Quand il posait ainsi des questions en rafale, ce n'était pas qu'il était insincère, les questions étaient importantes et il attendait les réponses, mais cela traduisait une gêne, un souci, cet homme-là était tellement bileux. Elle répondait par oui, par non, patiemment, ça finissait toujours par venir. Ça vint d'abord sous cette forme. Il pressa son sein (il avait des mains

chaudes en n'importe quelle saison, c'était tellement sécurisant) et dit :

– Ça a commencé avec les éboueurs, j'ai pensé *Les Mille
et Une Nuits*, la Perse, forcément, tu comprends ?

Alice fit un petit bruit de bouche. Pour elle, associer les
éboueurs aux *Mille et Une Nuits* ne tombait pas sous le
sens.

Il s'était expliqué.

Loin de le condamner, elle trouva l'aventure incroyable-
ment romanesque. Digne des *Mille et Une Nuits*. Que
Fernand se soit révélé capable de pareille chose seulement
pour qu'elle réalise son rêve la fit fondre en larmes. Fernand
crut qu'elle était désespérée, qu'elle allait le condamner, mais
elle lui dit des mots d'amour, des mots de désir, elle se coucha sur lui, s'empala sur lui, ils ne savaient pas s'ils avaient
fait du bruit, ici, c'était comme dans les familles nombreuses
très pauvres, on entendait tout, on ne disait rien.

Ils s'étaient enfin retrouvés. Ordinairement, c'était l'instant où Fernand se mettait à ronfler, mais il restait éveillé.

Alice comprit qu'il n'avait pas tout raconté.

– J'en ai une partie sur moi, de cet argent. Dans mon sac.
Il doit y avoir encore plus d'un demi-million de francs.

Jusqu'ici il avait parlé d'argent, mais n'avait pas précisé
combien. Il avait évoqué un « sac d'argent », elle voyait cela
comme un sac à main. Mais si, dans son seul sac marin, il y
avait un demi-million de francs…

– Et dans la cave, à Paris ? demanda-t-elle.

Fernand ne savait pas, il n'avait pas compté.

– Je dirais… huit millions… Dix…

Alice était stupéfaite.

– Oui, plus près de dix.

Une grosse somme, on est surpris. Une somme élevée, on est scandalisé. Mais une somme pareille... Alice éclata de rire. Fernand posa sa main sur sa bouche, mais elle ne pouvait plus s'arrêter, elle mordait ce qui servait d'oreiller, je t'adore, disait-elle, ce n'était pas à cause de l'argent, c'était à cause de sa folie, elle se coucha de nouveau sur lui et s'empala une nouvelle fois, elle était prête à mourir d'un arrêt du cœur, jamais moment n'aurait été aussi bien choisi.

Fernand, ensuite, ne se mit pas davantage à ronfler.

Ça n'en finirait donc pas. Elle avait l'impression qu'il avait vécu trois vies en une semaine, que pouvait-il lui avouer de plus ?

– Des crimes, Alice, des crimes.

Elle eut peur. Fernand avait-il tué des gens ? Ce fut alors le Cherche-Midi, les bus de la TCRP, et cela s'acheva sur une balle dans la tête d'un jeune homme, sur un capitaine rigide qui se félicitait d'avoir accompli son devoir et sur Fernand qui avait tenu au bout de son arme des fugitifs sur lesquels il n'avait pas eu le courage de tirer.

– Et ils sont là, ici, c'est incroyable, disait-il. Dès que je les ai vus, attablés dans le cimetière, j'aurais dû leur sauter au collet, les arrêter au nom de la loi, et je n'ai rien fait. Ce sont des fugitifs, Alice, des déserteurs, des pillards ! Maintenant, c'est fini. La guerre est finie, je suis fini.

Fernand n'était pas triste, mais consterné. Ce n'était pas tant aux fuyards qu'il pensait qu'à sa lâcheté, à sa veulerie, à son naufrage.

Sur le sujet du devoir, ça n'était pas comme pour l'argent, Alice ne pouvait pas l'apaiser, parce que Fernand n'était pas accessible à la raison. Ils ne dormirent réellement ni l'un ni l'autre. Le coq qui réveillait tout le monde chaque matin vers cinq heures (on avait supplié le père Désiré de l'embrocher, rien n'y faisait : « Il nous appelle aux laudes, mes enfants, Jésus est notre "soleil levant" ! »), le coq donc ne les sortit pas du sommeil, tous deux regardaient les étoiles. Alors Alice se tourna vers Fernand.

– Mon amour, je sais que tu te caches pour aller à l'église, je ne sais pas pourquoi et ça ne me regarde pas, mais je me demande s'il ne serait pas judicieux et salvateur que tu ailles te confesser...

Comment savait-elle ça, Fernand ne s'interrogea pas, Alice savait tout, ça n'avait rien d'étonnant. Non, ce qui l'embarrassait, c'était d'aller se confesser à un curé comme le père Désiré, ils avaient passé une partie de la soirée avec lui, il ne le trouvait pas sérieux.

– Pas sérieux ?

– Je veux dire...

– C'est un saint, Fernand ! On n'a pas tous les jours l'occasion d'aller se confesser à un saint, je t'assure...


Donc, vers cinq heures et demie, Fernand attendait à la porte de la cellule du père Désiré (il en sortait tous les jours avant six heures) et, dès qu'il le vit, il dit :

– Mon père, je dois me confesser, c'est urgent...

La chapelle n'avait plus, et depuis bien longtemps, ni chaises, ni prie-Dieu, ni autel, mais il y avait encore un confessionnal. Le seul mobilier qui subsistait dans cette église était un déversoir à péchés.

Fernand raconta tout. La question des fugitifs surtout le taraudait.

– Mais, mon fils, quel était donc votre devoir ?

– Les arrêter, mon père ! C'est pour ça que j'…, que Dieu m'avait placé là !

– Le Seigneur vous a placé là pour les arrêter, pas pour les tuer. S'Il l'avait voulu, croyez-moi, ces deux hommes seraient morts.

Fernand, cette logique le rendait muet.

– Vous avez agi en conscience, c'est-à-dire conformément au désir de notre Seigneur, vous pouvez aller en paix.

« C'est tout ? » avait envie de dire Fernand.

– Mais pour cet argent, demanda le père Désiré, vous me dites que vous le transportez avec vous ?

– Pas tout, mon père ! Juste une petite partie… C'est de l'argent volé…

Cette fois, on avait l'impression que le père Désiré allait se fâcher :

– Pas du tout, mon fils, au contraire ! Dans leur égarement, dans leur affolement, les autorités ont brûlé une large part des richesses de la communauté qui sont les richesses de tous. Et vous en avez protégé une partie, voilà la vérité.

– Vu comme ça… Maintenant, il faut que je le rende, cet argent.

– Cela dépend. Si vous êtes certain qu'il servira à faire le bien, rendez-le. Sinon, gardez-le et faites le bien vous-même.

Fernand était sorti groggy de cette confession. Le père Désiré vous confessait à la manière d'un avocat de la défense, c'était assez étrange. Mais il était bien obligé d'en convenir, Fernand se sentait soulagé.

# 54

Leur longue conversation eut un effet consolant sur Louise comme sur Raoul. La première avait le sentiment d'avoir réparé quelque chose, d'avoir rétabli une certaine justice.

– Bien sûr, c'est un peu tard pour ma mère…

Elle voulait dire « Jeanne », mais Jeanne était redevenue sa mère.

Raoul, lui, en quelques heures avait changé de visage. Gabriel, qui les regardait de loin, observait ce changement, aussi spectaculaire que les cheveux blancs apparus si soudainement sur la tête de Jean Valjean lors du procès d'Arras. Raoul était parvenu à mettre des mots sur ce qu'avait été sa vie, et ces mots, c'est Louise qui les avait prononcés. Tout ce qui lui était arrivé n'était pas sa faute. Il n'avait pas été un enfant décevant qu'on punit à défaut de pouvoir s'en séparer. Il comprenait qu'il avait été la victime d'une femme perverse, ce fut un grand soulagement.

Contre son père ce fut une grande colère. Cet homme l'avait abandonné deux fois. Aux enfants trouvés d'abord, aux mains de sa femme ensuite.

Et ce qu'il avait imposé à Louise était d'une grande cruauté.

– Oh non, dit Louise, ça n'était pas cruel. Il n'a jamais voulu me faire du mal. Tout ça a été plus fort que lui. Il m'aimait bien… Il devait être bien désespéré pour faire une chose pareille.

Raoul hocha la tête avec une gravité qu'il ne se connaissait pas. En parlant avec Louise, il se sentait entrer en convalescence après la longue maladie qu'avait été son enfance.

Pendant ce temps, autour d'eux, tout le camp était saisi d'agitation. Cette histoire de messe à l'occasion de la venue du sous-préfet avait électrisé tout le monde, parce qu'elle tombait un jour très spécial. La veille, le maréchal Pétain avait, « le cœur serré », appelé à la cessation des combats, des troupes allemandes avaient traversé la Loire, on ne tarderait pas à les voir arriver là. Somme toute, cette petite population agissait comme l'avaient fait, l'année précédente, les autorités gouvernementales, elle s'en remettait à Dieu pour la suite des événements. Toujours est-il qu'on se passa le mot, une messe en plein air, ça n'est tout de même pas pareil, disait-on, l'idée circula toute la journée du lundi, on décida d'évacuer pour l'occasion la nef, le transept et le chœur, la messe du lendemain se déroulerait dans la chapelle elle-même.

Le père Désiré était ravi de voir les fidèles préparer le spectacle avec autant d'enthousiasme. « Dieu vous bénisse ! » disait-il à qui voulait l'entendre. On fit suffisamment de place pour que tout le monde pût tenir face à la table surélevée qui servirait d'autel, on balaya et lava la pierre séculaire, et le mardi, le père Désiré proposa que l'on précède l'entrée dans la chapelle d'une procession. Cette initiative, qui ajoutait de la solennité à la circonstance, fut très bien accueillie. Comme Désiré ne connaissait aucun chant religieux, il sollicita sœur Cécile et Alice pour qu'elles marchent en tête du cortège et entament les chants que les fidèles reprendraient. Puis il demanda à Philippe le Belge de fabriquer une croix qu'il porterait et à Alice de lui coudre une tenue de pénitent dans un drap à peu près blanc.

Lorsque le sous-préfet arriva, vers dix heures comme il était convenu, il fut arrêté dans le jardin par la procession. Sœur Cécile, en tête, chantait : « C'est toi, Seigneur, le pain rompu livré pour notre vie ! C'est toi, Seigneur, notre unité, Jésus ressuscité ! »

Venait à sa suite le père Désiré tout de blanc vêtu, la tête basse, portant sa croix comme un fardeau. Désiré se voyait évêque. Pape.

Lors de la messe qui s'ensuivit, le sous-préfet Loiseau fut installé au premier rang, il avait à sa gauche sœur Cécile, le visage sévère, à sa droite Alice, le visage pâmé, et Fernand.

Derrière avaient pris place Gabriel et Louise, le bébé dans les bras, les jumeaux entre les jambes. Et Raoul qui finalement n'était pas parti, ça ne servait plus à rien. Personne n'avait trouvé incongru qu'il assiste à la messe en compagnie de Michel, sagement assis près de lui comme un paroissien ordinaire.

– *Arse diem ridendo arma culpa bene sensa spina populi hominem futuri dignitate... Amen.*

– Amen !

Tout le monde ici connaissait l'étrange rituel du père Désiré, le geste pour se lever, le geste pour s'asseoir, les longues tirades en « latin des origines » et la curieuse succession de mouvements qui rappelaient vaguement ceux que l'on avait coutume de voir à la messe, mais dans un ordre étrange.

– *Pater pulvis malum audite vinci pector salute christi...* Amen.

– Amen !

Sœur Cécile, indignée, se tourna à de nombreuses reprises vers le sous-préfet Loiseau, mais elle le voyait littéralement fasciné par cette liturgie si nouvelle qu'on lui avait pourtant présentée comme la plus ancienne de tous les temps.

Le père Désiré passa assez rapidement au sermon. Avec la confession, c'était ce qu'il préférait, l'instant où son talent pouvait se déployer dans toute sa majesté.

– Mes bien chers frères, mes bien chères sœurs, remercions le Seigneur (il levait les bras au ciel et adressait à la voûte crevée de la chapelle un regard empreint de douleur et d'espoir) de nous avoir ainsi réunis. Oui, Seigneur, nous T'avons appelé. Oui, Seigneur (il raffolait de l'anaphore), nous T'avons supplié. Oui, Seigneur...

Désiré était parti pour une belle et longue série, mais toutes les têtes se tournaient vers l'entrée de la chapelle, le public se dissipait.

– Oui, Seigneur, Tu es venu pour que les hommes Te s...

C'était un bruit de moteur. De plusieurs. Des camions peut-être, on entendit des voix dehors.

– Oui, Seigneur, nous avons vu Ta clarté céleste se r...

Désiré se tut.

Tout le monde maintenant regardait les trois officiers allemands qui se tenaient sur le seuil, tandis que des portes de véhicules claquaient dans le cimetière.

Personne ne savait quoi faire.

Le sous-préfet Loiseau poussa un soupir et il s'apprêtait à se lever pour aller à la rencontre de l'ennemi, lorsque la voix du père Désiré tonna :

– Oui, Seigneur, voici l'épreuve !

La foule se tourna de nouveau vers lui. Les militaires allemands ne bougeaient pas, ils restaient plantés là-bas, debout, les mains dans le dos.

Désiré prit sa bible, qu'il feuilleta frénétiquement.

– Mes sœurs, mes frères, souvenons-nous du livre de l'Exode. Pharaon arriva (il tendit le bras vers l'entrée de la chapelle), Pharaon autoritaire et cruel, dominateur et vicieux, créature de Satan ! Et Pharaon asservit les peuples et soumit les Hébreux. Alors, Seigneur, Tu désignas un sauveur, un homme humble, si envahi par le doute qu'il Te fallut déclencher les dix plaies d'Égypte pour le secourir.

Le père Désiré dressa le bras vers le ciel.

– Oh oui, Pharaon vint à résipiscence ! Mais son âme restait méchante, sa nature perverse le dominait ! Et il poursuivit les Hébreux de sa haine, car il voulait les détruire !

La voix de Désiré tempêtait dans la chapelle comme celle d'un prédicateur halluciné.

– Être le seul maître du monde, voilà ce que voulait Pharaon ! Les Hébreux partirent en exode. On les vit sur les routes, sur les chemins, fuir la colère apocalyptique de Pharaon, on les trouva apeurés, cachés ici et là, tentant pathétiquement de se soustraire à sa haine ! On les vit marcher, et marcher encore, et s'épuiser dans cet exode qui leur semblait ne devoir jamais s'achever !

Il fit un long silence, passa son regard sur la foule. Tout au fond, les soldats n'avaient pas bougé d'un cil et posaient sur le prêtre un œil froid, calme et résolu.

– Et vint le jour où Pharaon fut dans leur dos, si proche que sans se retourner ils sentaient sa présence maléfique. Ils étaient perdus. Tous allaient devoir céder ou mourir. Le désespoir les parcourut. Allaient-ils renoncer et se plier à l'ambition de Pharaon ? ou avancer encore et se noyer dans la mer ? C'est alors, Seigneur, que Ta volonté s'exprima. Tu aidas les Hébreux parce qu'ils avaient besoin de Toi. Oui, Tu séparas les eaux, Tu écartas les flots ! Grâce à Toi, les Hébreux purent avancer et fuir ! Puis, implacable mais juste, Tu refermas les flots sur Pharaon, ses troupes et ses armées.

Désiré ouvrit les bras largement. Il souriait.

– Nous voici aujourd'hui devant Toi, Seigneur. Nous nous apprêtons à l'épreuve, mais nous savons que Tu es là, que nos sacrifices ne seront pas vains et que Pharaon, tôt ou tard, cédera à Ta volonté. Amen.

– Amen !

Le père Désiré, comme on voit, avait pris quelques libertés avec le texte de la Bible, mais l'intention était claire, le message limpide.

Désiré venait d'engager sa vie.

Son homélie achevée, il s'avança dans la travée centrale et marcha au-devant des trois officiers, dont les silhouettes s'encadraient dans la porte.

On le vit tendre les mains, ralentir le pas. Puis se planter devant celui qui était visiblement le chef.

Il ouvrit largement les bras pour souligner le sacrifice qu'il faisait de sa personne.

– Heil Hitler ! aboya l'officier en tendant le bras.

Tout le monde comprit alors qu'aucun des trois Allemands ne parlait un mot de français.


C'est la raison pour laquelle on vit, dès le début de l'après-midi, la large table qui avait servi d'autel dressée dans la cour,

et chacun des réfugiés présenter ses papiers à l'officier allemand qui se tournait sur sa droite vers le sous-préfet Loiseau
pour se faire traduire les propos des uns et des autres. Le
père Désiré était assis à sa gauche et émaillait la cérémonie
d'anecdotes que le sous-préfet, en général, résumait en trois
mots.

On fit passer d'abord les familles avec des enfants en bas
âge.

Louise arriva, flanquée des jumeaux, la petite Madeleine
dans ses bras. Montrant les garçons, elle expliqua, la jardinière d'enfants, la ville dont elle n'avait pas compris le nom,
le maire qui avait ordonné l'évacuation, les parents qui
n'étaient pas venus chercher leurs enfants. Elle était très
émue.

Le sous-préfet écouta la question de l'Allemand.

– Monsieur vous demande s'ils avaient des papiers sur
eux.

– Rien, dit Louise.

Sa voix tremblait. L'officier était un homme au visage fin
qui n'exprimait pas grand-chose, il était difficile de deviner
ses intentions.

– Et le bébé ? demanda M. Loiseau.

Le père Désiré éclata de rire.

– Ha, ha, ha ! Non, celui-ci est à elle ! C'est son bébé !

Puis il se pencha vers le sous-préfet.

– Pouvez-vous demander à monsieur s'il est possible de
refaire des papiers à madame et à son enfant puisqu'elle a
tout perdu sur la route...?

L'officier approuva et fit signe à la famille suivante d'avancer.

Louise serait tombée si le père Désiré ne s'était levé

précipitamment pour l'emmener jusqu'à Gabriel, qui s'occuperait d'elle.

Le défilé dura toute la journée.

Tout le monde passa devant la table.

Fernand présenta ses papiers et l'officier demanda, personne ne comprit pour quelle raison, qu'on les traduise mot à mot.

Gabriel et Raoul n'eurent pas de difficulté à dire dans quel corps ils avaient servi. Et comment les circonstances les avaient, comme tant d'autres soldats, jetés sur les routes, ce qui était moins vrai. Ils se trouvèrent blanchis à la seconde même.

Enfin, l'officier referma son registre, tendit la main au sous-préfet, les deux hommes échangèrent quelques propos courtois. L'officier voulut saluer le père Désiré, qu'on n'avait pas vu depuis plusieurs heures. Comme on ne le trouva pas, les Allemands partirent, rendez-vous était pris pour le lendemain, en vue du démantèlement du camp et le transfert des réfugiés.


On chercha longuement le père Désiré. En vain. On ne le revit jamais plus.

Fernand s'aperçut, tard dans la soirée, que son sac marin avait disparu.

Sœur Cécile, lorsqu'elle apprit cette disparition, fut dans une rage folle, tandis qu'Alice souriait.

— M. Loiseau l'avait senti ! Il me l'avait dit ! C'était un imposteur, rien d'autre, un imposteur !

— Eh oui, dit Alice, toujours souriante.

— Quoi... vous le saviez ?

Sœur Cécile était outrée.

– Oui, évidemment...

– Et vous n'avez rien dit ?

Alice regarda le camp, tous ces gens qui y avaient trouvé un refuge.

– Bah, prêtre ou non, peu importe, dit-elle doucement. Il nous était envoyé par le Seigneur.

# Épilogue

Commençons par M. Jules, il y a longtemps qu'il a disparu de notre histoire. Qu'on se rassure, il n'a pas été victime du bombardement qui causa sa séparation d'avec Louise. Il poursuivit tant bien que mal sa descente vers le sud et fut cueilli par l'armistice à La Charité-sur-Loire. Il décida alors de faire le chemin à rebours, de remonter à Paris. « Maintenant qu'ils ont fini leurs conneries, faut que je rouvre mon restaurant, moi ! » disait-il à qui voulait l'entendre. Raconter le périple de M. Jules jusqu'à Paris serait une histoire à part entière qui ne manquerait pas, on s'en doute, d'épisodes pittoresques. Il arriva à Paris le 27 juillet 1940 et rouvrit La Petite Bohème dès le surlendemain.

Louise épousa Gabriel le 15 mars 1941 à Paris. Ils n'eurent pas d'enfants. Gabriel trouva un emploi de professeur de mathématiques dans une école privée, dont il devint le directeur dix ans plus tard. La petite Madeleine fut pour lui l'objet d'une véritable passion. Cause ou conséquence de l'amour débordant qu'il avait pour cette enfant, elle se révéla très douée en mathématiques et resta même longtemps la plus jeune Française agrégée. Gabriel, après avoir été son professeur, devint son disciple, elle n'avait pas seize ans. Lorsqu'elle quitta la France pour un laboratoire américain, Gabriel vieillit de dix ans. Il suivit ses travaux jusqu'à ce que ses compétences rencontrent leur limite. Il avoua un jour à Louise qu'il lisait ses travaux et ses articles sans les comprendre, comme on ferait de poèmes en langue étrangère, pour la seule beauté de la musique.

Louise, on s'en doute, ne retourna pas à la communale de la rue Damrémont, pour consacrer l'essentiel de son temps à la petite Madeleine. Il était de tradition de fêter l'anniversaire de l'enfant à La Petite Bohème. M. Jules servait un repas exceptionnel et un gâteau dont il disait à la fillette qu'il lui donnerait la recette la veille de sa mort. Le jour du huitième anniversaire de Madeleine, M. Jules fut terrassé par une crise cardiaque. À la petite Madeleine qui pleurait près de son lit d'hôpital en lui tenant la main, il expliqua qu'il ne mourrait pas maintenant parce qu'il ne lui avait pas donné sa recette. Il avait raison. Reste qu'en revenant il n'était plus le même. Il demanda à Louise si elle voulait reprendre le restaurant, ce qu'elle fit. Elle se révéla une excellente cuisinière. Comme du temps de M. Jules, l'établissement ne désemplissait pas. Seul aménagement à la salle à laquelle elle ne voulut jamais toucher, elle retira la table à laquelle le docteur était venu s'asseoir pendant près de vingt ans et la remplaça par un juke-box.

M. Jules mourut en 1959, entouré, comme on dit, de l'affection des siens.

En 1980, à l'âge de soixante-dix ans, Louise renonça à faire la cuisine. Gabriel était mort l'année précédente, elle n'avait plus trop le cœur à travailler. Madeleine habitait une autre galaxie, Louise se résolut à vendre l'établissement. C'est aujourd'hui un magasin de chaussures.

Les parents des jumeaux avaient été désespérés. On apprit que la jardinière d'enfants, paniquée par l'annonce de l'arrivée des Allemands, n'avait pas attendu bien longtemps leur retour et avait préféré prendre la route avec les trois enfants qui, au sens propre du terme, lui restaient sur les bras. Les jumeaux firent partie de ces milliers d'enfants brutalement séparés de leurs parents par les hasards de l'exode. Nombre d'entre eux, chose aujourd'hui difficilement imaginable, ne les retrouvèrent jamais. On entendit pendant des mois des appels désespérés de pères, de mères, on vit des centaines de petites annonces, certaines avec des photos, qui traduisaient l'angoisse et les remords que provoquèrent ces séparations.

Les jumeaux furent chanceux.

Personne, en revanche, dans ce village, ne réclama jamais la petite fille que Louise conserva. On suppose, bien que sans preuve aucune, qu'il était arrivé malheur à sa mère qui l'avait déposée le matin au jardin d'enfants de la ville.

Raoul Landrade eut bien du mal à se remettre des découvertes sur son passé que Louise lui avait révélées. Convaincu qu'Henriette savait tout et lui avait caché la vérité par lâcheté, il se fâcha avec elle.

Ne sachant pas trop quoi faire, il opta pour la carrière militaire. «Je ne vois pas ce que je pourrais faire d'autre», avait-il dit à sa sœur. C'était évidemment un terrain propice à son goût pour les petits trafics mais un mauvais choix, ce que ni lui ni elle ne comprit. Pour quelqu'un qui avait construit sa vie sur une résistance à l'autorité (incarnée par Germaine Thirion), l'armée n'était pas une bonne idée. Il y fit donc une carrière médiocre. Mais les événements se chargèrent de le ramener à lui-même. Dans l'armée, il retrouva l'esprit de camaraderie qu'il avait découvert avec Gabriel. Et lorsque, au début des années 60, ses camarades l'entraînèrent vers l'OAS, il épousa leur cause d'autant plus facilement qu'il s'agissait de résister au général de Gaulle qui figurait très convenablement un père à qui s'opposer. Lorsque Louise comprit que Raoul était très engagé dans cette organisation, elle le prit dans ses bras et lui dit : « Je suis heureuse pour toi mais je n'aurai plus de plaisir à te voir. Je me demanderai toujours ce que tu as sur les mains. »

À ce moment-là, il retourna voir Henriette, qui l'accueillit comme s'il s'était absenté la veille.

Au sujet de Raoul, Madeleine, pour la première fois, s'opposa à sa mère. Il avait toujours été pour elle une sorte d'oncle d'Amérique. Depuis sa plus tendre enfance, jamais il ne venait sans un cadeau, jamais il ne se lassait de lui parler, de lui raconter des histoires, elle le trouvait très beau, il avait sauvé la vie de son père, comment une petite fille aurait-elle pu résister…

Les événements, encore eux, se chargèrent de mettre tout le monde d'accord.

En novembre 1961, Raoul fut tué lors des affrontements violents qui opposèrent l'OAS au MPC (dans lequel, c'est anecdotique, militait l'ex-caporal-chef Bornier, qui fut gaulliste comme il était alcoolique, de manière obtuse et entêtée).

Raoul resta entre Louise et Madeleine une zone trouble dans laquelle elles se risquèrent rarement. De temps en temps, Madeleine demandait à son père de lui raconter la « prise du pont de la Trèguière », qui était pour elle comme un épisode de guerre napoléonienne.

Quelques semaines après l'armistice, Alice et Fernand, eux aussi, remontèrent à Paris. Ils ne touchèrent pas une seule fois à la valise de billets qu'ils retrouvèrent pourtant intacte dans la cave à leur arrivée.

Fernand, soucieux de ne pas participer activement aux opérations conduites par la police sous les ordres de Vichy, parvint à se faire muter à un poste subalterne à l'état-major de la garde républicaine mobile. Il distribua du courrier dans les services pendant près de quatre ans et attendit son heure, qui survint le 13 août 1944. Ce jour-là, il fut l'un des meneurs de la grève de la gendarmerie nationale, suivie deux jours plus tard par celle de la police. Il participa, aux côtés des FFI, à la bataille pour la libération de Paris et fut tué le 22 août 1944, à l'angle de la rue Saint-Placide (pas très loin de la prison du Cherche-Midi).

Alice connut toute sa vie de nombreuses alertes cardiaques, ce qui ne l'empêcha pas de vivre jusqu'à quatre-vingt-sept ans. Quelques mois après la mort de Fernand, elle vida l'appartement, la cave et partit s'installer près de Sully-sur-Loire, où elle prit soin de la sœur de l'homme qu'elle avait tant aimé. Là, elle fit le bien. Elle consacra toute sa fortune à des œuvres, des associations, des établissements d'aide, des mouvements de solidarité. Elle devint une sorte de monseigneur Bienvenu dans la région de Sully. C'est à elle que l'on doit l'édification (puis l'entretien jusqu'à sa mort) des magnifiques bâtiments abritant l'orphelinat Sainte-

Cécile, qui appartiennent aujourd'hui, je crois, à une banque privée (on y organise des conférences, des séminaires, ce genre de choses), mais l'essentiel reste, bien évidemment, les célèbres jardins et surtout le sublime « grand potager de l'orphelinat Sainte-Cécile » que l'on vient visiter du monde entier.

Reste Désiré. Je ne vais pas vous raconter d'histoires, quasiment rien de ce qu'on croit savoir sur lui n'a été prouvé ou démontré. Il appert (si l'on n'utilise pas ce genre de verbe à la fin d'un roman, quand le fera-t-on ?) des rares études universitaires qui se sont intéressées à lui que la période 1940-1945 est (je cite) « le seul îlot de certitude » que l'on puisse avoir à son sujet. Désiré s'est indiscutablement engagé dès 1940 dans la Résistance. Elle offrait à ce personnage hors du commun un terrain bien plus fertile encore que la guerre pour endosser toutes sortes d'identités. Désiré dut se sentir au sein de ce mouvement comme un poisson dans l'eau. On croit le retrouver en plusieurs endroits et à différentes périodes. Le seul fait avéré est qu'un certain Giedrius Adem – anagramme évidente de Désiré Migaud – fut le véritable artisan de l'audacieuse évasion de Philippe Gerbier (fin 1942 ou début 1943, je ne sais plus) du champ de tir de Lyon grâce à une corde et des fumigènes. On retrouve sa trace (ou ce qu'on croit être sa trace) dans plusieurs épisodes de la Résistance. Certains historiens restent convaincus (la photo est assez floue) que Désiré défile avec le général de Gaulle sur les Champs-Élysées le 26 août 1944, c'est tout à fait possible. Il en est de Désiré Migaud (ou Migault, ou Mignon, etc.) comme des grands personnages : on lui prête beaucoup. On attend avec curiosité le travail du courageux historien qui a annoncé une étude approfondie (qui promet, dit-on chez son éditeur, des révélations spectaculaires) de ce que Roland Barthes a appelé le « mythe Désiré ».

*Fontvieille, septembre 2019*

# Comme il se doit...

À la fin, il faut remercier. Je le fais avec plaisir et gratitude.

Merci d'abord à Camille Cléret, que j'ai épuisée en demandes et en questions et qui s'est toujours montrée lucide, pertinente et réactive.

Un petit groupe d'amis s'est gentiment mobilisé pour relire ce roman et me livrer des commentaires bien utiles. Merci donc pour leur patience et leur attention à Gérald Aubert et Camille Trumer en premier lieu, ainsi qu'à Jean-Daniel Baltassat, Jean-Paul Vormus, Catherine Bozorgan, Solène Chabanais, Florence Godfernaux et Nathalie Collard. Mon ami et complice Thierry Depambour a fait de ce roman une lecture attentive et judicieuse qui m'a été très utile ; c'est à lui que je dois la fin du chapitre 22, cette scène avec le pigeon et les corneilles. Merci enfin à Véronique Ovaldé qui a été mon éditrice.

Une de mes dettes me tient particulièrement à cœur, celle contractée auprès de Jacky Tronel à qui je dois l'épisode de l'« exode pénitentiaire », fait réel bien surprenant. J'ai évidemment pris des libertés avec cet événement mais une impressionnante colonne de prisonniers militaires s'est bien mise en marche, en juin

1940 (pour être précis le 12 au départ du Cherche-Midi et le 10 au départ de la prison de la Santé), pour se rendre à Avord, dans le Cher. Le 15 juin, six détenus ont été tués pour « rébellion, tentative d'évasion ou refus de suivre ». Le lendemain, sept autres. Sur les 1 865 prisonniers présents au départ de Paris, 845 étaient manquants à l'arrivée au camp de Gurs, le 21 juin, soit 45,31 pour cent de l'effectif initial...

Le lecteur trouvera sur le site de Jacky Tronel, historien scrupuleux de cet épisode, le détail de cette triste affaire (http://prisons-cherche-midi-mauzac.com/bienvenue-sur-le-blog-de-jacky-tronel).

Je dois quantité de détails réels à deux ouvrages de témoins directs : *Simple militant* (Denoël, 1974), de Maurice Jaquier, et *Le Radeau de la Méduse* (Aden, Bruxelles, 2009), de Léon Moussinac.

J'ai trouvé dans le livre d'Henri Amouroux, *Le Peuple du désastre* (Laffont, 1976), la péripétie des billets brûlés de la Banque de France (trois milliards, assure-t-il) qu'il résume en quatre lignes. Les archives de la Banque de France disposent de tous les éléments concernant cet étrange événement.

Désiré Migault doit quelques idées à la plaidoirie prononcée en 1942 par Mᵉ Maurice Garçon dans sa défense des « piqueuses d'Orsay », que Pierre Assouline avait soulignée à mon intention.

Je dois les répliques latines du directeur de l'école de Louise à Jérôme Limorté, que je remercie bien sincèrement.

Certaines informations rapportées par Désiré dans ses émissions à la radio sont assez abracadabrantes. Un grand nombre d'entre elles sont absolument réelles et ce ne sont pas les moins extravagantes...

Le fort du Mayenberg est une invention largement inspirée du Hackenberg situé à Veckring en Moselle. J'ai été admirablement reçu sur place par un excellent guide, Bernard Leidwanger, et un incollable historien, Robert Varoqui. Jacques Lambert et ses éditions Terres ardennaises m'ont également fourni de très précieux détails.

Un roman dont l'exode de juin 1940 est la toile de fond aurait été bien difficile à concevoir sans la précieuse lecture de Léon Werth (*33 jours*, Viviane Hamy, 2015), Éric Alary (*L'Exode*, Perrin, 2013), Pierre Miquel (*L'Exode*, Plon, 2003), François Fonvieille-Alquier (*Les Français dans la drôle de guerre*, Laffont, 1970), Éric Roussel (*Le Naufrage*, Gallimard, 2009) ou Jean Vidalenc (*L'Exode de mai-juin 1940*, PUF, 1957).

Parmi les ouvrages qui m'ont été de la plus grande aide, je cite avec reconnaissance : Éric Alary, Bénédicte Vergez-Chaignon et Gilles Gauvin *(Les Français au quotidien, 1939-1940*, Perrin, 2009)*, Marc Bloch *(L'Étrange Défaite*, Franc-Tireur, 1946)*, François Cochet *(Les Soldats de la drôle de guerre*, Hachette Littérature, 2006)*, Jean-Louis Crémieux-Brilhac *(Les Français de l'an 40*, Gallimard, 1940), Karl-Heinz Frieser *(Le Mythe de la guerre éclair*, Belin, 2003)*, Ivan Jablonka *(Ni père, ni mère, Histoire des enfants de l'Assistance publique 1874-1939*, Seuil, 2006)*, Jacques Lambert *(Les Ardennais dans la tourmente*, Terres ardennaises, 1994)*, Jean-Yves Marie et Alain Hohnadel *(Hommes et ouvrages de la ligne Maginot*, Histoire et collections, 2005)*, Jean-Yves Mary *(Le Corridor des Panzers*, Heimdal Éd., 2010)*, Jean-Pierre André-Ruetsch *(Tempête à l'est. L'infanterie berrichonne dans la campagne de France*, Alice Lyner Éditions, 2011), Michaël Séramour *(Les Troupes de forteresse en Lorraine et en Alsace* et *La Ligne Maginot. Ses casernes disparues*, Éditions Sutton, 2016)*,

Dominique Veillon (*Vivre et survivre en France, 1939-1945*, Payot, 1995), Maurice Vaïsse (*Mai-juin 1940. Défaite française, victoire allemande sous l'œil des historiens étrangers*, Autrement, 2000), Henri de Wailly (*L'Effondrement*, Perrin, 2000) et Olivier Wieviorka et Jean Lopez (*Les Mythes de la Seconde Guerre mondiale*, Perrin, 2015).

Voilà pour les livres.

Pour le numérique, j'ai une nouvelle fois fait appel à Gallica (BnF) et à RetroNews, les magnifiques bases de données de la Bibliothèque nationale de France concernant notamment la presse quotidienne. On attend avec impatience que la numérisation se poursuive sur les années d'après-guerre...

Je dois à Jean-Christophe Rufin la cause de la stérilité de Louise, à mon ami le docteur Bernard Giral les détails sur l'état de santé de Gabriel et des informations bien utiles à ma visite au musée Guerre et Paix en Ardennes, où m'ont reçu et aidé Marie-France Devouge et Stéphane André.

Comme à l'accoutumée, en cours de travail, des mots, des phrases, des images, ici une idée, là une expression me sont venus à l'esprit et qu'on retrouve dans le texte. Ils viennent entre autres de Louis Aragon – Gérald Aubert – Michel Audiard – Honoré de Balzac – Charlotte Brontë – Dino Buzzati – Stephen Crane – Charles Dickens – Denis Diderot – Françoise Dolto – Roland Dorgelès – Fédor Dostoïevski – Albert Dupontel – Gustave Flaubert – Romain Gary – Guilleragues – Joseph Heller – Victor Hugo – Joseph Kessel – Jean-Patrick Manchette – Carson McCullers – Claude Moine – Paul Murray Kendall – Marcel Proust – François Rabelais – Restif de la Bretonne – Georges Simenon – Émile Zola.

Ainsi s'achève cette trilogie de l'entre-deux-guerres, aventure entamée en 2012 et qui évidemment, sans Pascaline, n'aurait jamais existé.

Comme tant d'autres choses.

# DU MÊME AUTEUR

*Aux Éditions Albin Michel*

ALEX, 2011, prix des Lecteurs du Livre de Poche 2012, CWA DAGGER International 2013, Le Livre de Poche, 2012.

SACRIFICES, 2012, CWA DAGGER International 2015, Le Livre de Poche, 2014.

AU REVOIR LÀ-HAUT, 2013, prix Goncourt 2013, CWA DAGGER International 2016, Le Livre de Poche, 2015.

TROIS JOURS ET UNE VIE, 2016.

COULEURS DE L'INCENDIE, 2018.

*Chez d'autres éditeurs*

TRAVAIL SOIGNÉ, Le Masque, 2006, prix Cognac 2006, Le Livre de Poche, 2010.

ROBE DE MARIÉ, Calmann-Lévy, 2009, prix du Polar francophone 2009, Le Livre de Poche, 2010.

CADRES NOIRS, Calmann-Lévy, 2010, prix du Polar européen 2010, Le Livre de Poche, 2011.

ROSY & JOHN, Le Livre de Poche, 2014.

*Composition IGS-CP*
*Impression CPI Bussière en janvier 2020*
*Éditions Albin Michel*
*22, rue Huyghens, 75014 Paris*
*www.albin-michel.fr*

ISBN : 978-2-226-39220-7
N° d'édition : 22389/04 – N° d'impression : 2049998
Dépôt légal : janvier 2020
Imprimé en France